DOOD SPOOR

Patricia Rushford

Dood spoor

Roman

Vertaald door Marianne Locht

Voorhoeve

© Uitgeverij Voorhoeve – Kampen, 2006
Postbus 5018, 8260 GA Kampen
www.kok.nl

Oorspronkelijk verschenen onder de titel *As good as dead* bij Fleming H. Revell,
a division of Baker Publishing Group, Grand Rapids, Michigan, 49516, USA.
© Patricia H. Rushford, 2005

Vertaling Marianne Locht
Omslagontwerp Bas Mazur
ISBN 90 297 1809 9
NUR 302

1

Cade stapte over het lijk van de getuige heen, geïrriteerd dat de man niet gewoon meteen was neergevallen toen de kogel hem had geraakt. John Stanton had gegromd als een gewonde beer en was de slaapkamer uit gewankeld. Cade had nog moeite moeten doen om hem te ontwijken. Het laatste wat hij nodig had, was bloederig bewijsmateriaal op zijn maatpak.

Stanton had naast de bank eindelijk zijn laatste adem uitgeblazen. Het bloedspoor maakte alles nogal slordig en Cade had een hekel aan slordige moorden. Hij zou natuurlijk niet proberen om het schoon te maken. Dat was niet nodig. Dan had de technische recherche ook nog een lolletje. Ze zouden geen bewijs vinden dat naar hem leidde.

Gelukkig was de zogenaamde bodyguard van de getuige meteen tegen de grond gegaan. Hij lag in een steeds donkerder wordende plas bloed op het champagnekleurige tapijt in de slaapkamer. Precies zoals het hoorde. Hij heette Ted Wheeler, een jonge vent, net van school – eentje die erg zijn best deed. Cade voelde zich licht schuldig. Het joch had niet geweten wat hem overkwam.

Cade zette zijn irritatie en schuldgevoelens opzij en richtte zijn aandacht op belangrijker zaken. De bar in de hotelkamer bood verschillende mogelijkheden. Hij koos een flesje Jack Daniels whisky, schonk het leeg in een schoon glas en ging zitten op een barkruk. Hij keek op zijn horloge. Nog vijf minuten – als de assistent van de officier van justitie tenminste op kwam dagen volgens plan. Hij zag er een beetje tegenop, maar hij had toegezegd dat hij alle drie de mannen zou vermoorden. Zelf vond hij het een beetje overdreven.

'Sinds wanneer moet je jezelf moed indrinken?' Cade staarde naar zijn spiegelbeeld. Hij was even van zijn stuk gebracht door de brede neus en hoge jukbeenderen die hij in het flexibele plastic had gekneed dat als masker dienst deed. Toen hij de bezorgdheid in zijn donkere ogen zag, keek hij vlug naar beneden, naar de amberkleurige vloeistof in zijn glas. Vol afschuw sloeg hij de inhoud achterover en sloot zijn ogen toen de whisky brandde die door zijn keel gleed.

Hij had geen ernstige gewetensbezwaren gevoeld toen hij de twee mannen ombracht die hem nu gezelschap hielden, vooral niet bij Stanton. De man was een gluiperd. Maar hij maakte zich wel zorgen om de moord op Luke Delaney.

Cade was geen religieus type – daar kon niemand hem van beschuldigen. Hij noemde het gevoel in zijn binnenste liever intuïtie, of misschien gewoon gezond verstand. Hij zou het zelfs zijn geweten kunnen noemen, maar na jarenlang huurmoordenaar geweest te zijn, had hij zo z'n twijfels of hij wel een geweten bezat. Toch had zelfs een professionele moordenaar zijn grenzen.

Er was een aantal dingen dat hem dwarszat. Delaney was een fatsoenlijke kerel. Hij had rechten gestudeerd aan de universiteit van Harvard en was als beste van zijn klas afgestudeerd. Nu werkte hij als assistent van de officier van justitie in Lee County. Delaney's vader en zijn beste vriend waren politieagenten en zijn zusje, Angela, zat op de politieacademie. Als hij Delaney doodschoot, zouden deze drie hem waarschijnlijk meedogenloos op de hielen zitten. Hoewel Cade er bekend om stond dat hij nooit bewijsmateriaal

achterliet, maakte hij zich er zorgen om dat zijn voorzorgs-
maatregelen dit keer niet afdoende zouden zijn. Hij had ervoor gezorgd dat alle sporen van het verzoek om Stanton en
Wheeler te vermoorden, vernietigd waren. Maar geen enkel
plan was waterdicht. Hij staarde naar het glas in zijn hand en
liep ermee naar de gootsteen om alle sporen van DNA weg
te spoelen. Hij bleef maar piekeren over zijn derde slachtoffer.

Wat alles nog erger maakte, was dat een van Luke's drie
broers dominee was in de kerk van St. Matthew in Sunset
Cove, Oregon. Cade had er een hekel aan om religieuze
mensen of hun families koud te maken. Dat kwam ongetwijfeld door zijn jeugd. Zijn vader was priester geweest en
had hem respect bijgebracht voor de kerk en iedereen die
ermee te maken had. Delaney had met de kerk te maken. En
niet zo'n beetje. Zelfs nu hij in Fort Myers woonde, ver bij
zijn familie vandaan, ging hij nog elke zondag naar de kerk.

Cade kon niet vergeten dat Delaney's twee andere broers
rijk waren – ze hadden genoeg geld om een jarenlang onderzoek te bekostigen. En de familie had Ierse en Italiaanse
wortels, net als zijn eigen moeder. Cade schudde zijn hoofd.
Hij werd zelden sentimenteel in zijn werk, maar dit ging
zelfs nog verder. Het was alsof hij gewaarschuwd werd.

'Aan de andere kant,' zei Cade tegen zijn spiegelbeeld,
'word ik van de dood van Delaney wel honderd ruggen rijker. Dat is niet mis.'

Om precies half acht 's morgens klikte er een sleutelkaart
in het gleufje in de deur. Cade verstijfde en trok zijn pistool
– een Beretta die hij straks ergens in de plomp zou gooien,
waar niemand hem ooit zou vinden. De deurkruk bewoog
naar beneden en de deur zwaaide open. Cade verstopte zich
en wachtte. Delaney zou helemaal de kamer in moeten

lopen voor hij de dode man kon zien liggen. Zweetdruppeltjes parelden op zijn bovenlip. Hij had een hekel aan besluiteloosheid. Plotseling schoot er een gedachte door zijn hoofd en een glimlach speelde om zijn lippen. Hij had de perfecte oplossing gevonden.

Luke aarzelde even voordat hij de kaart die zijn baas hem gegeven had in het slot stak. Hij had een naar voorgevoel en de neiging om te vluchten. Maar hij zou er niet aan toegeven – dat kon hij zich niet veroorloven. Hij was gekomen om Stanton naar de rechtbank te escorteren, waar hij zou getuigen tegen de gebroeders Penghetti, van wie werd beweerd dat ze de drijvende kracht vormden achter een van de grootste misdaadsyndicaten van het land. Drugs, diefstal, fraude, afpersing, moord – noem maar op.

Alton Delong, zijn baas en de officier van justitie, had er een paar jaar over gedaan om de gebroeders Penghetti achter slot en grendel te krijgen. Nu was het hem gelukt en ze konden met geen miljoen worden vrijgekocht. Dat hoopte Luke tenminste. Helaas hing deze zaak maar op één getuige. Luke was niet zo gecharmeerd van het idee dat hij die man moest gaan ophalen.

Luke stak de sleutelkaart in het gleufje en toen er een groen lichtje ging knipperen, duwde hij de deurkruk naar beneden en zwaaide de deur open.

'Stanton? Ted?' Hij had een drukkend gevoel in zijn borst toen hij de hotelkamer in liep en de deur achter hem dicht viel. Hij stond in de gang en keek naar de kast links en de badkamer rechts. Voor hem was de suite met een slaapkamer en nog een bad. Luke probeerde zichzelf ervan te overtuigen dat hij zich geen zorgen hoefde te maken – dat het allemaal verbeelding was. Maar hij had sterk het gevoel dat er iets vreselijk mis was. Het was veel te stil in de suite.

Misschien was er een misverstand geweest en waren de bodyguard en de getuige al weg. Of misschien waren ze in de slaapkamer en hadden ze hem niet gehoord. Luke deed een paar stappen vooruit. 'Zijn jullie klaar om te vertrekken?'

Het was akelig stil. Hoewel hij niets hoorde, voelde hij dat er links van hem iemand stond. Het drukkende gevoel op zijn borst werd heviger toen hij een man zag staan met een pistool – en John Stanton op de vloer zag liggen. Luke slikte zijn angst weg. Zijn blik volgde het spoor van bloed de slaapkamer in. Van waar hij stond kon hij de bodyguard zien liggen in zijn bebloede uniform. Zijn gevoel maande hem tot vluchten, maar met zijn verstand wist hij dat het te laat was. De moordenaar zou hem neerschieten voor hij zich om kon draaien. Hij kon in ieder geval proberen wat antwoorden los te krijgen en hopen dat hij meer kans had om te overleven als hij het onvermijdelijke even wist uit te stellen.

'Wie ben jij?' wist Luke uit te brengen.

'Je redder,' antwoordde de man. 'En ik denk niet dat jullie drieën ergens heen gaan – tenminste niet naar de rechtbank.'

'Hoe ben je hier binnengekomen?' Luke zuchtte eens diep om zijn zenuwen wat te kalmeren en stak zijn handen omhoog. De moordenaar antwoordde niet, maar bleef hem onafgebroken aanstaren met zijn pistool in de aanslag. Maar hij schoot niet. *Waarom maakt hij er niet gewoon een eind aan?* Binnen een paar seconden zou het pistool afgaan. De kogel zou inslaan in zijn vitale organen en Luke zou zijn laatste adem uitblazen. En zonder getuige zouden de gebroeders Penghetti vrijuit gaan.

Luke nam de gelaatstrekken van de man in zich op en

zijn rasperige stem. Brede neus, gebruinde huid, blond haar
– donker bij de wortels – donkerbruine ogen, ongeveer 1,90
meter lang, rond de honderd kilo, gespierd. Zijn pak was
duur en perfect gesneden. Hij droeg latex handschoenen en
had plastic overschoenen aan. Luke wist zeker dat hij de man
nog nooit eerder had gezien, maar toch kwam iets hem
bekend voor.

Niet dat het enig nut had om hem te kunnen identificeren. Het was duidelijk dat de man een professional was, dus
hij zou wel vermomd zijn. *En je gaat toch dood, dus je kan niemand meer over hem vertellen.* Luke staarde naar de vloer en
bereidde zich voor op het onvermijdelijke.

'Het is niet mijn gewoonte om met mijn slachtoffers te
praten voor ik ze doodschiet,' zei de moordenaar. 'Maar voor
jou maak ik een uitzondering.'

Luke keek de man aan. 'Ik begrijp het niet.'

De moordenaar zuchtte en leek bijna vriendelijk toen hij
zei: 'Ik begrijp het ook niet, Luke. Ik kan je alleen maar vertellen dat mijn cliënt je dood wil hebben, maar ergens bin-
nenin me is er iets wat daartegen protesteert.'

'Je cliënt?' Luke spuwde de woorden uit. 'Wie van de
gebroeders Penghetti is dat dan wel? Bobby of Rick? Of
misschien is het een gezamenlijk plan.'

'Dat doet er niet toe.' Er verscheen een berekenende
glimlach om zijn lippen. 'Ik zal je vertellen wat er gaat
gebeuren. Zoals ik al zei, ben ik je redder. Je zult hier weer
de deur uitlopen. Je neemt met niemand contact op. Je verdwijnt zonder een spoor achter te laten en ik zal tegen mijn
baas zeggen dat ik je lijk in het moeras heb gegooid, samen
met het moordwapen.'

'Waarom?'

'Je laat je leuke sportautootje achter, en je appartement,

en al je bezittingen.' Hij gebaarde met het pistool. 'Omdraaien. Handen op je rug.'

Verward deed Luke wat de man zei. De moordenaar deed hem een paar handboeien om en fouilleerde hem. Het leek een automatische handeling, alsof hij voor politieagent was opgeleid.

'Ik heb geen wapen.'

'Dat wou ik even zeker weten.' Hij pakte Luke's portemonnee en stak hem in de zak van zijn jasje. Ook zijn mobiele telefoon, zijn sleutels en de sleutelkaart van de hotelkamer haalde hij uit Luke's zakken. Hij gooide de sleutelkaart op de bar.

Luke klemde zijn kiezen op elkaar. Hij wilde protesteren, maar was bang dat de man dan van gedachten zou veranderen. *Ik ben niet van plan om spoorloos te verdwijnen.*

De spottende grijns was weer terug. 'Geen domme dingen doen,' zei de man, alsof hij Luke's gedachten kon lezen. 'Mij krijgen ze niet te pakken en jij zorgt dat je verdwijnt – tenzij je de bak in wilt voor de moord op je twee vrienden hier.'

'Dat zal niemand geloven, dat ik hen vermoord heb.'

'Daar zou ik maar niet zo zeker van zijn als ik jou was. Iedereen kan omgekocht worden, jij ook. Bovendien is er straks geen bewijs dat ik hier geweest ben.' De moordenaar duwde een glas in Luke's hand en zette het toen terug op de bar. 'Maar jouw aanwezigheid is duidelijk.'

'Je bent gek.' Luke kon zijn gedachten dit keer niet voor zich houden, maar hij had meteen spijt van wat hij gezegd had.

De man negeerde zijn opmerking. 'Er zijn mensen die je dood willen hebben, en je enige kans om in leven te blijven is door te verdwijnen. Ik zeg het je recht voor z'n raap: je

11

moet een nieuwe identiteit aannemen. Ik geef je maar één kans om te ontsnappen. Als je ergens weer opduikt, is het bekeken met je.'

'Ik begrijp nog steeds niet –'

'Dat hoeft ook niet. Neem het allemaal maar van mij aan. Zoals ik al zei, is Luke Delaney dood. Hij bestaat niet meer. Begrepen?' Zonder op een reactie te wachten, ging hij verder. 'Binnen een uur heeft de politie deze mannen gevonden, maar dan ben jij al lang weg. Ze zullen je vinger-afdrukken vinden en zich afvragen wat jouw rol hierin is. Het zal niet moeilijk zijn om de autoriteiten ervan te over-tuigen dat je omgekocht bent, Stanton en Wheeler hebt ver-moord en bent gevlucht.'

'Dat gelooft niemand,' herhaalde Luke, maar de woorden leken betekenisloos in de lucht te blijven hangen.

'Niet? Betere mensen dan jij zijn gezwicht voor een flin-ke beloning. Bovendien heb ik een zondebok nodig. Eén telefoontje naar de pers, waarin ik Luke Delaney's naam laat vallen.'

Luke schudde zijn hoofd. De man praatte over hem alsof hij al niet meer bestond. 'Dit is volslagen idioot. Waarom vermoord je me niet gewoon?'

'Omdat het me beter uitkomt om dat niet te doen. Ik zal je nog een extra stimulans geven om mee te werken. Als Luke Delaney op de een of andere manier weer boven water komt – als hij probeert met de politie of met iemand anders te praten – breng ik een voor een zijn familie om. Misschien begin ik wel met de jongste.' Zijn lippen krulden zich in een sinistere glimlach. 'Angela heet ze toch? Natuurlijk is ze veel te knap om meteen maar dood te schieten…'

Luke worstelde om los te komen uit de strakke hand-boeien. 'Als je haar ook maar met een vinger aanraakt –'

'Jouw verdwijning is haar levensverzekering.'

'Waarom doe je dit allemaal?'

De man haalde zijn schouders op. 'Ik denk dat het niet verstandig is om je nu te vermoorden. Maar aan de andere kant kan ik Luke Delaney niet laten ontsnappen. Ik heb een reputatie hoog te houden en een som geld te innen.'

'Wat vang je tegenwoordig voor moord?' siste Luke tussen opeengeklemde tanden door.

'Veel te weinig.' De man deed een stap achteruit en richtte zijn pistool op Luke. 'Nu ben jij aan zet. Je kunt blijven leven, maar niet onder de naam Delaney. Of ik schiet je nu dood. Jij mag kiezen.'

'Ik ga wel.' Luke koos voor het leven, maar hij nam zich voor deze man achter slot en grendel te krijgen, ook al zou dat zijn hele leven duren. Er moest een manier zijn om de gebroeders Penghetti en hun huurmoordenaar tot staan te brengen.

'Slimme zet. Maar onthoud dit goed: als ik hoor dat Luke Delaney ergens opgedoken is, ga ik achter zijn kleine zusje aan. Is dat duidelijk?'

'Glashelder.' Luke zag geen andere oplossing dan voor het moment te doen wat de man zei. Er moest een uitweg zijn. Misschien kon hij onderweg naar buiten de portier van het hotel een seintje geven.

'Mooi. Jij en ik lopen hier straks samen naar buiten. En haal het niet in je hoofd om alarm te slaan.' De huurmoordenaar pakte zijn jas en liet Luke een badge zien van de politie van Lee County. Hij pakte Luke bij de arm en duwde hem voor zich uit, terwijl hij zijn pistool in zijn ribben duwde.

In de gang deed de man zijn handschoenen en overschoenen uit en deed ze in een heuptasje om zijn middel.

Luke zag dat hij een zware gouden ring om de ringvinger van zijn rechterhand droeg met een granaat in het midden en aan weerskanten daarvan twee gegraveerde kruisjes. Misschien van een bepaald dispuut? Luke sloeg alle informatie op in zijn geheugen. Als hij de kans kreeg, zou hij alles aan de politie doorspelen.

Ze liepen de trap af naar de derde verdieping, waar de man een zware metalen deur open trok. In de deuropening deed hij de handboeien bij Luke af en duwde hem de parkeergarage van het hotel in. Luke viel voorover op zijn handen en knieën. De deur sloeg achter hem dicht en toen Luke achterom keek, was de man weg.

Luke stond op en morrelde aan de deur. Op slot. Alleen hotelgasten met een speciale pas konden naar binnen. De moordenaar had Luke's sleutel afgepakt en op de bar gegooid, waardoor er nog meer bewijs was dat Luke die ochtend op die hotelkamer was geweest. Hij sloeg tegen de deur met zijn vuist. Toen draaide hij zich om en leunde er tegenaan, terwijl er tranen in zijn ogen opwelden. 'Lieve help, wat moet ik nu doen?'

2

Zes jaar later in Sunset Cove, Oregon.

Angela Delaney's ogen brandden, maar ze huilde niet. Ze stond tussen haar moeder, Anna, en Callen Riley, haar vriend en rechercheur bij de State Police in Oregon. Ze staarde naar de kist waar haar vader in lag. Ze kon nog steeds niet geloven dat Frank Delaney niet meer leefde.

Sinds zijn hartaanval en bypassoperatie was het met Frank Delaney langzamerhand bergafwaarts gegaan. Na een beroerte had hij zijn gevoel van eigenwaarde volledig verloren. Een tweede beroerte was hem fataal geworden.

Haar moeder had na zijn heengaan haar schouders laten hangen en er waren meer lijnen in haar gezicht gekomen. Haar arm zat in het gips. Frank was op haar gevallen toen ze hem van het bed in zijn rolstoel wilde helpen, en hij was een boom van een man geweest. Angela zette die pijnlijke herinneringen vlug van zich af.

'Frank Delaney was een trotse man – sterk en eerlijk,' zei Angela's broer Tim in zijn preek. Zijn stem brak steeds, maar hij was vastbesloten zijn taak als dominee te vervullen. Frank was niet alleen Tims vader, maar ook een lid van zijn gemeente. Tim stond al tien jaar in St. Matthews en had al tientallen begrafenissen geleid, maar niets had hem kunnen voorbereiden op de begrafenis van zijn eigen vader. 'Hij is meer dan veertig jaar politieagent geweest en is een begrip geworden in Sunset Cove.'

Tim keek even naar Angela, en zijn verdriet leek op haar over te slaan, waardoor er opnieuw tranen in haar ogen sprongen. Ze veegde haar ogen en neus af met een vochtige zakdoek. Ze keek langs Tim heen naar de rest van haar familie.

Haar tweelingbroers, Peter en Paul, stonden aan de andere kant van het graf met Rachel, de vriendin van Paul, tussen hen in. Rachel was advocate en zij had Angela vertegenwoordigd na een schietincident. Ze waren vriendinnen geworden en Angela was gaan werken als Rachels privé-detective.

Ze keek naar Tims twee dochters, Heidi van zes en Abby van vier, die voor Tims vrouw Susan stonden. Ze zagen eruit als prinsesjes in hun nieuwe jurken en glimmende witte schoenen.

Om de familie heen stonden vrienden en bekenden, velen in uniform, werkzaam op het politiebureau van Sunset Cove, op het kantoor van de sheriff, de State Police van Oregon. Er waren zelfs twee agenten uit Canada gekomen om de laatste eer te bewijzen aan haar vader.

Ze keek vele gezichten langs. Mannen als Joe Brady, de politiecommissaris in Sunset Cove en haar vroegere baas. Bo Williams, de hulpsheriff, en Nick Caldwell, agent en buurman, die meer familielid was dan vriend. Een verslaggeefster van de lokale krant, Faith Carlson, bewoog zich voorzichtig tussen de menigte door en nam zo nu en dan wat foto's. Angela was niet zo'n fan van verslaggevers, maar nu was ze blij dat Faith was gekomen – blij dat haar vader de eer kreeg die hem toekwam voor zijn jarenlange dienstverband.

Er miste maar één persoon tussen de rouwenden: Luke, de broer die zes jaar geleden spoorloos was verdwenen en daarmee het hart van haar ouders had gebroken. En dat van haar. Er ging bijna geen dag voorbij dat ze niet aan hem dacht. Dat was niet zo vreemd, want hij had zijn Corvette aan haar geschonken en elke keer dat ze achter het stuur ging zitten, vroeg ze zich af waar hij gebleven was. *O, Luke, had je in ieder geval niet naar de begrafenis kunnen komen? Wat is er met je gebeurd? Ben je op de vlucht? Betekenen we dan zo weinig voor je?*

Ze had gehoopt dat hij na Franks hartaanval gekomen zou zijn, maar dat was niet zo. Ergens had ze gehoopt dat hij naar de begrafenis zou komen, maar weer werd ze teleurgesteld.

Misschien is hij er wel zonder dat we het weten. Die gedachte deed haar nogmaals het kerkhof rondkijken. Hij kon incognito gekomen zijn en ergens aan de rand van het kerkhof staan. *Wees realistisch. Je hebt te lang bij de politie gewerkt. Luke is er niet. Als hij er wel was, had je het geweten.*

Onder een boom een meter of tien bij haar vandaan zag ze een gedrongen man staan met een baard en een zonnebril op. Haar hart sloeg over. Kon dat Luke zijn?

Natuurlijk niet, berispte ze zichzelf. De man leek helemaal niet op haar broer. Maar wie was hij dan? Nog een verslaggever? Maar hij had geen schrijfblokje of een camera bij zich.

Toen ze verder keek, zag Angela een magere man met donker haar in een blauwe overal, die met een schoffel bij een perk vol rododendrons stond. De struiken stonden volop in bloei – een prachtige kleur roze.

De man zag dat ze hem aankeek en ging snel verder met schoffelen. Angela fronste haar voorhoofd en vroeg zich af waarom een tuinman zo dicht bij een begrafenisplechtigheid bezig was. *Misschien is hij helemaal geen tuinman.* Hij gedroeg zich verdacht. Als ze nog in actieve dienst bij de politie was, zou ze hem willen verhoren. Hij leek niet op Luke, maar Angela nam zich voor uit te zoeken wie hij was en wat hij daar deed.

Ze dwong zich haar nieuwsgierigheid en verbeelding even aan de kant te zetten. De dood van Frank Delaney was een tragedie geweest, maar zeker geen incident waar spionnen en undercoveragenten bij betrokken waren.

Ze leunde tegen Callen aan en vond steun bij hem. Hij sloeg zijn arm om haar heen. Even keek hij haar teder aan, maar toen richtte hij zijn aandacht weer op Tim, die aan het laatste afscheid was toegekomen. Hoe zeer ze ook van haar vader had gehouden, Angela wilde dat deze dag voorbij zou zijn. Ze wilde naar huis en naar bed, om haar verdriet even te kunnen vergeten en haar vermoeide, branderige ogen rust te gunnen.

'Stof zijn wij, en tot stof zullen wij wederkeren. We leggen onze geliefde Frank Delaney in Uw handen.'

Na de gebeden en de eigenlijke begrafenis, vertrokken de rouwenden weer. Toen ze bij hun auto gekomen waren, keek Angela nog even achterom of ze Luke op het kerkhof zag. Ze wilde tegen hem tekeer gaan omdat hij was vertrokken, en was boos op haar vader omdat hij was gestorven, maar een dof, somber gevoel haalde de scherpe kantjes van haar woede af en ze hield zich in. Ze voelde nauwelijks hoe de bijtende wind van zee in haar gezicht blies en de zachte voorjaarslucht verdreef.

Ze zag dat de tuinman nog steeds aan het werk was, maar ook naar hen keek. Faith Carlson kwam naar hen toe lopen, waardoor ze niet meer op de man kon letten. 'Van harte gecondoleerd,' zei ze tegen Anna en de rest van de familie. 'Ik schrijf een artikel over uw man voor de krant.'

'Bedankt, Faith. Je komt toch ook naar de kerk?' vroeg Anna.

'Natuurlijk.' De verslaggeefster keek even naar Angela, en ze zag eruit alsof ze liever ergens anders heen ging.

'We gaan naar St. Matthews.' Anna ging zitten in een van de zwarte limousines waar de familie in vervoerd werd.

'Je hoeft niet naar de kerk te komen, als je niet wilt,' zei Angela tegen Faith.

De verslaggeefster glimlachte. 'Ik ga wel. Dan kan ik met wat mensen praten die Frank hebben gekend.'

Angela knikte. 'Dank je wel.'

De verslaggeefster draaide zich om en liep naar haar auto. Angela keek nog een laatste keer het kerkhof rond. De tuinman was in een ander perk bezig. De man met de baard liep de heuvel af naar de weg, met zijn hoofd omlaag en zijn kraag omhoog tegen de koude wind.

Nick liep op een drafje naar de vreemdeling toe. *Wat ben je van plan, Nick?* vroeg ze zich af. Nick was Luke's beste vriend geweest. Plotseling ging haar hart sneller kloppen. *Was hij het dan toch?* Angela zette die gedachte uit haar hoofd. Het was Luke niet. Misschien kende Nick hem ergens anders van.

Je zoekt er te veel achter, Angela. Luke komt niet. En er zitten ook geen boeven in de struiken. Ze trok haar jas om zich heen en ging naast haar moeder in de auto zitten.

Angela wist zich te gedragen zoals het hoorde toen ze bij de kerk arriveerden, waar een maaltijd voor hen klaarstond. Maar tijdens de gesprekken met rouwenden en mensen die herinneringen op wilden halen, keek ze vaak om zich heen of ze Nick ook zag. Hij was in uniform geweest, dus misschien was hij weer naar zijn werk gegaan. Maar hij had niet gezegd dat hij dat zou doen. Of misschien toch. Ze kon het zich niet herinneren.

Om ongeveer twee uur ging de familie weer naar huis. Angela liep als een robot met de anderen mee. De limousines waren weg en Callen hield de deur van zijn auto voor haar open. Haar moeder reed mee met Tim en Susan en de meisjes. Ze zouden naar het ouderlijk huis gaan en een strandwandeling gaan maken, herinneringen ophalen en misschien wat volleyballen. Dan zou er weer gegeten worden. Zo probeerde iedereen het moment uit te stellen dat ze alleen waren met hun eigen verdriet en rouw.

Vroeger had het gezin uit zeven personen bestaan. Toen Luke was vertrokken, waren er nog maar zes. Papa was gestorven, en nu waren er nog vijf. Het was een onverdraaglijke gedachte.

3

Thomas Sinclair, vroeger Luke Delaney, stond aan de rand van de heuvel. Hij hield zich afzijdig van de mensenmassa bij het graf en zijn broer Tim, die de begrafenisdienst van zijn vader leidde.

Luke had graag dichterbij willen komen. Hij verlangde ernaar zijn familie te omhelzen en hen te troosten. En zelf getroost te worden. Hij probeerde de pijnlijke brok in zijn keel weg te slikken.

Het was zes jaar geleden dat hij werd gedwongen om zijn identiteit te veranderen. Luke was zichzelf verloren en aan een nieuw leven begonnen, dat uiteindelijk het leven van Thomas Sinclair werd. Zes jaar geleden had hij het gevoel gehad dat hij geen keus had. Hij vroeg zich af waar de moordenaar nu was. Hield hij hem nog steeds in de gaten? Zou hij het merken als Luke Delaney heel even naar huis ging?

Hij keek wantrouwig naar de tuinman, die hier niet op zijn plaats leek te zijn. Maar de man moest wel een echte tuinman zijn. Geen enkele spion zou zo in het oog lopen. De man leek helemaal niet op de huurmoordenaar die de getuige en de bodyguard in die hotelkamer in Fort Myers had vermoord – en Luke had laten ontsnappen. Maar in zes jaar kon er een heleboel veranderd zijn. Bovendien droeg de moordenaar destijds waarschijnlijk een vermomming.

Luke huiverde toen koude druppels regenwater langs zijn hoofd in zijn nek liepen. Hij kon het risico niet nemen, zelfs niet eens om met hen te praten. De moordenaar had veel geweten over hem en zijn familie. Stel dat hij een mannetje hier in Sunset Cove had gepositioneerd? Die tuinman? Iemand anders?

Hoe lang moet ik me nog verborgen houden? Ik houd van mijn familie. Mijn vader is dood en ik wil er voor hen zijn.

Luke wilde dat hij zes jaar geleden sterker was geweest. Dat hij meteen naar het kantoor van de officier van justitie was gestapt om te vertellen wat er was gebeurd. Maar had hij dat kunnen riskeren? Hoeveel van zijn familieleden zouden er nu dood geweest zijn als hij het had gedaan? Zouden ze hem meteen hebben gearresteerd op verdenking van die moorden?

De gebroeders Penghetti hoorden achter slot en grendel. Misschien zouden ze tot de doodstraf zijn veroordeeld, maar dankzij hun huurmoordenaar en Luke's angst konden ze nog steeds vrij hun gang gaan. Alleen nu waren ze bezig met drugs in plaats van alcohol. Luke had niets meer van de twee broers gehoord sinds hun zaak vanwege gebrek aan bewijs was geseponeerd. Daar gaf Luke zichzelf de schuld van.

Hij wist niet hoe vaak hij al had overwogen terug te gaan en een aantal zaken recht te zetten, zelfs als hij daardoor zelf gearresteerd en ter dood veroordeeld zou worden, maar nu waren er meer complicaties dan ooit. Boven water komen als Luke Delaney zou niet alleen Angela en de rest van zijn familie in gevaar brengen, maar ook zijn vrouw en kind, Kinsey en Marie. Hij wist niet of alles anders was gelopen als hij had geweigerd om te verdwijnen en hij zou het ook nooit weten, want hij was niet van plan zichzelf ooit bij de politie aan te geven.

Luke keek toe hoe de mensen het kerkhof af liepen. Ze zouden naar St. Matthews gaan voor een maaltijd en om wat na te praten. Toen zijn moeder en zus in de limousine waren gestapt, zette hij zijn kraag op en liep weg bij het graf, met de bijtende zeewind in zijn gezicht. Het was tijd om weer naar huis te gaan – de plaats die nu zijn thuis was.

'Luke?'

Luke bleef staan. Paniek raasde door zijn lichaam. Hij draaide zich een beetje om en haalde opgelucht adem toen hij zijn beste vriend herkende.

'Nick.' Luke stak zijn handen in zijn zakken en keek om zich heen. Er was niemand te zien. Alleen de tuinman stond nog steeds het perk te schoffelen.

'Ik wist het niet zeker,' zei Nick. 'Ik zag je hier alleen staan. Ik bleef tegen mezelf zeggen dat jij het niet kon zijn, maar ergens wist ik ook dat je erbij zou willen zijn, dat je niet weg zou blijven.'

Luke sloot even zijn ogen en vroeg zich af wie hem nog meer herkend had, ondanks zijn vermomming. 'Heb je het tegen iemand gezegd?'

'Nee, natuurlijk niet.'

'Dan moet je vergeten dat je me gezien hebt. En je mag het tegen niemand zeggen.'

'Dat is onmogelijk.' Nick fronste zijn wenkbrauwen. Zijn ogen stonden vragend. 'Niet zonder een verklaring van jou.'

Luke aarzelde en keek nogmaals om zich heen. Dit ging de verkeerde kant op, maar hij kon Nick niet afschepen. 'Goed dan. Volg me naar mijn hotelkamer, dan kunnen we praten.'

Luke voelde zich opgelucht, maar maakte zich tegelijkertijd zorgen. Toen hij jaren geleden een andere identiteit had aangenomen, had hij het als enige aan Nick verteld. Hij was altijd zijn beste vriend geweest, en bleef dat ook. Nick had hem geld gestuurd, zodat hij een nieuw leven kon beginnen.

Luke had hem alleen verteld dat zijn leven in gevaar was,

meer niet. Daarna had hij alle contact met Nick verbroken. Nu moest hij zorgvuldig afwegen hoeveel hij zijn vriend kon vertellen, en hopen dat Nick zich niet wettelijk of moreel verplicht zou voelen om zijn geheim te verklappen – of erger nog, hem zou arresteren voor de moorden in Florida.

De spion knielde op de begraafplaats neer, nog geen twintig meter van waar de dienst zojuist was gehouden. Hij was bezig onkruid te verwijderen en de pijpen van zijn blauwe overall werden vochtig van de drassige grond. De rouwenden waren allemaal vertrokken, behalve de twee mannen bij de boom. Hij kende de agent en had een sterk vermoeden dat de man met de baard Luke Delaney was. Wie kon het anders zijn? Hij hield zich zo afzijdig. Net een crimineel.

Beide mannen liepen de heuvel af en stapten in hun auto's. De spion veegde de grond van zijn knieën en liep haastig naar zijn eigen auto, een gehuurde grijze Honda. Op veilige afstand volgde hij de andere auto's, terwijl hij een mobiel uit zijn zak haalde. Hij tikte een nummer in.

'Hallo,' zei een bekende stem aan de andere kant van de lijn.

'Hij is er. Zoals je al gedacht had.'

'Heeft hij iemand aangesproken?'

'Een smeris.'

'Dan moet je hen allebei vermoorden.'

'Dat hadden we niet afgesproken.' Hij was ingehuurd om hen te bespioneren en vervolgens aan zijn baas te rapporteren. Meer niet.

'Je krijgt er een bonus voor.'

'Wat voor een bonus?' De spion slikte moeilijk. Hij vond het geen prettig idee om een agent te vermoorden, maar als hij er genoeg geld voor kreeg…

'Tienduizend.'

'Voor twee mannen, waaronder een smeris? Mooi niet.'

'Vijftienduizend.'

'Twintig.'

'Goed dan, maar meer niet.'

'Goed,' zei hij. Hij probeerde niet ongerust te klinken. 'Hoe kom ik aan het geld?'

'Ik zal het je per koerier toesturen zodra ik de foto's heb gezien.'

'Moet ik foto's nemen?' Hij haalde een hand door zijn vochtige haren.

'Kun je het soms niet aan?' Er klonk een waarschuwing door in de stem. 'Als dat zo is, doe ik het zelf wel.'

'N-nee. Ik doe het.' Hij hing op. Zijn hart bonsde zo luid dat hij dacht dat zijn borstkas zou barsten. Hij had nog nooit iemand vermoord – dat was nooit de bedoeling geweest. Maar voor twintig ruggen wilde hij het wel doen. Het was vast niet zo moeilijk.

Hij ging langzamer rijden toen Delaney en de agent de parkeerplaats bij het Sea Captain motel op reden. Om te voorkomen dat ze hem zagen, reed hij door, maar bij de eerstvolgende kruising keerde hij om en ging terug. Hij reed de parkeerplaats op en zette zijn auto zo ver mogelijk bij die van de twee mannen vandaan, tegenover het overdekte zwembad. De mannen waren uitgestapt en liepen de buiten- trap van het complex op. Delaney bleef staan voor kamer 229 en haalde een sleutel uit zijn zak.

Toen beide mannen binnen waren, greep de spion zijn tas en liep haastig naar het zwembad. Tot zijn opluchting stond de deur op een kier en hij kleedde zich om in de heren- kleedkamer. De geur van chloor en schimmels hing zwaar in de lucht. Hij ritste de overall open, deed hem uit en streek het overhemd en de spijkerbroek die hij eronder droeg glad. De spijkerbroek was nog vochtig bij de knieën. Hij propte de overall in zijn tas, maakte nog even gebruik van het toilet en ging toen terug naar zijn auto. Hij haalde zijn .45 pistool uit het handschoenkastje en wachtte, terwijl hij bedacht hoe hij deze klus moest aanpakken. Hij was niet van plan beide mannen tegelijkertijd dood te schieten. Dan had hij geen schijn van kans. Hij moest wachten tot ze uit elkaar gingen. Als de agent vertrok, zou hij achter hem aan gaan en hem eerst ombrengen. Dan zou hij terugkomen voor Delaney. Met zijn semi-automatisch wapen zou hij het klusje zo geklaard hebben en binnen een paar minuten kon hij de stad uit zijn. Hij zou zijn vingerafdrukken wegvegen en de huurauto ergens achterlaten. Fluitje van een cent.

Foto's. De baas wil foto's. Waar moest hij zo snel een camera vandaan halen?

Hij herinnerde zich dat hij een paar straten terug een drogisterij was voorbijgereden. Hij had nog tijd genoeg om daar een wegwerpcamera te kopen voordat die twee oude vrienden waren uitgekletst. Hoewel hij hen liever geen moment uit het oog verloor, had de schietpartij zonder een foto van de lijken geen zin. De baas had gezegd dat hij geen geld kreeg als hij geen foto's kon overhandigen.

4

De volgende vrijdag haalde Angela de laatste doos met kleding uit de achterbak van haar auto en liep de oprit op naar haar nieuwe thuis. Of niet echt nieuw – ze was er opgegroeid. Maar volgens het koopcontract op de zitting van de passagiersstoel was het huis van haar. Ja, ze trok in bij haar moeder, maar alleen omdat dat de juiste beslissing leek te zijn. En nu het huis Angela's eigendom was, trok haar moeder feitelijk in bij haar.

'Moet ik je even helpen?' Callen verscheen in de deuropening. Hij zag er meer uit als een timmerman dan als politieagent.

'Ja, graag.' Angela gaf hem de zware doos en zoende hem op zijn stoppelige wang. Hij droeg een wit T-shirt en een kaki korte broek. Er hing wat gereedschap aan een leren riem om zijn middel. Angela bedacht dat hij het prima zou doen als model – vooral nu zijn gespierde armen vochtig waren van het zweet en er stof aan zijn donkere haren kleefde.

Callen had pas zijn eigen huis opgeknapt en had aangeboden om in dit huis het een en ander aan te passen, zodat Angela en haar moeder wat meer ruimte en privacy zouden hebben.

Angela volgde hem door de hal naar de ruimte die haar slaapkamer zou worden. Ze trok het plastic zeil opzij dat de rest van het huis tegen stof moest beschermen. Niet dat het werkte.

Callen zette de doos bij de andere op de nieuwe vloer-bedekking. Ze bedankte hem nogmaals. 'Langzamerhand begint het erop te lijken. Ik kan me bijna niet meer herin-neren hoe het er eerst uitzag.'

'Drie kleine slaapkamertjes.' Callen grinnikte. 'Je broers klagen over het verlies van hun kamers, maar daar komen ze wel overheen.'

'Dat is ze geraden ook. Ik heb geen medelijden met hen. Het was hun eigen idee.'

Callen kwam achter haar staan en legde zijn handen op haar schouders. 'Nou, ik heb ook wel wat invloed gehad. Binnenkort ga je met me trouwen en dan gaan we waar-schijnlijk hier wonen.' Hij gaf haar een zoen in haar nek. 'Ik vond dat het een huis moest worden waar we allebei gek op zijn.'

'Ja, ja, stiekemerd.' Ze leunde tegen hem aan.

Hij liet zijn kin op haar hoofd rusten en ze keken samen uit over de oceaan. 'Je hebt hier een geweldig uitzicht. Bijna net zo mooi als uit mijn huis.'

'Hmm. Binnenkort kan ik vanuit mijn bed naar de gol-ven kijken. Heb ik je eigenlijk al bedankt?'

'Een paar keer.'

Angela dacht aan de dag na de dood van Frank, toen haar moeder haar had gevraagd om bij haar in te trekken. Samen met haar broers en Callen hadden haar moeder en zij besproken wat ze wilden veranderen aan het huis en hoe ze dat moesten financieren. Angela was verbaasd toen ze hoorde dat haar vader in zijn testament had bepaald dat het huis haar eigendom zou worden en dat Anna daar moest kunnen blijven wonen. Dat had hij zo geregeld. Voor zijn dood had hij Angela gevraagd om voor haar moeder te zor-gen, en dit was zijn manier om te zorgen dat dat ook echt gebeurde. Angela had kunnen weigeren, en had ook bezwaar gemaakt, omdat ze vond dat haar broers ook een deel moesten krijgen. Maar Tim, Peter en Paul hadden gezegd dat ze niets wilden of nodig hadden. Uiteindelijk hadden ze besloten dat als ze het huis ooit wilde verkopen, Angela de opbrengst met hen zou delen. Ook vonden ze het goed als Angela hen terugbetaalde voor de verbouwing als ze daar het geld voor had.

Normaal zou Angela hevig geprotesteerd hebben als ze zo door mannen werd gemanipuleerd. Maar ze hield van het huis en wilde graag voor haar moeder zorgen. Deze afspraak leek de perfecte oplossing, want Angela kon de huur van haar appartement aan zee niet meer opbrengen. Toen ze daar ging wonen, had ze een vaste baan gehad bij het politie-bureau van Sunset Cove. Maar dat was nu veranderd. Ze was met verlof gestuurd en na afloop had ze besloten dat ze nog wat meer tijd nodig had, dus nu was ze met onbetaald verlof. Ze werkte sinds kort als privédetective voor Rachel Rastovski, een advocate waar ze mee bevriend was. Tot dusver had dat niet veel geld in het laatje gebracht, maar ze had vorige week een onderzoek afgerond en was best trots op zichzelf. Angela had de misdaad opgelost, maar was helaas wel in haar arm geschoten.

Ze kon bijna niet geloven wat haar broers en Callen in zo'n korte tijd allemaal voor elkaar hadden gekregen, maar blijkbaar had Tim meteen na haar vaders hartaanval al met hem gesproken over zijn testament. Haar broers hadden een paar werklui ingehuurd en ze waren sinds de begrafenis bezig geweest met het uitbreken van muren en het storten van beton voor de aanbouw. Als alles klaar was, zou ze een luxueuze slaapkamer hebben met een badkamer met bubbelbad en een glazen schuifdeur naar het terras. Hun idee van kleine aanpassingen was iets uitgebreider dan het hare, maar ze had niets te klagen.

De meeste van haar spullen stonden in de garage, maar ze had wat kleding en toiletbenodigdheden apart gehouden.

'Nog meer dozen?' vroeg Callen en hij liet haar weer los.

'Nee, dit is de laatste. Ik heb de andere in de keuken gezet.' Ze grinnikte. 'Ma heeft het een en ander al door elkaar gegooid.'

'Ze vindt het geweldig dat je hier weer komt wonen.' Callen glimlachte tevreden.

'Blijkbaar is ze niet de enige.'

'Ik ben opgelucht. En je broers ook. Sinds er in je appartement is ingebroken, vonden we het een vervelend idee dat je daar in je eentje woonde.'

Nog steeds kreeg ze soms een wee gevoel in haar maag als ze de deur van haar appartement opendeed – bang voor wat ze binnen aan zou treffen. Het was meer geweest dan een inbraak – alles was kort en klein geslagen. Ze voelde zich hier veiliger, maar dat wilde ze eigenlijk niet toegeven.

Callen pakte wat spijkers uit een blik en deed ze in een zakje aan zijn riem. Hij sloeg er een paar in de muur en gooide er toen een op de grond. Dat deed haar ergens aan denken en ze grinnikte.

'Sta je me uit te lachen?' Callen keek over zijn schouder.

'Nee, maar ik moest denken aan een mopje dat mijn vader vaak vertelde, over een timmerman. Hij gooide zo'n beetje de helft van de spijkers op de grond en op een dag vroeg zijn baas waarom hij dat deed. Hij zei: "Omdat de kop aan de verkeerde kant zit."'

Callen lachte.

'Wacht even, ik ben nog niet klaar. Zijn baas zegt: "Maar je gooit ze toch niet weg?" De man zegt: "Dat was ik wel van plan, ja. Hebt u een beter idee?" Zegt de baas: "Ja, je kunt ze aan de andere kant van de muur nog gebruiken."'

'Leuk mopje.' Callen pakte een paar spijkers uit het zakje.

Angela zou wel de hele dag naar hem willen blijven kijken, maar ze moest nog een heleboel doen. 'Ik ga ma helpen, voordat ze alle dozen uitpakt.' Bij de deur bleef ze even staan. 'Ik wil je niet opjagen, maar wanneer denk je dat het klaar is?'

Callen liet zijn blik over de puinhoop glijden. 'Nog een weekje, misschien.'

'Prima.' Ze draaide zich om en liep door de hal. Ze wilde niet dat hij zag hoe teleurgesteld ze was. Nu moest ze nog een week in Luke's oude kamer slapen, wat nu de logeerkamer was. Die kamer bracht veel te veel pijnlijke herinneringen naar boven. Leefde hij nog? Was hij dood? Waarom had hij nooit meer contact met hen opgenomen? Zouden ze ooit nog van hem horen? Waarom was hij niet naar de begrafenis gekomen?

Misschien was hij er wel bij geweest. Ze dacht aan de mysterieuze vreemdeling op het kerkhof. Ze had Nick een paar keer naar hem gevraagd, maar hij had zijn schouders opgehaald en gezegd dat hij had gedacht dat het iemand was die hij kende, maar dat hij zich had vergist.

Het was Luke niet. Waarom kun je hem niet uit je gedachten zetten?

Toen ze onderweg naar de keuken door de woonkamer liep, bleef Angela even staan om naar de rode Corvette te kijken die buiten op de oprit stond. Luke's auto.

Luke was cum laude afgestudeerd in de rechten en was verhuisd naar Fort Myers, waar hij ging werken als assistent van de plaatselijke officier van justitie. Iedereen was enorm trots op hem. Maar toen hadden ze een kort en zakelijk briefje van hem gekregen met de mededeling dat hij voorgoed was vertrokken. Ze hoefden zich geen zorgen te maken, en ze moesten niet proberen hem op te sporen. Het was net een testament. Zijn auto had hij aan Angela overgedaan.

Het enige wat ze wist over zijn verdwijning was dat Luke vlak daarvoor betrokken was bij een zaak die nogal in de publiciteit kwam. De autoriteiten leken ervan overtuigd dat hij een kroongetuige en een bodyguard had vermoord en toen was gevlucht. De familie kon dat verhaal niet geloven en Angela betwijfelde of zijn collega's het wel deden. *Wat is er toch met je gebeurd, Luke? Ik weet dat je nooit iemand zou vermoorden, maar waarom ben je dan gevlucht?*

Nu haar huis overhoop gehaald werd en Rachel haar talenten op het moment niet nodig had, kon ze misschien wat speurwerk doen. Maar waar moest ze beginnen? De meest logische plek was Fort Myers in Florida, waar Luke voor het laatst was gezien. Misschien kon ze daarheen gaan en dan...

Wat haal ik me in mijn hoofd? Ze kon midden in de verhuizing niet zomaar vertrekken om een broer te zoeken die blijkbaar niet gevonden wilde worden... die misschien niet eens meer leefde.

Nee, dat kon niet waar zijn. Ze mocht zichzelf nooit toestaan om te denken dat hij dood was. Luke leefde – dat wist ze in haar hart. En er moest een manier zijn om hem te vinden.

Angela zette die gedachten uit haar hoofd en stapte de keuken binnen. Anna was zingend bezig Angela's spullen uit te pakken en ze zorgvuldig in de kastjes en lades op te bergen.

'Ma, je moet niet zo hard werken.' Angela deed de koelkast open en haalde er een kan ijsthee uit.

'Onzin. Ik mag toch zeker mijn meisje wel helpen verhuizen?'

'Oké, mam. Regel nummer één. Als ik hier kom wonen, moet u ophouden me uw meisje te noemen.'

Anna glimlachte. 'Je blijft altijd mijn meisje. Zelfs als ik een oude vrouw ben en jij van mijn leeftijd.'

Angela schudde haar hoofd. *Er is niets veranderd. Ma bepaalt de regels. Dat is altijd al zo geweest, en zal altijd zo blijven.* 'Goed dan, maar u mag het niet hardop zeggen. Wilt u ook een glas ijsthee?'

'Graag. Schenk ook een glas voor Callen in, dan gaan we even op de veranda zitten. We kunnen allemaal wel een pauze gebruiken.'

Als dat betekende dat haar moeder even stopte met werken, moest het maar. Dus Angela deed wat haar moeder zei en ging Callen een drankje brengen. 'Kom je ook even op de veranda zitten?'

Callen bedankte haar voor de ijsthee. 'Ik zou jullie graag even gezelschap houden, maar ik heb hier nog genoeg te doen.'

'Kijk maar.'

Juist toen Angela op de zonnige veranda wilde gaan zitten, ging de telefoon. 'Ik pak hem wel.' Ze zette haar glas op tafel neer en liep snel weer naar binnen.

Ze pakte de hoorn van de haak en zei hallo.

'Angela, ik ben zo blij dat je thuis bent.' De beller huilde en het duurde even voor Angela de stem herkende.

'Rosie? Ben jij dat? Wat is er aan de hand?'

'Nick is neergeschoten.'

5

Angela had maar een halve minuut nodig om het nieuws aan Callen en haar moeder te vertellen. Toen reed ze in vijf minuten met Callen naar het ziekenhuis. Hij had vliegensvlug zijn uniformjasje over zijn T-shirt aangetrokken en het gereedschap om zijn middel verwisseld voor een schouderholster.

Omdat Callen geen passagiers mee mocht nemen in zijn dienstwagen, gingen ze met de Corvette, die geen achterbank had. Haar moeder zei dat ze Tim zou bellen om haar op te komen halen. 'Ik kom zo snel mogelijk. Bel me als je meer weet.'

Toen ze in de auto zaten, had Callen zijn supervisor in Portland gebeld met het verzoek of hij de lokale politie mocht assisteren. Nu er in Sunset Cove een tekort aan mankracht was, zou hij waarschijnlijk gevraagd worden om de leiding te nemen in het onderzoek. Daarna belde hij het bureau om meer informatie en om door te geven dat hij onderweg was naar het ziekenhuis.

Angela keek naar zijn gezicht terwijl hij zat te bellen. Er zat een diepe frons tussen zijn wenkbrauwen, waardoor hij er streng uitzag, en ouder leek dan zijn vijfendertig jaren. Hij was een politieagent in hart en nieren, net als haar vader geweest was. Die gedachte bracht haar van haar stuk. Wilde ze wel trouwen met een man als Frank Delaney? Wilde ze echt met een politieagent trouwen?

Callen hing op en keek haar aan. Hij nam haar hand in

de zijne, terwijl hij met de andere het stuurwiel omklemde. 'Wat is er gebeurd?' vroeg Angela. Rosie had niet veel meer geweten dan dat Nick was neergeschoten, of ze was niet in staat geweest meer te vertellen. Ze werkte op het lokale politiebureau als receptioniste, administratief medewerkster en secretaresse van de politiecommissaris. Zij en Angela waren al jaren vriendinnen. Een paar maanden geleden had ze verkering gekregen met Nick.

Callen schudde zijn hoofd. 'Ik ben niet veel meer te weten gekomen. Nick was aan het patrouilleren ten oosten van de stad en is daar blijkbaar in een hinderlaag gelopen. Hij is twee keer geraakt, maar hij heeft het voor elkaar gekregen weer terug in zijn auto te komen en een oproep te doen. Hij heeft veel bloed verloren, Angela. Het ziet er niet best uit.'

Callen parkeerde vlak naast de deur, op een plaats speciaal gereserveerd voor de politie. Hij liet bij de receptie zijn insigne zien en werd meteen toegelaten op de EHBO-afdeling. Angela volgde hem op de voet.

Rosie stond achter de gordijnen die om het bed waren dichtgetrokken.

'Hoe gaat het met hem?' Angela sloeg haar armen om haar vriendin heen.

'Ze zijn hem aan het voorbereiden op een operatie.' Rosie's mooie bruine ogen waren dik van het huilen. Haar mascara was uitgelopen, zodat er zwarte vlekken op haar wangen zaten. 'Ze willen me niets vertellen, omdat ik geen familie ben.'

Angela rolde met haar ogen. Regels omtrent de privacy van patiënten waren wel noodzakelijk, maar soms ook flink lastig. 'Heb je gezegd dat hij helemaal geen familie heeft?'

'Ja, maar...'

'Wacht even.' Callen schoof de gordijnen opzij en liep naar binnen. Even later kwam hij weer terug. Achter hem aan kwam een man in een groen pak, die het bed voor zich uit duwde.

Nicks gezicht was niet donker, zoals gewoonlijk, maar gelig. Er zat een infuus in zijn linkerarm. Angela voelde zich alsof ze een stomp in haar maag kreeg. Nu ze hem zo zag liggen, flitsten er beelden uit het verleden door haar hoofd.

Haar beste vriendin die vermoord werd in een kinder-dagverblijf in Miami. Kogels die het raam van de apotheek van Bergman verbrijzelden. Het bloed dat uit het lichaam van die jongen stroomde...

Ze zette die vreselijke beelden resoluut uit haar hoofd en richtte haar aandacht op Nick. *Alstublieft, God, niet Nick ook nog. Geef dat hij blijft leven.*

Nick deed zijn ogen open en glimlachte zwak naar Rosie. Toen hij Angela zag, stak hij zijn hand uit en pakte haar bij de arm. 'Angie.' Hij leek haar iets te willen zeggen.

Het bed stond stil en ze leunde voorover om hem beter te kunnen horen. 'Luke,' fluisterde hij. 'In moeilijkheden... Moet hem waarschuwen.' Hij liet haar los en sloot zijn ogen.

Het bed werd weer verder geduwd.

Nick, wacht! Wat bedoel je? Ze wilde achter hem aan, maar het was te laat. Ze duwden hem door de dubbele deuren naar de operatiekamer.

'Wat zei hij?' vroeg Callen.

'Ik weet het niet zeker.' Ze loog niet. Ze had de woorden duidelijk genoeg verstaan, of dat dacht ze tenminste, maar ze had tijd nodig om te verwerken wat ze had gehoord.

Met een harde trek om zijn mond herhaalde Callen wat de dokter hem had verteld. Drie kogels hadden hem ge-raakt. Eén was er in zijn kogelvrije vest blijven steken, net boven zijn hart. De andere twee hadden hem net boven het vest geraakt. Eén was afgebogen en had zijn linkerlong doorboord, de andere was net langs een slagader geschoten.

De chirurgen zouden kijken hoeveel schade er was aangebracht en proberen het bloeden te stelpen.

'We kunnen niets doen behalve afwachten,' zei Callen. 'Ik ga kijken waar het gebeurd is. Misschien kan ik wat meer te weten komen.' Hij omhelsde Rosie en zei dat hij voor Nick zou bidden. Toen sloeg hij een arm om Angela's schouders en liep met haar naar de lift.

'Ik weet dat je met me mee wil, maar Rosie heeft je nodig. Ik zal je bellen zodra ik meer weet.' Hij zoende haar licht op de lippen. Zijn ogen spraken boekdelen. Hij zou die kogels met liefde voor Nick hebben opgevangen. Angela ook. 'Ik houd van je,' zei hij.

'Ik ook van jou. Wees voorzichtig.' Angela bleef even naar de liftdeuren staren toen hij erachter verdwenen was. Hij kende haar goed. Ze had met hem mee willen gaan naar de plaats van het misdrijf. Maar hij had gelijk. Rosie had haar nodig, en als ze eerlijk was, wilde ze ook bij Nick blijven.

Angela belde haar moeder om te vertellen hoe het met Nick ging. Toen ging ze terug naar de wachtkamer, waar Rosie met haar armen over elkaar en haar ogen gesloten zat te wachten. De ruimte zat vol met agenten. Iedereen die niet op de plaats van het misdrijf of elders nodig was, was gekomen om te wachten op nieuws. Bo Williams van het hoofdkantoor kwam binnen. 'Hij redt het wel. Nick is een taaie.' Bo haalde een kop koffie voor hen allebei en ging naast Rosie zitten. 'Ik heb je moeder gebeld, Rosie,' zei hij.

'Bedankt. Komt ze?'

Bo knikte. Het witte plastic koffiebekertje stak scherp af tegen zijn donkere huid. 'Jouw moeder, die van mij.

Vanavond zal de hele familie hier wel zijn, denk ik.'

Angela bladerde door een oud tijdschrift, maar legde het neer toen haar moeder en Tim arriveerden. Haar broer droeg zijn domineesboord en toen hij even met Rosie en de anderen had gepraat, trok hij zich met een groepje mensen terug om te bidden.

Angela wilde dat ze meer kon doen dan bidden. Nick was in een hinderlaag gelopen en degene die hem had neergeschoten, had geweten dat hij een kogelvrij vest droeg. Hij had geweten wat de kwetsbare plekken waren – een slagader, het hart. Als de kogels hun doel hadden getroffen, zou Nick meteen doodgebloed zijn. Het was overduidelijk een poging tot moord geweest. Maar waarom?

Was ze maar in actieve dienst, en geen buitenstaander. Ze wilde op onderzoek uit, op zoek naar de dader. Had de schietpartij iets met Luke te maken? Dat moest wel. Waarom had Nick anders Luke's naam genoemd? Wat had hij nog meer gezegd? Dat ze Luke moest waarschuwen. Hoe kon ze dat doen als ze geen idee had waar haar broer was?

Angela ging bij het raam staan. Ze probeerde te bedenken wat Nick bedoeld had, maar opnieuw werd ze overspoeld door herinneringen. Haar collega en beste vriendin Dani Ortega, die in het hoofd was geschoten toen ze probeerde te onderhandelen met een gijzelnemer in het kinderdagverblijf. De twaalfjarige Billy Dean, neergeschoten in een oude fabriek, met een speelgoedpistool in zijn hand. Pa met zijn hartaanval en beroerte.

Er kwam iemand naast haar staan met zijn armen over elkaar. Ze wist wie het was zonder hem aan te hoeven kijken.

'Hij redt het wel,' hoorde ze Joe Brady zeggen. De politiecommissaris staarde voor zich uit naar het lentegroen aan de bomen. 'Angela,' zei hij, 'dit is waarschijnlijk niet het juiste moment, maar heb je al besloten of je weer terug komt op het bureau?'

Hij had gelijk – dit was niet het juiste moment, maar Angela nam het hem niet kwalijk dat hij die vraag stelde. Hij was verantwoordelijk voor het lokale politiebureau en nu Nick gewond was, had hij nog minder mankracht dan toen Angela met verlof ging.

'Ik heb er wel over nagedacht,' antwoordde Angela. 'Maar ik heb meer tijd nodig. Het overlijden van mijn vader, de verhuizing, en nu Nick...' Ze vertelde hem niet dat ze twijfelde of ze het werk bij de politie nog wel aankon. Ze moest nog zoveel dingen op een rijtje zetten. 'Ik weet niet wat ik moet zeggen, Joe.'

'Ben je nog steeds niet met jezelf in contact?' Zijn stem klonk hard.

'Niet echt.' Die reden had ze hem gegeven, maar er speelde nog veel meer. Wat had haar psycholoog ook alweer gezegd? 'Emotionele verwondingen kunnen je net zo verminken als fysieke. De littekens gaan vaak dieper en zijn minder goed te verdragen. En veel mensen weten niet hoe ze met emotionele verwondingen moeten omgaan.'

Ze had tijd nodig, maar dat wist Joe. 'Misschien klinkt het vreemd,' zei Angela, 'maar ik moet iets afhandelen. Ik heb besloten op zoek te gaan naar Luke.'

'Luke? Hoe lang is dat al geleden? Een jaar of zes?'

'Ja. Nu ik weer thuis woon, denk ik vaak over hem na.' En natuurlijk was ze ongerust geworden door wat Nick tegen haar had gezegd, maar dat vertelde ze niet. In het verleden had een zoektocht naar Luke een onuitvoerbaar plan geleken. Maar nu ze de woorden had uitgesproken, werd haar voornemen bekrachtigd.

Nicks woorden hadden haar aan het denken gezet. Ze dacht aan de begrafenis, aan de man waarmee ze Nick had zien praten. Ze had de gedachte dat het Luke kon zijn, uit haar hoofd gezet. De man met de baard en zonnebril was te oud en te gezet.

Maar als het Luke toch geweest was, en Nick hem had herkend? Had Nick altijd al geweten waar Luke zat? Die gedachte maakte haar kwaad. Ze kon zich niet voorstellen dat Nick die informatie voor de familie zou verzwijgen.

'Angela?' Joe's stem deed haar uit haar gedachten opschrikken en ze keek hem aan.

'Sorry. Ik stond ergens over te piekeren.'

'Dat geeft niet. Denk er maar eens over na. We kunnen je goed gebruiken en je bent te goed in je werk om privédetective te worden.'

'Bedankt, Joe. Ik zal er zeker over nadenken. Binnenkort hoor je van me.'

Hij knikte en draaide zich om. Ze dacht weer aan Luke en Nick. Kon er een verband zijn tussen de schietpartij en haar broer? Maar waarom was Nick neergeschoten en wat had Luke daar dan mee te maken?

Waarschuw Luke.

Hoe dan, Nick? Hoe moet ik hem waarschuwen als ik geen idee heb waar hij is, of waar ik moet beginnen om hem te zoeken?

6

De envelop was klaar – de inhoud zat erin, het adres stond
erop en hij was voldoende gefrankeerd. Hij zou binnen twee
of drie dagen bezorgd worden. Delaney had de fout gemaakt om naar Sunset Cove terug te gaan. Had hij nou echt
gedacht dat niemand het zou ontdekken? Maar toen Cade
zich had gerealiseerd wie Luke was en dat hij bij de begrafenis was, was het helaas al te laat. De politieagent had hem
benaderd en Cade was hen in het verkeer kwijtgeraakt.
Cade had gedacht dat Luke naar zijn ouderlijk huis zou
gaan, maar dat was niet zo.

Het was riskant om een bombrief te sturen, maar misschien werkte het. Luke had ongetwijfeld gelezen wat er
gebeurd was en zou teruggaan naar Sunset Cove. Zo niet,
dan zou iemand hem opzoeken om hem te waarschuwen.
En Cade zou erbij zijn. Deze keer kon niets hem tegenhouden.

Cade deed de brief op de post, zonder retouradres. Hij
had Delaney beter dood kunnen schieten toen hij de kans
had. Zijn geweten had hem tegengehouden, maar voor een
man in zijn positie kon één fout zijn ondergang betekenen.
Dus hij was erop gebrand het foutje ongedaan te maken.

7

Drie uur nadat Nick de operatiekamer in ging, kwam de chirurg naar buiten. Hij keek om zich heen. De wachtruimte zat vol ongeruste mensen en een paar verslaggevers. 'Eh – wie is er familie van Nick Caldwell?'

Iedereen keek hem aan. De arts besloot zich tot Tim te wenden. 'Ik ben dokter Winston,' zei hij en schudde Tim de hand. 'Nick heeft geluk gehad. Hij heeft de operatie prima doorstaan. We houden hem vannacht op de intensive care. Als zijn vitale functies stabiel blijven, mag hij morgen op zaal.'

'Prijs God.' Tim haalde opgelucht adem.

'Mogen we hem zien?' vroeg Angela.

'Zolang hij op de intensive care ligt, kunnen we alleen familie bij hem laten. Bent u familie?'

'Wij zijn familie.' Anna stond op en ging tussen Tim en Angela in staan. 'Maar geen bloedverwanten. Nicks moeder is twee jaar geleden gestorven.'

De dokter knikte. 'Eén tegelijk, maar alleen als de verpleegsters het goed vinden. We zullen het u laten weten als hij uit de uitslaapkamer komt.'

Dokter Winston zei tegen de verslaggevers dat ze voor verdere details bij de politiecommissaris moesten zijn. Ze zwermden om Joe heen, die het niet erg leek te vinden. Angela wist wel beter. Joe vond de pers lastig en irritant. Hoewel het publiek het verdiende om bepaalde dingen te weten te komen, drongen de media vaak te lang aan. Verslaggevers waren vaak meer geïnteresseerd in het verhaal en de kijkcijfers dan in de mensen die erbij betrokken waren.

In de hele staat zou het voorpaginanieuws zijn dat een agent was neergeschoten. Angela was zelf ook een tijdje groot nieuws geweest, maar nu betwijfelde ze of het publiek zich haar nog kon herinneren. Iets om dankbaar voor te zijn. Ze liep de overvolle wachtruimte uit en haalde haar mobiel uit haar tas. Ze toetste Callens nummer in. Nadat ze hem had verteld hoe het met Nick ging, lichtte Callen haar in over het onderzoek. 'We hebben geen getuigen. Voor zover we hebben kunnen achterhalen, heeft niemand iets gezien of gehoord. We hebben geen kogelhulzen gevonden en ik denk ook niet dat dat nog gaat gebeuren. Het ziet ernaar uit dat de dader een professional was.'

'Een professional?' Angela voelde haar knieën knikken. Als ze Nick goed had verstaan, was Luke het volgende doelwit. 'Callen, je vroeg eerder op de dag wat Nick tegen me zei. Ik heb het je toen niet verteld, omdat ik niet begreep waar hij op doelde, en ik tijd nodig had om het te verwerken.'

'Vertel het dan nu maar. Misschien helpt het ons om de dader te vinden.'

Angela schudde haar hoofd, hoewel hij haar niet kon zien. 'Het heeft denk ik te maken met Luke.'

'Luke? Je broer?'

Ze merkte dat Callen geïrriteerd was. 'Ik weet dat ik het je meteen had moeten vertellen, maar... het was zo vreemd en ik wist niet of ik hem wel goed had verstaan.'

'Wat heeft Nick precies gezegd?'

'Dat Luke in moeilijkheden was en dat ik hem moest waarschuwen. Maar ik heb geen idee waar Luke is of hoe ik hem moet bereiken.'

'Nick heeft vast iets voor ons verzwegen.'

'Dat denk ik ook. Luke moet contact met Nick hebben gehad.' Angela vertelde hem over de twee mannen die ze op de begrafenis had gezien.

Callen zei dat de mannen hem ook waren opgevallen. 'Ik heb nog overwogen ze na te trekken, maar ik was op dat moment meer bezig met jou en je familie. Er was niets verdachts aan de dood van Frank, en we wilden geen scène maken.'

'Ik kan niet geloven dat Nick Luke heeft gesproken, zonder ons dat te vertellen,' zei Angela, terwijl de woede weer in haar binnenste omhoog borrelde. 'Hij heeft het ons nooit verteld – mij tenminste niet. Ik zal het eens aan Tim vragen, misschien weet hij meer.'

Callen zuchtte. 'We moeten wachten tot Nick in staat is om met ons te praten.'

'Kun je een huiszoekingsbevel krijgen om zijn appartement te doorzoeken?'

'Dat betwijfel ik.' Hij aarzelde. 'Heb jij een sleutel?'

'Nee, maar Rosie misschien wel. Hij zal zijn sleutels in ieder geval bij zich gehad hebben. Of ze liggen in zijn auto. Vind je dat ik…'

'De planten water moet gaan geven, ja.' Callen maakte de zin voor haar af. 'Dat zou heel aardig van je zijn. En hij heeft toch ook een hond? Die moet ook uitgelaten worden. Ik wil wel met je mee, maar ik weet niet of ik hier weg kan.'

'Tja, daar heb je vrienden voor.'

Nicks sleutels bleken bij zijn persoonlijke bezittingen te liggen en het ziekenhuispersoneel wilde ze niet aan haar geven. Angela ging naar zijn appartement, waar ze een praatje maakte met de huisbazin, Edna Grant, een vrouw van in de zestig. Het huis was van haar en ze verhuurde de bene-

44

denverdieping nu al twee jaar aan Nick. Ze leek het prachtig te vinden om Nick en zijn vrienden een beetje te bemoederen. Ze bakte altijd koekjes en andere lekkere dingen die hij op het politiebureau uit moest delen.

'Kom binnen, Angela. Hoe gaat het met je moeder? Ik ben al een tijdje van plan om haar te bellen. We missen haar op de naaiclub.'

'Mevrouw Grant,' zei Angela, misschien wat te abrupt. 'Ik moet in Nicks appartement zijn.'

Mevrouw Grant fronste haar voorhoofd. 'O, lieve help. Er is iets ergs gebeurd, hè?'

Toen Angela haar vertelde dat hij neergeschoten was, zag de vrouw eruit alsof ze elk moment in elkaar kon zakken. Toen mevrouw Grant weer wat was gekalmeerd, liet ze Angela zonder protesteren in zijn appartement.

'Blijf maar zolang je wilt, lieverd. Och, die arme jongen. Je moet het me laten weten als ik iets voor je kan doen. Ik wil best voor zijn lieve hond zorgen. Misschien kan ik zijn favoriete koekjes bakken. En wat soep voor hem koken.' Ze gaf Angela de sleutel.

'Dank u wel, mevrouw Grant.' Angela deed de deur open en stapte naar binnen.

Nicks Ierse setter Copper kwam haar jankend bij de deur begroeten, alsof ze wist dat er iets mis was. Angela ging op haar hurken zitten om haar te aaien. 'Stil maar. Nick komt snel weer thuis. Mevrouw Grant zal wel voor je zorgen.' Ze liet de hond haar gezicht en handen likken.

Angela belde Callen om hem te laten weten dat ze binnen was. Ze keek om zich heen. Ze was al lang niet bij Nick thuis geweest, maar er was niets veranderd. Het appartement was ongewoon schoon voor een vrijgezel. Ze had het gevoel dat Edna daar wel eens de hand in zou kunnen hebben.

Angela spoelde Coppers etensbak uit en deed er wat brokken in die ze in een kastje vond. Ze deed de drinkbak vol vers water. Toen keek ze naar Nicks planten, die er allemaal blakend van gezondheid en levensecht uitzagen, maar zo nep waren als maar mogelijk was.

Ze nam een groen blad tussen haar vingers en zuchtte. Dit appartement bracht veel emotionele herinneringen naar boven, maar dit was niet het juiste moment om erbij stil te staan. Nick zou het wel redden, dat moest gewoon. En zij zou doen wat ze kon om uit te vinden wat er gebeurd was en wat Luke ermee te maken had.

Toen Callen arriveerde, had ze de meeste laden doorzocht en was ze bezig het notitieblok bij de telefoon te bekijken.

'Heb je al iets gevonden?' Hij keek om zich heen.

'Nog niet.'

Callen wreef over zijn stoppelige kin. 'Ik heb net mevrouw Grant ondervraagd, maar zij heeft niets vreemds opgemerkt. Geen rondhangende vreemdelingen.'

Angela fronste haar wenkbrauwen. Dat had ze zelf ook wel kunnen doen. Even later vertrokken ze weer en deden de deur achter zich op slot. Angela gaf de sleutel terug en beloofde mevrouw Grant op de hoogte te houden van Nicks toestand en wanneer hij bezoek mocht ontvangen.

Ze hadden geen aanwijzingen gevonden in Nicks appartement voor de verblijfplaats van Luke. Bovendien hadden ze nog steeds geen idee wie Nick had neergeschoten en waarom.

Angela, haar moeder, Rosie en Tim zaten in het weekend om beurten aan Nicks bed. Angela was op maandagochtend weer aan de beurt. Nick werd wakker toen de verpleegster zijn pols kwam controleren en pijnstillers toediende via zijn infuus.

'Hoi,' zei hij toen de verpleegster was vertrokken en hij Angela zag zitten.

Ze stond op van haar stoel en kwam bij het bed staan. 'Hoi. Hoe voel je je?'

Hij likte langs zijn droge lippen. 'Als ik had geweten dat het zoveel pijn doet om te leven, had ik serieus overwogen om maar dood te bloeden.'

Angela fronste haar voorhoofd. 'Ik ben blij dat je dat niet gedaan hebt.'

'Maak je maar geen zorgen. Ik was niet van plan me zomaar uit de weg te laten ruimen.' Zijn gezicht vertrok van de pijn toen hij probeerde rechtop te gaan zitten. Het buisje in zijn borstkas was nodig om te zorgen dat hij geen klaplong kreeg, maar het was vast heel oncomfortabel.

'Nick,' zei Angela, terwijl ze op de hoge achterkant van het bed leunde. 'Wil je al praten over wat er is gebeurd?'

'Niet echt, maar daar laat je je vast niet door weerhouden.'

Ze glimlachte. 'Wat ken je me toch goed.' Ze aarzelde even. Moest ze wachten tot Callen erbij was? Waarschijnlijk wel, maar ze kon het niet. Ze moest het weten. 'Je zei iets tegen me voordat je de operatiekamer in ging. Weet je dat nog?'

Hij leek van zijn stuk gebracht. 'Wat?'

'Je zei dat Luke in moeilijkheden was en dat ik hem moest waarschuwen.'

'Heb ik dat gezegd?'

'Ja, maar je zei niet waar ik hem kon vinden.' Ze beet op haar onderlip. 'Weet je waar hij is?'

Hij schudde langzaam zijn hoofd en sloot zijn ogen. 'Ik had niets moeten zeggen.'

'Je weet het, of niet soms? Je hebt het altijd al geweten. Ik wist wel dat Luke niet zomaar kon verdwijnen, zonder iemand te vertellen waarheen. En wie kon hij beter vertrouwen dan jou?'

'Zo ligt het niet.'

Angela zag dat praten hem pijn deed en ze voelde zich schuldig. Ze wist dat ze hem eigenlijk met rust moest laten, zodat hij eerst beter kon worden, maar ze kon het niet. 'Hoe ligt het dan wel?'

'Hij heeft me gebeld... zes jaar geleden,' gaf Nick toe. 'Op de dag dat hij verdween.'

'En dat heb je ons nooit verteld?'

'Hij zei dat dat niet mocht. Hij was in moeilijkheden... had geld nodig. Ik heb hem drieduizend dollar gestuurd. Daarna heeft hij nooit meer gebeld.'

'Heeft hij je nooit terugbetaald? Nooit meer contact opgenomen?'

'Een jaar later kreeg ik het geld terug, maar zonder briefje. Meer niet, tot...'

'Tot de begrafenis.' Angela ging rechtop zitten en zuchtte. 'Hij was erbij, hè?'

'Ja,' fluisterde Nick.

'De man met de baard en de zonnebril. Ik zag hem, maar ik dacht niet dat het Luke kon zijn. Hoe wist jij het?'

'Ik weet het niet... er was iets in zijn manier van doen. Ik wist het niet zeker tot ik hem had aangesproken.'

'Waarom is hij niet naar ons toe gekomen?'

'Te riskant. Hij zei dat hij gewaarschuwd was dat hij nooit terug mocht komen, anders zou jou iets overkomen.'

'Mij? Maar jij bent degene die werd neergeschoten.'

Plotseling besefte ze ten volle hoe ernstig de situatie was. Luke was in moeilijkheden. Nick had met hem gepraat en was bijna doodgeschoten. Zou het haar en haar familie ook zo vergaan zijn als Luke met hen had gepraat? 'Heeft Luke nog met iemand anders gesproken? Tim, Peter, Paul?'

'Ik geloof het niet. Hij zei dat hij de stad meteen weer zou verlaten.'

'Waar is hij nu?'

'Dat weet ik niet – hij wilde het me niet vertellen. Hij zei dat ik niemand mocht vertellen dat ik hem had gezien.' Nicks gezicht was bleek van de pijn.

'Het spijt me, Nick. Ik wilde je niet zo vermoeien. Maar ik moest het weten.'

Nick raakte even haar hand aan en liet zijn hand toen op het bed vallen. 'Ik had niets moeten zeggen, maar ik wist niet of ik het zou halen en...'

'Je redt het wel, Nick. Zodra je weer de oude bent, gaan we Luke zoeken.'

'Dan is het misschien te laat,' Nicks gezicht vertrok. 'Ik hoorde de man die me had neergeschoten zeggen: "Dat is één. Nu is Delaney aan de beurt."'

'En weet je zeker dat hij daarmee Luke bedoelde, niet mij?'

Callen kwam binnen voordat Nick antwoord kon geven. Nick waarschuwde haar met zijn ogen dat ze haar mond moest houden. Ze begreep nu pas waarom Nick haar in vertrouwen had genomen, en niet Callen. Luke was voortvluchtig en Nick kon ernstig in de problemen komen als bleek dat hij Luke had laten ontsnappen. Helaas had ze Callen al verteld wat Nick had gezegd. Ze voelde zich verscheurd tussen de loyaliteit tegenover een vriend en de behoefte om volledig mee te werken aan het onderzoek. Maar ze wist dat ze het Callen moest vertellen.

'Hoe gaat het?' vroeg Callen.

'Moe.' Nicks ogen vielen bijna dicht.

'Kun je een paar vragen beantwoorden?' vroeg Callen.

'Nee, maar later wel. Hoe eerder je die vent te pakken krijgt, hoe beter.'

'Heb je gezien hoe hij eruitzag?'

'Donker haar, mager. Ik had hem eerder gezien.' Nick kon zijn ogen bijna niet meer open houden. 'Op de begrafenis.'

'De tuinman.' Angela kwam naast Callen staan. Ze was benieuwd naar Nicks reactie, maar hij gaf een bijna onzichtbaar knikje en viel in slaap.

'Wat zei je?' vroeg Callen.

'De tuinman op de begrafenis had donker haar. Ik dacht al dat er iets vreemds aan hem was.'

'Juist. Ik zal uitzoeken wie er verantwoordelijk is voor het onderhoud van de begraafplaats.'

'Mooi.'

'Ik moet gaan.' Hij gaf haar een zoen op haar voorhoofd en sloeg een arm om haar schouders.

Ze liep met hem mee naar de gang. 'Hoe gaat het met het onderzoek? Heb je op de plaats van het misdrijf nog iets gevonden?'

'Niet echt. Nick heeft hem gezien. Dat is het beste wat we hebben'

'Bel je me later nog?'

'Goed.' Callen fronste zijn wenkbrauwen. 'Toen ik binnenkwam, waren jij en Nick aan het praten. Heeft hij nog iets belangrijks gezegd?'

'Ik vroeg wat hij bedoeld had met zijn opmerking over Luke.'

'En?'

Ze vertelde wat Nick had gezegd. 'Ik weet zeker dat hij

zich zorgen maakt wat er met hem gaat gebeuren nu hij Luke niet heeft gearresteerd.'

'Daar maak ik me nu geen zorgen over. Misschien krijgt hij een berisping, maar als hij bewijs achterhoudt, kan hij worden aangeklaagd.'

'Dat zal ik hem laten weten.'

De volgende keer dat Angela Nick zag, vertelde ze wat Callen had gezegd. Nick leek niet kwaad op haar te zijn – ze meende zelfs iets van opluchting op zijn gezicht te lezen. 'Goed dat je het hem verteld hebt.'

Angela knikte. 'Ik wil ook niet dat de politie achter Luke aan gaat, maar als je gelijk hebt en de man die jou heeft neergeschoten, ook achter hem aan zit, is het misschien de beste manier om hem te beschermen.'

Nick dommelde zo nu en dan in. Om half elf kwam Rosie om Angela af te lossen. Even later vertrok Angela. De bewolkte lucht en haar sombere bui dreven haar naar Joanie's, haar favoriete koffietentje. Ze bestelde een koffie verkeerd en een scone en ging zitten in een van de zachte stoelen. Ze kwam hier graag – ze hield van het sfeertje en het eten. Het was een prima plek om haar gedachten op een rijtje te zetten en problemen te overdenken.

Joanie had net haar bestelling gebracht toen Rachel binnenkwam.

'Hé, kijk eens wie we daar hebben.' Angela zwaaide naar haar en gebaarde dat ze bij haar kon komen zitten.

'Wat mag het zijn vandaag, Rachel?' vroeg Joanie, met haar vertrouwde Britse accent.

Rachel liet zich in de stoel vallen. 'Doe ook maar een koffie verkeerd.'

'Zonder suiker?'

'Nee, zeg, vandaag niet. Ik heb flink wat energie nodig.' Ze wierp een begerige blik op Angela's scone. 'Doe me er ook maar zo een.'

'Zware dag gehad?' Angela legde het schrijfblok opzij waar ze aantekeningen op had zitten maken over Nick.

'Vreselijk.' Rachel droeg een aansluitend blauw mantelpakje en zag eruit als een competente advocate. Dat was ze dan ook. 'Ik heb een secretaresse nodig.'

Angela stak haar hand omhoog. 'Sorry, mij niet gezien.'

Rachel glimlachte en haalde een hand door haar donkere, schouderlange haren. 'Administratief werk staat niet in je functiebeschrijving.' Ze trok haar korte rokje naar beneden. 'Maar ik heb geen zin om over ons werk te praten. Ik wil horen hoe het met Nick gaat. Tim zei dat hij vooruit gaat, maar ik wil meer details. Enig idee wie de dader is of waarom Nick doelwit was?'

Angela schudde haar hoofd.

Rachel trommelde met haar roze gelakte nagels op de armleuning van haar stoel. 'Verzwijg je soms iets voor me?'

Angela leunde voorover. Rachel had al een tijdje verkering met Angela's broer Paul en kon inmiddels wel beschouwd worden als familie. Toch wist Angela niet of ze wel over Luke moest beginnen. Aan de andere kant was Luke advocaat geweest in het kantoor van de officier van justitie in Miami. Misschien had Rachel advies of wist ze iemand die kon helpen. Bovendien wilde ze graag met iemand praten, al was het alleen maar om alles nog eens op een rijtje te zetten.

'Heeft Paul je ooit over Luke verteld?'

'Ja. Je oudste broer, toch? Die spoorloos is?'

Angela knikte.

Rachel beet op haar onderlip. Ze zag eruit alsof ze nog iets wilde zeggen.

'Wat is er?' vroeg Angela.

'Hij heeft me niet alleen over hem verteld, maar hij heeft me gevraagd het een en ander uit te zoeken.'

'Uitzoeken? Je bedoelt…'

'Paul zei dat jullie nooit helemaal helder hebben gekregen wat er nou precies in Florida is gebeurd. Hij zei dat niemand hem iets wilde vertellen. Het enige wat hij had, waren vage krantenartikelen.'

'En heb je iets kunnen vinden?'

'Wonder boven wonder wel. Paul heeft me een aantal namen gegeven. Ik herkende een van die namen, Andrew Larson, een klasgenoot van me op Harvard.'

'Heb jij ook op Harvard gezeten? Wanneer dan?'

'Ik ben in 2000 afgestudeerd.'

'Heb je Luke ooit ontmoet?'

'Misschien wel. Er waren heel veel studenten en Luke is in '98 afgestudeerd. Paul heeft me een foto van hem laten zien, maar ik herkende hem niet. Ik heb het kantoor van de officier van justitie gebeld en de man gesproken die Luke's baan heeft overgenomen en nu zelf officier van justitie is.'

'Je meent het.'

'Andrew stond wel open voor een gesprek. Luke moest een kroongetuige in een belangrijke zaak en zijn bodyguard ophalen. De man moest getuigen in een zaak tegen een maffia-organisatie die vermoedelijk wordt geleid door Robert en Richard Penghetti, alias Bobby en Rick. Die mannen zijn rijker dan Bill Gates, zegt Andrew, en ze krijgen het tot nu toe voor elkaar om uit de rechtszaal te blijven. Luke en de getuige zijn nooit in de rechtszaal aangekomen, en toen de politie er op af gestuurd werd, vonden ze de getuige en de bodyguard dood. Luke was nergens te vinden. Ze kregen een anonieme tip dat Luke het appartement was binnengegaan en alleen weer was vertrokken. Ze willen hem nog steeds ondervragen.'

Angela nam een slokje van haar koffie. 'Dat wist ik al, deels tenminste, maar Luke heeft die mannen niet vermoord.'

'Dat zei Paul ook. Andrew weet dat niet zo zeker, maar hij heeft Luke nooit gekend. Hoe dan ook, Alton Delong, de officier van justitie voor wie je broer werkte, heeft toen binnen een jaar ontslag genomen.'

'Weet je ook waarom?'

'Sommigen zeggen dat hij overspannen was. Hij was het beu dat criminelen vrijgesproken worden door formele foutjes. Anderen zeggen dat hij zich heeft laten omkopen door de gebroeders Penghetti. Dat ontkent hij natuurlijk. Hij zegt zelf dat hij gewoon iets anders wilde. Andrew zegt dat er nog steeds geprobeerd wordt om iets bezwarends te vinden tegen de gebroeders Penghetti, maar tot nu toe hebben ze niet genoeg bewijs om hen aan te klagen.'

'Het helpt waarschijnlijk ook niet dat die getuige vermoord is.'

'Nee. Het ziet er naar uit dat ze iedereen in hun macht hebben.'

'Luke niet.'

'Hoor eens, Angela, ik weet dat hij je broer is, maar Luke's vingerafdrukken zijn in dat appartement gevonden. En zijn sleutelkaart lag op de bar, wat bewijst dat hij er die bewuste ochtend geweest is. De portier zegt dat hij het hotel is binnengegaan rond de tijd dat de moorden gepleegd zijn en dat hij daarna niet meer naar buiten is gekomen.'

Angela besloot Rachel niet te vertellen dat Luke bij de begrafenis was geweest. De advocate zou haar geheimhoudingsplicht waarschijnlijk niet schenden, maar ze vond het risico te groot.

'Waarom begin je eigenlijk over Luke?' vroeg Rachel.

'Ik moet de laatste tijd vaak aan hem denken, nu pa gestorven is en ik in Luke's oude kamer slaap. Wanneer heeft Paul je gevraagd om dat onderzoek te doen?'

'Toen hij hoorde dat ik op Harvard gestudeerd heb. Hij had ergens gelezen dat de nieuwe officier van justitie ook daar had gezeten.'

'Ik wou dat hij mij dat ook had verteld.'

'Misschien is het maar beter dat hij dat niet heeft gedaan. Ik heb gezegd dat hij het moet laten rusten. Andrew is misschien wel te vertrouwen, maar het lijkt erop dat die gebroeders Penghetti overal een vinger in de pap hebben. Als ze erachter komen dat we onderzoek doen naar die zaak, zijn we misschien in moeilijkheden.' Ze zweeg even toen Joanie haar koffie en scone kwam brengen. Toen zei ze: 'Vertel eens over Nick.'

'Het gaat steeds beter. Hij zat vandaag zelfs grapjes te maken. Maar hij heeft nog wel veel pijn.' Angela zette haar kopje neer. 'Callen denkt dat Nick door een professional is neergeschoten.'

'Een huurmoordenaar?' Rachel haalde diep adem. 'Heeft Nick geprobeerd Luke te vinden?'

'Misschien wel, vooral als hij en mijn broers contact hadden.' Dat leek goed denkbaar. Angela werd hoe langer hoe ongeruster. Als haar broers onderzoek hadden gedaan naar Luke's verdwijning, liepen zij misschien ook gevaar. 'Heb je Pauls naam genoemd tegen die vroegere klasgenoot van je?'

Haar ogen gingen wijd open. 'Misschien wel. Lieve help... Je denkt toch niet... Nee, Andrew is een aardige vent. Luister. Ik geloof niet dat Andrew bij de maffia betrokken is. Maar sommige mensen doen alles voor geld.' Ze wreef over haar voorhoofd. 'We moeten niet te snel conclusies trekken. De aanslag op Nick heeft misschien helemaal niets te maken met de verdwijning van Luke.'

'Hoe dan ook, we kunnen beter Paul bellen en zeggen dat hij en Peter extra voorzichtig moeten zijn.'

Rachel leek elk moment in tranen te kunnen uitbarsten. 'Ik hoop dat het allemaal maar verbeelding is, Angela. Ik kan de gedachte niet verdragen dat Paul gevaar loopt, omdat ik zijn naam heb genoemd tegen een collega.'

'Ik hoop het.' Ze stond op. 'Ik ga even bij Peter en Paul langs.'

'Ze zijn niet in het hotel hier,' zei Rachel verslagen.

Angela liet zich weer in haar stoel zakken. 'Waar zijn ze dan?'

'Paul belde me vanmorgen op. Hij zei dat Peter en hij naar het vakantieoord in Marathon Key gingen.'

'Dat is in Florida,' zeiden ze allebei tegelijk.

8

Gek. Haar broers waren allemaal gek. Angela had er een hekel aan om buitengesloten te worden – dat was altijd al zo geweest. Omdat zij de jongste was, vonden haar vier broers haar vaak te klein en hadden de neiging haar te negeren. Het leek alsof ze altijd alleen naar plaatsen gingen waar zij niet heen mocht. Misschien was ze vroeger te klein voor hen geweest, maar nu toch zeker niet meer.

Hoe durfden ze te gaan graven in Luke's verleden zonder haar erbij te betrekken? Waren Peter en Paul naar Florida gegaan om Luke te zoeken? Hadden ze iets ontdekt over zijn verblijfplaats? Had Nick iets tegen hen gezegd? Speelden ze allemaal onder één hoedje? Hoe meer ze nadacht over wat Rachel had gezegd, hoe woedender ze werd.

Onderweg naar huis reed Angela even langs St. Matthews om met Tim te praten. Ze liep langs Paula, zijn secretaresse, die haar hand opstak om haar tegen te houden. 'Hij zit aan de –'

'Dan hangt hij maar op,' bromde Angela.

'Dat moet dan maar.' De secretaresse schudde haar hoofd.

Angela bleef bij de gesloten deur staan. 'Het spijt me, Paula. Ik heb niet zo'n beste dag.'

'Dat merk ik. Wil je er over praten? Misschien helpt het om eerst wat stoom af te blazen voor je daar naar binnen gaat.'

Angela haalde diep adem. 'Het is persoonlijk.' Ze knikte naar de deur van Tims kantoor en zei: 'Is het een belangrijk telefoontje?'

'Wel een beetje. Hij heeft een schrijver aan de lijn die misschien komt spreken op een mannendag.'

'O. Wie?' Niet dat het haar veel interesseerde. Maar Paula had gelijk. Het was niet verstandig om zomaar Tims kantoor binnen te stormen.

'Jacob Ellsworth.'

'De zanger?'

'Precies.' Haar ogen lichtten op. 'Hij kan prachtig zingen en schrijft diepzinnige boeken. Bovendien is hij vrijgezel en erg knap.'

Angela grinnikte. Paula was getrouwd en van middelbare leeftijd, en ze had zes kinderen. 'Dan kan Tim hem beter uitnodigen voor een vrouwendag.'

'Dat is een interessant idee.' Ze zuchtte en keek naar haar telefoon. 'Het lijkt erop dat hij net heeft opgehangen. Ga maar naar binnen.'

Dat deed ze. 'Is het gelukt met die spreker?' vroeg ze, terwijl ze om zich heen keek naar de overvolle boekenplanken en religieuze posters. Er stond een foto van hem en Susan op zijn bureau.

Tim trok één wenkbrauw op. 'Ja, maar…'

'Dat vertelde Paula. Weet je dat je secretaresse verliefd is op die man?'

Hij grinnikte. 'Dat verbaast me niets. Daar hebben de meeste vrouwen in de gemeente last van.' Hij leunde met zijn ellebogen op zijn bureau. 'Waar heb ik dit onverwachte bezoek aan te danken?'

Ze liet zich in een stoel zakken. 'Weet jij waar Peter en Paul zijn?'

'Onderweg naar Florida, denk ik. Paul zei gisteren dat ze daarheen gingen.'

'Weet je toevallig ook waarom?'

Hij haalde zijn schouders op en sloeg een dossier op zijn bureau dicht. 'Gewoon, om in Marathon Key te kijken of alles een beetje loopt.'

Angela kneep haar ogen tot spleetjes en bestudeerde zijn gezicht. Hij leek niets voor haar te verbergen. Misschien wist hij het echt niet. Ze besloot hem alles te vertellen.

Tim reageerde verbaasd en hoe meer Angela vertelde, hoe meer hij overstuur raakte.

'Heeft Rachel je dit verteld?'

'Ja, en ik maak me ongerust. Luke's verdwijning lijkt te maken te hebben met een maffiaorganisatie die in Florida opereert. De officier van justitie denkt dat Luke is omgekocht en een kroongetuige en zijn bodyguard heeft vermoord. Jij en ik weten dat Luke zoiets nooit zou doen, maar dat er iets niet klopt, is duidelijk. Nick is neergeschoten – Callen denkt dat het misschien een huurmoordenaar was. Heeft Nick tegen jou gezegd dat Luke op de begrafenis was?'

Tim schudde langzaam zijn hoofd. 'Nee. Dat hoor ik nu voor het eerst. Weet je het zeker?'

'Heb je die man met die baard gezien, die zich een beetje afzijdig hield?'

'Nee. Ik had niet veel kans om rond te kijken.'

'Nick heeft met hem gesproken. Ik dacht dat hij misschien naar jou en de kinderen toe zou komen.'

'Dat heeft hij niet gedaan. Ik wou dat ik je verder kon helpen, maar ik vrees dat ik nog minder weet dan jij.' Hij fronste zijn voorhoofd. 'Ongelooflijk dat ze me niets hebben verteld. Ik heb die man waar jij het over hebt niet eens gezien. Weet je zeker dat het Luke was?'

'Op de begrafenis niet, maar Nick zei dat hij het was en waarom zou hij daarover liegen?'

'Dat zou ik ook niet weten. Heb je de tweeling gebeld?'

Angela keek op haar horloge. 'Nee. Die zitten waarschijnlijk nog in het vliegtuig.'

Tim schoof zijn stoel achteruit. 'Zullen we er even uit gaan? Ik lust wel wat te eten.'

Angela volgde hem door het kerkgebouw naar buiten. Tim was waarschijnlijk de nuchterste en meest verstandige van haar broers. Dat kwam ongetwijfeld deels door het ernstige auto-ongeluk waar hij als tiener bij betrokken was geweest. Hij had een paar maanden lang geworsteld met een depressie, en toen hij thuis kwam uit het ziekenhuis, was hij erg veranderd. Tim zei altijd dat hij in het ziekenhuis eens een serieus woordje had gewisseld met God. Daarna was hij gaan studeren met maar één doel voor ogen – dominee worden.

Angela liep haastig achter hem aan. 'Hé, niet zo snel.'

Hij ging langzamer lopen. 'Sorry. Als ik ondersteboven ben, ga ik altijd haasten.'

'Ja, ik ook, maar ik heb kortere benen dan jij. Wat doen we met Peter en Paul?'

'Heb je het er al met Callen over gehad?' vroeg Tim. 'Weet hij wat onze broers van plan zijn?'

'Ik heb hem verteld wat Nick tegen me zei, maar nog niet over de tweeling. Dat moet ik nodig doen.' Angela wilde dat ze het eerder had gedaan. Misschien waren Peter en Paul in moeilijkheden. Ze had er niet aan gedacht om de meest voor de hand liggende vorm van hulp in te schakelen. Callen kon de autoriteiten in Florida waarschuwen. 'Maar ik betwijfel of de politie actie onderneemt. Voor zover wij weten, zijn ze geen slachtoffer van een misdrijf.'

'Hmm. Weet jij wanneer hun vliegtuig landt?'

'Rachel zei rond zes uur.' Angela keek op haar horloge.

'Lokale tijd. Ze landen pas over een uur of drie.'

Ze kwamen bij Angela's favoriete hamburgertentje. Tim hield de deur voor haar open. 'Kunnen we hier lunchen?'

'Kom maar mee.' Ze liepen naar binnen en gingen in de rij staan om hun bestelling te plaatsen. 'Zal ik Callen opbellen en vragen of hij ook hierheen komt?'

'Goed idee.'

Ze bestelden hun lunch en wilden juist buiten op het terras gaan zitten, toen Callen binnenkwam. Angela glimlachte toen ze dacht aan een van hun eerste ontmoetingen. Hij had een vegetarische maaltijd besteld en haar een preek gegeven omdat ze een hamburger, friet en een milkshake had verorberd. Sinds die tijd waren haar eetgewoontes niet veranderd, en de zijne waarschijnlijk ook niet. Als ze met Callen trouwde, zou ze voor hem gaan koken, en hij vond het belangrijk om gezond te eten. Dat was op zich prima, maar er waren bepaalde dingen die ze niet op wilde geven – zelfs niet voor een man als Callen.

Hij ging naast Angela zitten en gaf haar een vluchtige zoen op haar wang. Terwijl ze wachtten op hun bestelling, lichtten Angela en Tim Callen in over Peter en Paul en het feit dat ze schijnbaar naar Luke op zoek waren gegaan. Callen zette zijn zonnebril af. 'Ik zal de politie daar waarschuwen, maar ik betwijfel of het veel zin heeft. We kunnen weinig meer doen dan hopen dat degene die Nick heeft neergeschoten, niet ook achter hen aan gaat. Ik heb Nick net gesproken, en hij weet praktisch zeker dat de tuinman op het kerkhof degene is die hem heeft geprobeerd te vermoorden.'

Callen haalde een papier uit zijn zak. 'Dit vinden jullie misschien interessant. Ik heb een foto van Luke geleend van Anna en een van onze computerexperts gevraagd om er eens wat mee te spelen. Dit is het resultaat. Een foto van hoe Luke er tegenwoordig misschien uitziet, met een paar extra kilootjes, een baard en een zonnebril.' Hij gaf een kopie van de foto aan Angela.

Ze staarde naar het papier in haar handen en er sprongen tranen in haar ogen. 'Dat is hem. Dat is de man die op de begrafenis was.' Ze gaf de foto aan Tim. 'Waarom ben ik niet naar hem toe gestapt? Waarom ben ik niet afgegaan op mijn intuïtie?'

Callen legde zijn hand op haar schouder. 'Je kon het niet weten, Angela.'

Tim keek haar aan. 'Ik heb deze man eerder gezien. In de kerk. Ik kwam op een dag de kerkzaal binnen toen hij geknield voorin zat te bidden.'

'Wanneer?' vroeg Angela.

'Eh, volgens mij rond de tijd dat pa die hartaanval had.' Hij schudde zijn hoofd. 'Mijn eigen broer was in Sunset Cove, en ik wist er niets van.'

'Heb je met hem gepraat?'

'Nee. Dan had ik het misschien gemerkt. Zodra hij me zag, vertrok hij. Ik dacht dat het een zwerver was. Ik herinner me nog dat ik medelijden met hem had. Nu ik er over nadenk, was het misschien niet zozeer medelijden wat ik voelde. Misschien wilde God me duidelijk maken dat hij niet zomaar een vreemdeling was.' Hij zuchtte. 'Hij had veel haast om weg te komen. Even heb ik overwogen achter hem aan te gaan, maar ik deed het niet.' Tims ogen stonden verdrietig. 'God spreekt, maar we luisteren niet. We hebben allebei de aanwijzingen gemist.'

Angela probeerde de brok in haar keel weg te slikken. 'Wat doen we nu?'

'Ik zal deze foto verspreiden,' zei Callen. 'Luke wordt

gezocht. Ze willen hem ondervragen. Hopelijk krijgen we wat reacties.'

'Wordt hij dan gearresteerd?' vroeg Angela. Het was niet zo'n prettig idee, maar Callen had gelijk. Door de landelijke politie op de hoogte te brengen, konden ze Luke misschien eerder te pakken krijgen dan de moordenaar. Ze pakte de foto aan van Tim, vouwde het papier dubbel en stak het in haar tas.

Hun bestelling werd geserveerd. Maar hoezeer Angela ook van de gerechten in dit restaurant hield, vandaag smaakte het haar niet. Callen en Tim hadden geen moeite met hun lunch. Callen had een tomatensoep besteld, en een vegetarische sandwich met spruitjes.

Angela keek er vol afkeuring naar. 'Je weet toch hopelijk wel dat je ontslagen kan worden als je baas ziet dat je zo gezond eet?'

Hij grinnikte. 'Dat risico neem ik dan maar.'

Ze pakte een slap frietje en doopte het in de ketchup, maar toen legde ze het weer neer. Zuchtend duwde ze haar bord van zich af en stond op. 'Ik ga naar huis.'

'Misschien kunnen we dit beter niet aan mama vertellen,' zei Tim, voordat hij een hap nam van zijn sandwich.

'Dat was ik inderdaad niet van plan. Ze heeft al genoeg aan haar hoofd. Ze zou er alleen maar van overstuur raken.'

Callen legde zijn hand op haar arm. 'Ik kan vandaag eerder stoppen, dus ik ga weer verder met klussen.'

Ze knikte en wreef over zijn schouders. 'Ik zal vanavond wel koken.'

'Dat hoeft niet. Ik doe het wel.'

'Prima.' Hoewel ze niet veel zin had in gezelschap, zelfs niet dat van Callen, glimlachte ze. 'Lekker.'

Misschien merkte Callen dat ze een beetje stug reageerde, maar hij zei niets. Voor ze buiten gehoorsafstand was, zaten hij en Tim al geanimeerd te praten over de verbouwing. Angela liep terug de heuvel op naar de kerk en stapte in haar Corvette. Luke's Corvette.

Ze ging niet naar huis, maar naar het ziekenhuis. Nick had beweerd dat hij niet wist waar Luke woonde, maar misschien wist hij wel waar Luke had overnacht toen hij in Sunset Cove was. De manager van het hotel had waarschijnlijk Luke's nummerbord genoteerd en het nummer van zijn paspoort. Er moest een manier zijn om hem te vinden, maar op het moment leken de vooruitzichten somber.

9

De spion keek naar zijn spiegelbeeld in het raam en glimlachte. Dit was een uitstekende vermomming. Het was niet
erg dat zijn haar niet helemaal geworden was zoals hij had
gehoopt. Dit was zelfs beter. Hij had ooit gelezen dat de
beste vermomming opvallend en flamboyant was.

Hij keek door het raam naar het ziekenhuisbed waarin
Nick Caldwell lag. Zijn eerste poging om de agent te doden
was mislukt, maar dat zou hem niet nog eens gebeuren. Op
de begrafenis had hij beide mannen kunnen vermoorden,
maar hij had die stomme camera nog moeten kopen, en
toen hij bij het motel terugkwam, waren hun auto's weg geweest. Hij was de hele stad door gereden om hen te zoeken.

Hij wreef in zijn handen. Zijn baas raakte ongeduldig.
Het had een paar dagen geduurd voor hij Caldwell had
gevonden en had bedacht wat hij zou doen. Zijn plan was
perfect geweest. Die smeris had het niet mogen overleven.
Hij was er zeker van geweest dat Caldwell daar op die verlaten weg zou sterven. Maar gelukkig had hij de krant gelezen. En hij had zijn tijd genomen om een ander plan te
bedenken. Dit keer zou Caldwell het niet overleven.

Als de agent dood was, moest hij Luke Delaney zien te
vinden. Die was waarschijnlijk allang weer weg. Op de een
of andere manier moest hij hem op het spoor zien te komen. Misschien zou Delaney terugkomen als hij hoorde dat
zijn maatje was doodgeschoten.

De spion zette Delaney uit zijn gedachten en richtte zijn

volledige aandacht op het vermoorden van de agent. Zijn vrienden zouden vroeg of laat vertrekken. Vanavond laat kwam er geen bezoek meer, en dan zou hij toeslaan. Hij voelde in de zak van zijn witte laboratoriumjas. De injectiespuit zat er nog. Een overdosis digitalis, en dan was het gebeurd. De lijkschouwer zou zeggen dat het een medische fout was geweest. Niemand zou vermoeden dat hij er iets mee te maken had.

10

Angela liep door de gang. Ze ging opzij voor een magere man met een witte laboratoriumjas die een lege rolstoel voor zich uit duwde. Zijn haar was vreemd oranjeblond. Iedereen verfde tegenwoordig zijn haar en soms leek het nergens naar.

De bewaker voor Nicks deur knikte naar haar toen ze dichterbij kwam. Eerder die ochtend had hij er ook gestaan.

Toen had ze haar identiteitsbewijs moeten laten zien. Haar naam bleek op het lijstje van goedgekeurde bezoekers te staan en ze mocht naar binnen. Het zag ernaar uit dat Joe Brady geen enkel risico wilde nemen. Niet dat het moeilijk was om langs de bewaking te komen. Als je net deed of je een dokter of verpleegster was, kon je zo doorlopen.

Die gedachte deed haar plotsklaps stilstaan. Ze liep terug naar de gang. De man met de rolstoel was weg.

Nick was alleen. 'Hoi.' Hij leek minder pijn te hebben.

'Hoi. Waar is Rosie?'

'Ik heb haar naar huis gestuurd. De hele dag bezoek is ook niet alles.' Hij drukte op een knopje bij zijn bed, zodat zijn hoofdeinde omhoogging.

'Hmm. Je voelt je al heel wat beter, merk ik.'

'Een beetje wel. Maar bewegen is nog pijnlijk. Ze geven me nu pijnstillers in pilvorm, in plaats van dat paardenmiddel.'

Angela knikte. 'Ben je eraan toe om nog wat over Luke te praten?'

'Alsjeblieft niet, Angie. Riley heeft me net helemaal uitgehoord. Waarom ga je niet met hem praten?'

'Heb je Callen iets verteld wat ik nog niet weet?'

'Hoe moet ik dat weten? Ik zat zo onder de drugs, dat ik niet meer weet wat ik allemaal heb uitgekraamd.'

'Nick, dit is belangrijk.' Ze vertelde hem over de tweeling en hun plotselinge reis naar Florida. 'Heb je het met hen over Luke gehad?'

'Nee.' Hij haalde een hand door zijn warrige haren. 'Ze praatten zo nu en dan wel over Luke. Toen je vader was gestorven, zeiden ze dat het zo jammer was dat hij Luke niet meer had gezien voor hij stierf. Misschien was dat de aanleiding. Ik weet alleen dat ze een privédetective hebben ingehuurd na Luke's verdwijning, maar voor zover ik weet, hebben ze hem nooit kunnen vinden. Ik heb hen nooit iets verteld.'

'Toen je hem na de begrafenis sprak, heeft hij toen gezegd waar hij logeerde?'

'Ik ben heel even in zijn motelkamer geweest, omdat hij zijn spullen op moest halen. We hebben in een restaurant gegeten en daarna is hij vertrokken.'

'Welk motel?'

'Wat ben je van plan, Angie? Laat het nou maar aan anderen over.'

'Dat kan ik niet. Ik ben privédetective, weet je nog? Alsjeblieft, Nick. Ik dacht dat als ik wist waar hij logeerde, ik misschien zijn nummerbord kon achterhalen.'

Nick zuchtte. 'Vraag maar aan Callen.'

'Heb jij Luke's nummerbord gezien?'

'Nee, er zat te veel vuil op. Hij wilde niet dat iemand het zag en hij wil niet gevonden worden. Als ik had geweten dat hij in dergelijke moeilijkheden was, had ik hem gearresteerd. Hij wilde dat ik niemand zou vertellen dat hij hier was en daar ben ik in meegegaan. Stom natuurlijk.'

'Kom, Nick, vertel alsjeblieft welk motel het was. Misschien kan ik iets vinden. Ik kan elk motel tussen Sunset Cove en Newport langsgaan, maar dat kost te veel tijd. We moeten hem vinden.'

'Goed dan. Hij logeerde in de Sea Captain. Aan de rand van Lincoln City. Maar ik denk niet dat je er veel mee opschiet.'

'Bedankt. Je houdt er een van me tegoed.' Angela gaf hem een zoen op zijn wang en vertrok. Onderweg naar buiten bekeek ze iedereen zorgvuldig, of er geen gelijkenissen waren met Luke. Als Luke was teruggekomen toen pa een hartaanval had gehad, zou hij nu misschien bij Nick op bezoek willen. Ze zag niemand die op haar oudere broer leek. Maar dat betekende nog niet dat hij er niet was.

Angela reed naar Lincoln City en parkeerde bij het Sea Captain motel. Met de foto van Luke in haar hand liep ze naar de receptie. Een korte, gezette man kwam uit het kantoortje naar haar toe. 'Wilt u een kamer?'

'Nee, maar ik vroeg me af of u me misschien wat informatie kunt geven over iemand die hier heeft gelogeerd. Ik ben detective en ik zoek deze man.' Ze vouwde het papier open.

Hij bestudeerde de foto met gefronst voorhoofd. 'U bent al de derde die naar hem komt vragen. Een paar dagen geleden een man, en later een rechercheur.'

'Hoe zag die eerste man eruit?'

'Mager, donker haar. Hij zei dat deze man iets in zijn restaurant had laten liggen wat hij terug wilde geven. Hij vroeg om een adres.'

'Hebt u het hem gegeven?'

'Ik heb geen adres van hem. Is het een crimineel of zo?'

'Nee, mijn broer.'

'Hmm. Ik kan u niet veel meer vertellen. Zijn kamer stond op naam van Hal Perkins. Vorige week zaterdag was hij hier. Het leek een aardige vent. Veroorzaakte geen problemen.'

'Hebt u zijn naam gecontroleerd aan de hand van een rijbewijs of creditcard?'

'Nee. Hij leek nogal haast te hebben. Hij betaalde vooruit, dus voor mij maakte het niet uit.'

'Heeft hij u zijn nummerbord gegeven?'

'Ja. Dat heb ik doorgegeven aan die rechercheur.' Hij las het nummer voor en Angela schreef het op. Oregon. Ze betwijfelde of Luke in Oregon zat. Het was waarschijnlijk een huurauto.

'Bedankt. Kunt u zich nog iets over hem herinneren? Elk detail kan belangrijk zijn.'

Hij stak een vinger in zijn oor en hield zijn hoofd schuin. 'Nee.'

Een oudere vrouw met een bril en een hobbezak van een jurk kwam bij de man staan en keek naar de foto. 'Wat is er aan de hand?' Ze keek van Angela naar de foto en weer terug.

'Herkent u deze man?' vroeg Angela.

'Ze zegt dat het haar broer is,' zei de man.

'Zeker. Ik heb één keer met hem gepraat. Hij ging zwemmen en had een handdoek nodig. Aardige man. Zag er een beetje droevig uit. Hij zei dat hij naar een begrafenis moest.'

Angela kreeg een brok in haar keel. 'Heeft hij nog meer gezegd, waar hij vandaan kwam bijvoorbeeld?'

Er verschenen rimpels op haar voorhoofd. 'Ik kan me

niet veel meer herinneren. Hij zei dat hij zijn vrouw en zijn dochtertje miste.' Ze keek weer naar de foto. 'Ik weet het niet zeker, maar ik geloof dat hij het over Idaho had.'

Zijn dochtertje? Idaho? Angela bedankte hen en gaf haar kaartje, waarop stond dat ze privédetective was. Rachel had die voor haar laten maken. 'Als u nog iets anders te binnen schiet, hoe onbelangrijk het misschien ook lijkt, belt u me dan alstublieft op.'

De vrouw knikte en nam het kaartje aan. 'Zoals ik al zei, heb ik hem maar één keer gesproken. Maar een paar minuten.'

Angela vertrok. Onderweg naar huis schoten gedachten en mogelijkheden door haar hoofd. Steeds maar weer probeerde ze te bedenken waar Luke heengegaan kon zijn. Eerder had ze een aantal mogelijkheden opgeschreven. Een daarvan was Sun Valley, Idaho. Luke hield van bergen, water en sport, vooral zwemmen en skiën. Hij had wel eens gezegd dat hij een huisje wilde kopen in Sun Valley en daar wilde gaan werken, maar toen hij een baan aangeboden kreeg in Fort Myers, was hij daar op ingegaan. Dan zou hij zijn vrije tijd wel op het strand doorbrengen, had hij gezegd. Angela had hem in haar laatste studiejaar in het voorjaar daar willen opzoeken. Maar voor ze de kans kreeg, was hij verdwenen. Nick had gelijk – misschien was haar zoektocht zinloos. Als Luke niet gevonden wilde worden, zou hij zijn eigen naam en nummerbord nooit gebruiken. Hoe kon ze hem vinden? Hij moest toch ergens een spoor hebben achtergelaten.

Had hij echt een kind? Of had hij dat gezegd om iedereen op het verkeerde been te zetten? Angela had er nooit over nagedacht dat Luke misschien getrouwd was. En een dochtertje had. Als dat nu eens echt waar was? Misschien had hij het moeilijk gehad, toen hij met die vrouw in het motel praatte. Aan die mogelijkheid klampte Angela zich vast.

Callens auto stond al op de oprit geparkeerd toen ze thuiskwam. Van de achterkant van het huis klonk gehamer. Ze zag de auto van de postbode nog net wegrijden, dus toen ze haar auto geparkeerd had, liep ze naar de brievenbus om te kijken of er iets in zat. Een bankafschrift, een tijdschrift, een ansichtkaart. Ze zag de envelop die tegen de zijkant van de brievenbus zat bijna over het hoofd.

Ze pakte hem eruit en vroeg zich af van wie hij kon zijn. Geen afzender, alleen de naam *Luke Delaney* in vierkante, zwarte letters en een poststempel uit Portland. Haar hart bonsde tegen haar borstkas. Ze herinnerde zich wat ze had geleerd op de politieacademie. De envelop was stevig met plakband omwikkeld en er stond geen afzender op. En volgens Nick was Luke in gevaar. Ze zette de envelop voorzichtig op de tafel op de veranda en ging naar binnen. Ze gooide de rest van de post op een bijzettafeltje en sloot de deur voorzichtig achter zich. Ze keek rond in de lege woonkamer, de stille keuken. Heerlijke etensgeuren dreven in haar richting. 'Mam?'

Er kwam geen antwoord en ze liep snel naar de slaapkamer, waar Callen aan het werk was.

'Ze is in de tuin.' Callen keek haar aan en zijn glimlach verbleekte. 'Wat is er?'

'Niks. Ik bedoel – ik ben blij dat ze daar is.' Angela keek uit het raam en toen ze zeker wist dat haar moeder haar niet kon horen, vertelde ze Callen over de envelop. 'Misschien ben ik een beetje te achterdochtig, maar ik heb er geen goed gevoel over.'

'Dan zullen we eens even gaan kijken.' Callen liep met

haar mee naar de voordeur en keek uit het raam.

'We gaan niet naar buiten,' zei hij. 'Het onderzoeksteam zal de veranda willen onderzoeken, en hoe minder we er overheen lopen, hoe beter.'

Dat was een van de dingen die ze bewonderde in Callen. Hij nam wat ze zei serieus, alsof ze zijn collega was. Hij haalde zijn mobiel tevoorschijn en belde de politie in Oregon met de vraag of er een explosievendeskundige kon komen. Toen hij had opgehangen, zei hij: 'Ze zijn binnen een uur hier. In de tussentijd moeten we beslissen wat we met Anna doen.'

'Wat moeten jullie met mij doen?' Anna kwam de woonkamer binnenlopen. 'Heb ik iets gemist?'

Angela schrok. *Geweldig. Ook dat nog.* Hoe zou haar moeder reageren als ze die brief of de explosievendienst zag?

'Jullie willen me toch niet naar een bejaardentehuis doen, hoop ik?'

'Natuurlijk niet, mam. Callen wilde...'

'We vroegen ons af wat u zou gaan doen als wij op huwelijksreis zijn,' zei Callen.

'Gaan jullie trouwen? O!' Ze sloeg haar handen ineen, wat niet zo eenvoudig was, met haar rechterarm in het gips. 'Wat heerlijk. Maken jullie je over mij maar geen zorgen.'

Angela keek Callen woedend aan. 'Schat, geef haar niet al te veel hoop. We waren gewoon aan het praten, mam. Voorlopig trouwen we nog niet. Niet voordat u weer helemaal de oude bent.'

Callen gaf Anna een knipoog. 'Leuk geprobeerd, toch? Misschien kunt u haar ompraten dat we het eerder doen.'

Anna grinnikte. 'Ik zal mijn best doen.'

'Zullen we een rondje gaan rijden?' vroeg Angela, in een poging van onderwerp te veranderen. 'Misschien kunnen we

uw kleindochters ophalen en lekker iets gaan drinken bij
Joanie's. Dat getimmer van Callen begint me een beetje de
keel uit te hangen.'

Anna zuchtte. 'Dat klinkt heerlijk. Ik ben er al een tijdje
niet uit geweest. En het is leuk om de meisjes weer te zien.
Ik ga even mijn jas halen.'

Toen Anna in haar slaapkamer verdwenen was, sloeg
Angela haar armen om Callens middel. 'Bedankt. Ik wilde
niet tegen haar liegen.'

Callen gaf haar een zoen op haar neus. 'Je hebt prima
toneelgespeeld. Hopelijk is de explosievendienst snel klaar.
Kom voorlopig maar niet terug. Kunnen jullie geen wandeling langs het strand gaan maken?'

'Ja, ik denk dat ze dat wel redt, maar dan moet je ons misschien komen ophalen.'

'Goed. Tegen die tijd is alles hier weer normaal. Ze hoeft
het nooit te weten.'

'Wees voorzichtig,' fluisterde Angela. Ze liep met haar
moeder de achterdeur uit. 'We gaan lopen,' zei ze. 'We kunnen allebei wel wat beweging gebruiken.'

'Je hebt gelijk.'

Toen ze op het strand waren, kon Angela zich wat meer
ontspannen. Ze had graag willen blijven om de explosievendeskundigen aan het werk te zien, maar haar moeder had dat
niet aangekund, vermoedde ze.

'Zo, dame,' zei Anna gedecideerd toen ze buiten waren.
'Wat is er aan de hand? En kom niet weer met die smoes dat
jij en Callen gaan trouwen.'

O, o. Angela rolde met haar ogen. Ze had beter moeten
weten. Voor Anna Delaney bleef niets verborgen. Ze had
ogen in haar achterhoofd en een ijzersterke intuïtie.

'Er zat vandaag een pakketje in de brievenbus dat er verdacht uitzag.' Angela staarde naar het zand onder haar voeten.

'Verdacht? Waarom?'

'Ik haal me waarschijnlijk van alles in mijn hoofd, maar na die aanslag op Nick, wilden Callen en ik geen risico nemen.'

'Denk je dat het een bom is, of een poederbrief?'

'Er stond geen afzender op en de manier waarop het was ingepakt, leek verdacht. De politie gaat het onderzoeken.'

'Enig idee wie het heeft verstuurd?'

Angela schudde haar hoofd.

'Hm. Zou het van die boeven zijn die ingebroken hebben in je appartement?'

Ze ging ervan uit dat het pakketje aan Angela geadresseerd was, en het leek Angela verstandig dat zo te laten.

'Het was niet nodig geweest om mij er buiten te houden. Ik kan het allemaal best aan.' Anna liet haar schouders hangen. 'Hoewel ik me soms afvraag of dat nog wel waar is.'

Angela sloeg een arm om haar moeders schouders heen. 'U hebt zoveel meegemaakt. We dachten dat het beter was als er niet nog iets bij kwam.'

'Bedankt dat je het me toch verteld hebt. Ik vind het belangrijk om te weten wat er speelt.'

Angela knikte. Ze vroeg zich af wat haar moeder zou zeggen als ze hoorde dat Luke op de begrafenis geweest was. Zij zou niet degene zijn die het haar ging vertellen. Dat geheim had haar moeder tot nu toe tenminste nog niet uitgevogeld.

11

Cade parkeerde zijn auto een paar straten bij het huis van de Delaney's vandaan. Hij had de bezorgdatum juist geschat. Hij had het postkantoor gebeld om te vragen hoe laat het pakje ongeveer zou worden afgeleverd. Hij stond er nog maar een paar minuten, toen Angela de oprit op kwam rijden.

Nu was het een uur later. Langzaam reed hij in zijn Lexus langs het huis en keek naar de politieagenten die uiterst voorzichtig voorbereidingen troffen om de bom tot ontploffing te brengen en koortsachtig zochten naar bewijsmateriaal. De explosievendeskundigen in hun beschermende pakken hadden de omgeving afgezet en waren bezig een draagbaar röntgenapparaat op te zetten om het pakketje mee te scannen. Uit zelfbescherming zouden ze het pakketje waarschijnlijk niet meer onderzoeken op vingerafdrukken, maar zelfs als ze dat wel deden, zouden ze niets vinden. Zijn vingerafdrukken niet, tenminste.

Toch stak het hem dat Angela zijn list zo vlug had doorzien. Hij had gehoopt dat ze het naar Luke zou hebben gebracht of dat Luke het zelf was komen ophalen. Maar misschien had hij het mis gehad. Misschien had Luke toch geen contact opgenomen met zijn familie. Hij was wel op de begrafenis geweest, dat wist Cade zeker. Maar hij was ontsnapt voordat Cade van de drukke parkeerplaats af had weten te komen. Anders had hij het zaakje ter plekke afgerond.

Wat hem nog meer dwars zat, was Angela's vriendje bij de recherche. Cade's norse blik veranderde op slag in een glimlach toen de rechercheur zijn kant op keek. Hij zwaaide en bleef met dezelfde snelheid doorrijden. Cade had een hekel aan mislukkingen en het leek erop dat deze brief een flater was geweest. Nu moest hij een andere manier zien te vinden om de informatie die hij nodig had, te krijgen. Als iemand wist waar Luke Delaney te vinden was, dan was het wel zijn zus. Hij zou geduldig moeten afwachten tot de tijd rijp was – gelukkig was hij daar erg goed in.

Hij kwam bij de hoofdweg en trommelde met zijn vingers op het stuur. Toen sloeg hij af naar het zuiden, in de richting van het hotel waar hij logeerde. Hij had eerder die dag ontdekt dat het vijfsterren vakantieoord eigendom was van Luke's tweelingbroers, die die ochtend naar Florida waren vertrokken. Wat was de wereld toch klein.

Cade voelde een ijzige rilling over zijn rug lopen. Een agent van het plaatselijke politiebureau was neergeschoten. Hij had op de dag van de begrafenis met Luke staan praten. Een advocate, Rachel Rastovski, had de officier van justitie in Fort Myers gebeld met vragen over de gebroeders Penghetti en Luke's betrokkenheid bij die zaak. Rastovski had een relatie met Paul Delaney. En een dag later vliegen de broers naar Florida.

Toeval? Onmogelijk. Waren ze iets op het spoor? Hij hoopte voor hen dat dat niet zo was. De gebroeders Penghetti hadden overal spionnen. Als de organisatie hoorde dat de jongens van Delaney hun neus in zaken staken die hen niets aangingen, zouden ze gegijzeld worden. Of erger.

Niet dat dat hem iets kon schelen. Cade had genoeg aan zijn eigen problemen. Bovendien had hij die broers niet nodig. Angela was de meest waarschijnlijke weg naar Luke. Hij moest alleen een manier zien te vinden om haar te pakken te krijgen.

12

Na een heerlijk diner van gesauteerde garnalen met rijst en een salade, werd Anna naar de woonkamer gestuurd om even te rusten, terwijl Callen en Angela de keuken schoonmaakten. Anna was moe geworden van de wandeling en ze viel in slaap voor de tv.

Angela droogde het laatste bord af dat niet in de vaatwasser paste, hing de theedoek weg en pakte een dun jasje van een haak bij de achterdeur.

Callen had voor hen allebei ijsthee ingeschonken. 'Als jij de deur openhoudt, breng ik de glazen naar buiten.'

Angela hield de glazen deur naar de veranda open. Callen zette de drankjes neer en omhelsde haar.

Hij wreef over haar blote armen. 'Heb je het niet koud?'

Ze glimlachte en liet hem de jas zien die ze nog in haar hand had. Hij hielp haar erin en ze gingen op de schommelbank zitten. Angela nestelde zich tegen hem aan. *Hier kan ik best aan wennen.*

De zon ging onder en ze keken hoe de vuurrode bal in de zee verdween. Als ze de kans kregen keken ze daar elke avond naar. Dit was de eerste keer dat ze tijd hadden om te praten en Angela was erg nieuwsgierig wat Callens onderzoek naar het schietincident had opgeleverd.

Callen maakte plagerig haar haren in de war toen ze het vroeg. 'Moeten we het daar nu over hebben?'

Nee, ik heb veel meer zin om je te zoenen. 'Ja. Even. Nick heeft jou verteld waar Luke logeerde. Heb je daar iets ontdekt?' Ze wilde eerst van Callen horen wat zijn bevindingen waren, voordat ze vertelde dat ze zelf ook met een aantal mensen had gepraat. Misschien zou hij dan zeggen dat ze zich er niet mee moest bemoeien.

Hij nam een slokje ijsthee en zette het glas terug op de tafel. 'De auto bleek verhuurd te zijn aan ene Hal Perkins uit Cheyenne in Wyoming.'

'Daar vandaan is ook het geld gestuurd dat Nick Luke had geleend.'

'Precies. We hebben Hal Perkins nagetrokken, maar het is Luke niet. Het is een man van tachtig die in een verpleegtehuis zit. De creditcard is vijf jaar geleden aangevraagd, maar sindsdien nooit gebruikt, dus daar hebben we niets aan.'

'Waarom gebruikte Luke die naam?' Angela vond het moeilijk te geloven dat haar broer zich schuldig had gemaakt aan identiteitsroof, en ze probeerde excuses te bedenken om zijn gedrag te rechtvaardigen. Het was niet echt identiteitsroof. Zoals Callen al zei, stond er niets op die rekening en de creditcard was nooit gebruikt.

'Hij had referenties nodig,' zei Callen. Volgens mij zijn we op een dood spoor, maar we blijven proberen. Misschien levert die foto iets op. In de tussentijd proberen we die schutter te achterhalen. Nick zegt dat hij geen auto gezien heeft. De man kwam uit het bos lopen en deed alsof hij gewond was. Nick stapte uit en toen begon hij te schieten.'

'Het verbaast me dat Nick het heeft overleefd.'

'Hij is slim. Hij liet zich op de grond vallen en deed alsof hij dood was. De man kwam dichterbij en nam een foto. Toen is hij weggereden.'

'Een foto?'

'Dat is een van de redenen waarom we denken dat het

een huurmoordenaar is. Die foto moest hij vast naar zijn baas sturen om te bewijzen dat de klus geklaard is.'

Angela voelde zich misselijk worden. 'Ik kan haast niet geloven dat iemand zo meedogenloos kan zijn.'

'Hmm.' Callen trok haar dichter tegen zich aan. 'Er zijn een heleboel mensen zonder geweten. De moord op een mens is voor hen niet anders dan het doodtrappen van een vlieg of spin.'

Angela huiverde. Zelfs dat vond ze vervelend. 'Ik vraag me af of hij zich realiseert dat Nick nog leeft.'

'Als hij het weet, zal hij het nog een keer proberen en dan hebben we hem. Er staat dag en nacht een bewaker voor zijn deur.'

Angela zuchtte. 'Goed. Denk jij dat er een verband is tussen die moordaanslag en de bombrief?'

'Mogelijk, maar we moeten nog een paar dagen wachten op de precieze details. Het lab loopt een paar weken achter. We weten wel dat er maar twee verschillende vingerafdrukken op het pakketje zaten, die van jou en van de postbode.'

'Nu hebben we weer genoeg over het werk gepraat,' zei ze.

'Mooi.' Hij kuste haar op haar voorhoofd.

Toen de lucht vlammend rood kleurde, zond Angela een gebed op voor Nick en Luke en Peter en Paul. Net voor het eten had ze Paul op zijn mobiel gebeld. Hij had haar ervan verzekerd dat Peter en hij puur en alleen naar Florida waren gegaan vanwege problemen in het hotel. Angela wilde dat ze hem kon geloven.

Om tien uur de volgende ochtend belde Tim met de vraag of Angela en hun moeder met hem wilden lunchen in het hotel van Peter en Paul in Sunset Cove. Het was er erg luxe en duur. Ze verwachtte dat hun maaltijd gratis zou zijn, maar toch was het vreemd dat Tim hen daar wilde ontmoeten. Hij hield meer van eenvoudige gelegenheden.

Anna dacht dat het Tims manier was om haar gedachten te verzetten. 'Zo is hij. Hij doet alles voor me. Soms een beetje te veel.'

Angela knikte. Ze hoopte dat Tim niet over Luke wilde praten. 'Zullen we onze badpakken meenemen?' stelde ze voor. 'Dan kunnen we na de lunch nog een paar baantjes trekken.'

Anna grinnikte. 'Neem jij je badpak maar mee, schat. Ik ga wel een boek lezen. Misschien kan Ingrid ons nog een massage geven.'

Anna belde om te vragen of Ingrid nog een gaatje voor hen had, terwijl Angela Luke's oude kamer in ging en haar moeders computer aanzette. Haar eigen computer was vernield bij de inbraak in haar appartement, uit wraak voor de dood van Billy Dean. Ze gaven haar de schuld van zijn dood – zelfs nu nog, nadat de jury haar had vrijgesproken.

Ze had besloten geen nieuwe computer te kopen, maar gebruikte die van Anna. Angela controleerde haar e-mail toch niet elke dag. Ze kreeg eigenlijk vooral spam. Ze had geprobeerd het een en ander te blokkeren, maar toch kreeg ze nog te veel reclame in haar inbox. Er was bijna niemand die haar mailadres kende. Ze praatte liever over de telefoon of rechtstreeks met mensen. Zodra ze hoorde dat haar moeder de telefoon ophing, belde Angela in.

Hoewel Callen had gezegd dat ze op een dood spoor leken te zitten, besloot Angela nog eens wat verder te zoeken naar die Hal Perkins. Ze had de afgelopen nacht nauwelijks geslapen, omdat ze maar bleef piekeren over de vraag waarom Luke de naam van een oude man in Wyoming had uitgekozen en met zijn creditcard op zak liep.

Ze probeerde zich in Luke te verplaatsen. Hij was die getuige op gaan halen en had hem en de bodyguard waarschijnlijk dood aangetroffen. Was hij op dat moment gevlucht? Later had hij Nick gebeld en om geld gevraagd, dat naar Fort Myers was gestuurd en vervolgens uit Cheyenne was terugbetaald.

Ze tikte Cheyenne in en drukte op enter. Een halfuur lang surfte ze over de officiële website van de stad, en eindelijk vond ze een lijst van verpleegtehuizen. Ze schreef de telefoonnummers op en ging bellen. Bij de tweede was het raak. De vrouw die de telefoon aannam, zei dat er inderdaad een Hal Perkins in het tehuis woonde.

'Hoe lang al?'

'Een jaar of tien, denk ik. Waarom is iedereen zo in Hal geïnteresseerd? Gisteren heb ik een rechercheur uit Oregon gesproken over die arme meneer Perkins. Toen ik vertelde hoe oud Hal was, zei hij dat er waarschijnlijk ergens een fout gemaakt was.'

'Wat vreemd,' zei Angela. 'Maar ik ben eigenlijk niet op zoek naar meneer Perkins. Zijn naam houdt verband met mijn broer, Luke Delaney. Luke is al zes jaar vermist en ik vermoed dat hij misschien in het tehuis heeft gewerkt.'

'Is uw broer vermist? Wat vreselijk. Maar ik kan me die naam niet herinneren.'

'Misschien gebruikte hij in die tijd een andere naam.' Angela vroeg het e-mailadres. 'Ik stuur u even een paar foto's waar u misschien even naar wilt kijken. Wie weet herkent u hem dan.'

'Goed. Dan bel ik u wel terug.'

Angela scande de foto die Callen haar had gegeven in, samen met de foto van Luke's afstuderen.

De vrouw van het verpleegtehuis belde binnen een paar minuten terug. 'Ik ken die jongeman op de foto. Hij heeft hier bijna een jaar als verpleeghulp gewerkt. Aardige jongen, een beetje stil. Hij werkte hard en maakte veel overuren. Maar hij heette geen Luke. Wat was zijn naam ook alweer?' mompelde de vrouw. 'Jack. Dat is het. Ik kan me zijn achternaam niet meer herinneren, maar dat kan ik wel opzoeken in het personeelsbestand. Ik zal proberen hem morgen naar u te mailen.'

Angela bedankte haar. 'U heeft er geen idee van hoeveel dit voor mij betekent.'

'Ik ben blij dat ik u kon helpen. Ik hoop dat u hem vindt. Vreselijk lijkt me dat, als een familielid vermist is. Ik zal bidden dat het u lukt om hem te vinden.'

Angela kon bijna niet wachten om het aan Callen te vertellen.

Tim zat al aan een tafeltje en tegenover hem zat een man van ongeveer zestig jaar. Ze stonden op toen ze Angela en Anna zagen aankomen. Angela ging naast Tim zitten en Anna nam plaats op de stoel die de oudere heer voor haar achteruit had geschoven.

'Mam, Angela, dit is dr. Ethan Hathaway.'

De man glimlachte en gaf Anna en Angela een stevige handdruk. Hij had blauwe ogen en een knap gezicht. Hij zag er belangrijk uit, vond Angela.

Ze keek Tim vragend aan. *Wat ben je van plan?*

Hij negeerde haar blik. 'Dr. Hathaway kwam me vanmorgen opzoeken. Hij gaf vroeger les op de universiteit van Harvard.'

In een flits vielen de puzzelstukjes op hun plaats. 'Dr. Hathaway.' Anna keek hem onderzoekend aan. 'De docent rechten waar Luke bij in de klas heeft gezeten?'

'Ik dacht dat jullie hem wel zouden willen ontmoeten,' zei Tim met een glimlach.

'Natuurlijk.' Er schoten tranen in Anna's ogen toen Luke's naam genoemd werd.

'Ik hoop dat u me niet opdringerig vindt, maar Luke zei altijd dat ik maar eens aan de kust van Oregon op vakantie moest gaan. Ik heb besloten zijn raad op te volgen en was van plan onderweg even bij hem op bezoek te gaan.'

'Ik heb uitgelegd dat we Luke al een tijd niet gezien hebben,' zei Tim.

Angela staarde de man aan. Waarom gebeurde dit nu? Was het toeval? Misschien wel, maar er zat een luchtje aan. 'Mag ik uw identiteitsbewijs zien, alstublieft?'

'Angela!' zei haar moeder vermanend. 'Ben je gek geworden?'

'Het geeft niet, mevrouw Delaney. Door wat Tim me verteld heeft, begrijp ik dat Angela wantrouwig is.'

Wat heeft Tim hem allemaal verteld? Angela wierp haar broer een zijdelingse blik toe.

De man haalde een portemonnee uit de zak van zijn dure colbertje, haalde er een identiteitsbewijs en een creditcard uit en gaf ze aan haar. 'Het is allemaal in orde, dat verzeker ik je.'

Angela bekeek de twee kaarten. De foto op het identiteitsbewijs leek inderdaad op de lange, iets te zware man tegenover haar. De naam op de creditcard klopte ook, maar de woonplaats niet. 'Hier staat dat u uit Californië komt.'

Hij glimlachte. 'Ja. Mijn vrouw en ik zijn vier jaar geleden naar Californië verhuisd om dichter bij onze families te wonen. Ik geef nu les op de universiteit van Stanford.'

'U moet het Angela maar niet kwalijk nemen,' zei Anna.

'Ze lijkt op haar vader – ze wantrouwt iedereen. Ze werkt ook bij de politie, weet u.'

'Dat verbaast me niets. Luke heeft me veel over je verteld, Angela. Onder andere dat je hoopte in de toekomst politieagent te worden.'

Angela gaf hem de kaarten terug. Ze was nog steeds niet helemaal tevreden. 'Dat ben ik nu inderdaad.' Ze vertelde hem niet dat ze met onbetaald verlof was.

De verdere gesprekken verliepen plezierig en ze genoten van het eten. Angela had een salade besteld met gegrilde zalm, een van haar favoriete gerechten. Dr. Hathaway at van zijn krabsalade, terwijl hij vertelde hoe zeer hij ervan genoten had om Luke in de klas te hebben. Anna leek het geweldig te vinden om met hem te praten. Angela gedroeg zich fatsoenlijk, naar ze hoopte, om haar moeder een plezier te doen. Ze was blij dat niemand had gezegd dat ze zich zorgen maakten om Luke.

Na de lunch vertrok Anna voor haar massage-afspraak met Ingrid. Dr. Hathaway ging naar zijn kamer en Angela liep met Tim naar zijn auto. 'Hoeveel heb je die man over Luke verteld?'

'Alles zo'n beetje. Hij maakte zich ongerust en... Hoezo? Mocht dat niet? Ik dacht dat hij misschien contact zou hebben gehad met Luke. We hebben toch niets van hem te vrezen? Nu jij zijn identiteitsbewijs hebt gecontroleerd, is dat wel duidelijk.'

'Tim, we weten niet of deze man wel echt docent geweest is. Heb jij wel eens een foto van hem gezien? Ik niet. Heb je enig idee hoe gemakkelijk het tegenwoordig is om een valse identiteit aan te nemen?'

'Rustig nou maar, Angela. Jij vertrouwt niemand. Het is een obsessie voor je.'

'En jij bent veel te goedgelovig. Tim, er is gisteren een bombrief thuis bezorgd, geadresseerd aan Luke. Nick heeft een gesprek met Luke en een paar dagen later wordt hij neergeschoten. Nu duikt er opeens een nieuwsgierige docent op en jij vertelt hem alles. Hallo! Begrijp je het nu?'

Tims gezicht stond nu zorgelijk. Hij stapte in zijn auto. 'Het lijkt een oprechte man, Angela. Ik had geen reden om hem te verdenken.'

Angela deed een stapje opzij en Tim trok het portier dicht. 'Ik geloof niet dat het toevallig is dat hij nu opeens contact opneemt.'

'Misschien niet, maar... Hoor eens, ik laat de school wel een foto van dr. Hathaway doorfaxen. Dan weten we het zeker.'

'Het zal me verbazen als blijkt dat het hem echt is.'

'Ga nu maar genieten van je massage.'

'Dank je.'

Angela ging terug naar binnen en zag dr. Hathaway bij de balie van de conciërge staan. Hij knikte naar haar en glimlachte. Ze stak haar hand op. Dr. Hathaway was de perfecte gentleman geweest en Angela had eigenlijk best van het gesprek met hem genoten. Misschien was ze een beetje te voorzichtig. Daar zouden ze binnenkort achter komen.

Angela trok een paar baantjes in het overdekte zwembad en genoot van het zonlicht dat door het glazen dak naar binnen viel. Een halfuur later was het tijd voor haar massage. Haar arm deed zeer waar de kogelwond had gezeten, maar daar liet ze zich niet door weerhouden. De behandeling begon met een moddermasker en eindigde met een uitgebreide massage. Nu voelde ze pas hoe gespannen ze was geweest. Ingrid zorgde ervoor dat de pijnlijke spieren in haar schouders en rug ontspanden. Toen ze klaar was, voelde Angela zich slap en ontspannen als een lappenpop.

Toen ze naar het zwembad liep om haar moeder op te halen, zag ze dr. Hathaway in een ligstoel naast haar zitten. Hij had zich omgekleed in een zwembroek en zag er behoorlijk fit uit voor een man van zijn leeftijd. *Hij ziet er wel uit alsof hij uit Zuid-Californië komt.* Ze lachten ergens om en hun kameraadschappelijkheid irriteerde haar.

'Als je naar Seal Beach gaat, moet je ook even in Stanford langskomen,' zei hij. 'Geef maar een belletje. Ik zou je graag een rondleiding geven over de campus.'

Ja, dat zal best. Angela fronste haar wenkbrauwen. Dr. Hathaway had toch een vrouw en kinderen? Ging haar moeder naar Seal Beach?

'Dat is erg aardig van je, Ethan, maar ik denk dat mijn zus een dagvullend programma voor me heeft uitgestippeld.'

Ethan? Noemden ze elkaar al bij de voornaam? En wat was dat over haar tante? Angela herinnerde zich dat er de vorige dag een kaart uit Californië was bezorgd. Die was dan zeker van tante Gabby geweest. Ze was er al jaren over bezig dat Anna een keer langs moest komen, maar tot op heden was het er nooit van gekomen. Was haar moeder het nu van plan?

'Hoi.' Angela ging aan de andere kant naast haar moeder zitten. 'Wat hoor ik? Gaat u naar Seal Beach?'

'Ja.' Anna hield een hand boven haar ogen tegen de zon. 'Gabby wil dat ik op bezoek kom. Ze zegt dat ik wel wat zon kan gebruiken. Maar ik weet nog niet of ik het doe. Ik wil jou en de jongens hier niet achterlaten. Het is nog een beetje te snel.'

'U hoeft voor ons niet thuis te blijven, mam. Nu het huis verbouwd wordt, is het misschien juist wel een goed idee om een tijdje naar tante Gabby te gaan.' Angela wist niet wat ze ervan moest denken, vooral omdat dr. Hathaway haar moeder zo aanmoedigde. Het leek een goed idee. Als haar moeder niet thuis was, hoefde Angela ook niet steeds zo geheimzinnig te doen over haar zoektocht naar Luke.

'Misschien doe ik het dan wel,' zei Anna. 'Ik zal het er eens met de jongens over hebben. Het zou wel erg leuk zijn om een tijdje bij Gabby en Leonard te logeren.' Ze glimlachte. 'Weet je dat ik een aantal van hun kleinkinderen nog nooit heb gezien?'

'Neem me niet kwalijk, dames.' Dr. Hathaway stond op en wierp een schaduw over hen heen. 'Ik ga nog een paar baantjes trekken. Tot vanavond dan, Anna.'

'Ja. Gezellig. Ik moet nog even aan de kok vragen of het geen probleem is, maar hij zal het vast niet erg vinden.'

'Mooi. Ik kijk ernaar uit.'

Hij liep naar het diepe en dook lenig in het water.

Angela was sprakeloos. 'Hebt u hem voor het eten uitgenodigd? Bij ons thuis?'

Anna keek hoe hij bovenkwam en door het water gleed. Haar ogen straalden. 'Natuurlijk, Angela. Hij heeft Luke toch in de klas gehad.'

De bittere ondertoon in haar stem deed Angela beseffen dat haar moeders opgetogenheid niets te maken had met de charmante docent, maar alles met haar vermiste zoon.

O, mam. Angela hielp Anna opstaan en samen liepen ze naar de auto. Ook Angela zag uit naar het bezoek van dr. Hathaway. Ze hoopte dat hij niet had gelogen over zijn identiteit.

13

Luke legde de krant uit Oregon in de onderste lade van zijn bureau. Een paar jaar geleden had hij een abonnement genomen, zodat hij elke dag iets kon lezen over zijn geboorteplaats. Het nieuws was altijd een paar dagen oud, maar dat kon hem meestal niet zoveel schelen. Vandaag was het anders. Nick was neergeschoten en had het bijna niet gehaald, alleen omdat Luke Delaney zo dom was geweest om naar Sunset Cove te gaan. Alleen omdat hij niet had verwacht dat de man die zes jaar geleden zijn leven had gespaard, zijn dreigement daadwerkelijk ten uitvoer zou brengen.

Het was wel vreemd dat de moordenaar achter Nick was aangegaan in plaats van achter Angela, zoals hij gedreigd had te doen. Het was nog vreemder dat hij Nick niet had doodgeschoten. Luke betwijfelde of de huurmoordenaar die hij had ontmoet een doelwit zou laten leven, tenzij dat juist de bedoeling was. Misschien wilde hij Luke waarschuwen.

Gelukkig zou het creditcardnummer dat hij bij het autoverhuurbedrijf had achtergelaten, spoorzoekers naar Wyoming sturen, naar die arme oude Hal Perkins. Maar als iemand hem nu eens naar Idaho gevolgd was? Als de moordenaar nu eens wist waar hij woonde en dat hij een vrouw en dochtertje had? Luke had zichzelf voor de gek gehouden dat hij hier veilig was. Nu raakte hij in paniek. Hij zou weer moeten verhuizen. Wat zou Kinsey daarvan vinden? Ze hadden het hier goed. Ze had een eigen zaak. Ze hielden van Idaho en van Cocur d'Alene.

Nee, zei hij tegen zichzelf. *Niemand kan me hier vinden. Onmogelijk.* Hij had hier in Coeur d'Alene een nieuwe identiteit aangenomen en was zes jaar lang veilig geweest. Of toch niet?

'Thomas?' Kinsey keek om het hoekje van de deur. 'Schat, het is laat. Breng jij Marie naar de kinderopvang?'

Hij staarde haar aan – naar haar zachte bruine haren, die ze in een knot had opgestoken. Haar hippe T-shirt, spijkerjasje en rok waren zeer geschikt voor haar kunstgalerie in het vakantieoord. Ze zag er welgesteld en artistiek uit, maar ook als een professional, een kenner.

Kinsey zag er altijd perfect uit, wat ze ook droeg. Met moeite maakte hij de omslag naar de rol die hij nu speelde – die van Thomas Sinclair, echtgenoot, vader, manager van een vijfsterrenhotel aan een van de mooiste meren van het land. Hij deed een stap naar zijn vrouw toe en nam haar in zijn armen. Hij hoopte dat ze niet zou merken hoe angstig hij was. Hij gaf haar een vluchtige zoen op haar lippen. 'Heeft ze al ontbeten?'

Lachend maakte ze zichzelf los uit zijn omhelzing. 'Als je dat eten wilt noemen.'

'We gaan wel even naar McDonalds samen,' zei hij plagerig.

'Waag het niet.' Ze grinnikte. 'Ze staat al helemaal klaar. Haar broodtrommeltje staat op het aanrecht.'

Kinsey ging terug naar de badkamer om zich op te maken, terwijl Luke door de hal naar de woonkamer liep, waar zijn dochter van drie de poes aan het aaien was. De kat snorde en genoot van de aandacht.

Zoals elke dag pakte Luke Marie op en gooide haar over zijn schouder. Ze gilde en strekte haar armen uit alsof ze ging vliegen. Ze vloog de keuken in om haar broodtrommeltje te pakken, de hal door voor een kus van mama, de deur uit en de auto in, waar ze landde op haar stoel en zelf haar gordel vast deed.

Luke gaf haar haar reisgenootje, een versleten teddybeer. 'Klaar voor de start?' Hij gaf haar een zoen op haar neus.

'Klaar voor de start, papa. Boekie Beer ook.'

Luke stapte in en reed naar Jennifers kinderopvang, tien kilometer verderop. Kinsey en hij wilden Marie eigenlijk liever niet zo vaak naar de opvang brengen, maar ze leek het er leuk te vinden en Jennifer was een van de besten. Vroeger dacht hij altijd dat hij een vrouw zou trouwen die thuisbleef om voor de kinderen te zorgen, net als zijn eigen moeder had gedaan, maar Kinsey had al haar eigen galerie gehad toen ze elkaar voor het eerst ontmoetten. Hoewel ze het leuk vond om thuis te zijn en veel werk thuis kon doen, moest ze toch een paar dagen per week naar de galerie.

Toen hij Marie had afgezet, reed hij in een kwartiertje naar het hotel. Hij stapte uit en gaf zijn sleutels aan de hotelbediende.

'Goedemorgen, meneer Sinclair. Prachtige dag vandaag.'

Luke glimlachte en knikte. 'Gelukkig is de zon er weer.' Ze hadden een week lang regen gehad, maar vandaag was de lucht strakblauw.

Elke keer als hij de deur van het hotel opendeed, was het alsof hij een andere wereld binnenging. Coeur d'Alene was een populair toeristenoord en het vakantiecentrum zat bijna het hele jaar door stampvol. Hij liep langs Kinsey's galerie en zag haar met een cliënt staan praten. De vrouw was lang en slank, maar haar gezicht en handen waren gerimpeld. Haar kleding was haast een kunstwerk op zichzelf – een handgeweven jasje in paars, lavendel, roze en turquoise en een aansluitende roze pantalon. Zilveren armbanden sierden haar polsen en één enkel en ze had aan elke vinger tenminste één ring. Opvallend, modieus en waarschijnlijk erg rijk.

Luke liep naar de lift die hem naar de bovenste verdieping zou brengen, naar de kantoren van de directieleden. Onderweg begroette hij links en rechts wat werknemers. Toen hij in de lift stapte, keek hij vluchtig rond wie er nog meer in stonden. Opgelucht constateerde hij dat het allemaal personeelsleden waren. Zes jaar lang was hij continu bezig geweest zijn omgeving en de mensen om zich heen nauwkeurig te onderzoeken, of er niets ongewoons te zien was. Nu moest hij zelfs nog voorzichtiger zijn.

'Er zijn een paar berichtjes voor je, Thomas,' zei zijn secretaresse toen hij naar haar bureau toe kwam lopen. 'Ze liggen op je bureau. Phil wil met je praten. Er lijkt een dubbele boeking gedaan te zijn.' Ze gaf hem een memo. 'Je hebt om twaalf uur een bestuursvergadering in de conferentiezaal. De catering voor die bruiloft vanavond is geregeld. De andere afspraken liggen op je bureau, zoals gewoonlijk.'

Luke zuchtte. 'Bedankt, Eileen. Wat moet ik zonder jou beginnen?' Hij zei al twee jaar elke ochtend precies hetzelfde, maar hij meende elk woord.

Luke ging achter zijn bureau zitten en wreef met zijn handen over zijn gezicht en baard. Hij was hondsmoe, hoewel de werkdag nog maar net was begonnen. Hij keek in zijn agenda en pakte er een paar documenten bij waar hij de vorige dag aan had zitten werken. Hoewel hij managers had om het hele vakantieoord te runnen, hield hij ook graag zelf een oogje in het zeil. Zo waren al heel wat problemen voorkomen.

Het beloofde een rustige ochtend te worden. Mooi. Of toch niet? Hij duwde zijn stoel naar achteren en ijsbeerde heen en weer tussen zijn bureau en het raam. Hij keek uit over het meer en dacht aan Nick, aan de tijd die ze na hun eindexamen hier samen hadden doorgebracht. Ze hadden op een camping gewerkt aan de overkant van het meer. Wat een zomer was dat geweest. Daarom was Luke uit Wyoming hierheen gekomen. En vanwege Kinsey was hij gebleven.

Hij en Nick waren altijd al beste vrienden geweest, maar die zomer leken ze net broers. En nu was zijn broer neergeschoten. In de krant stond dat hij in kritieke toestand verkeerde.

Luke liep naar zijn bureau en pakte de telefoon op, maar legde toen de hoorn weer op de haak. Hij wilde graag weten hoe het met Nick ging, maar wie moest hij bellen? Tegenwoordig hadden zoveel telefoons nummermelding. Hij kon het niet riskeren. Er moest een andere manier zijn om erachter te komen.

De krant. Hij ging achter zijn computer zitten en tikte een webadres in. Even later had hij het antwoord. Hij was geschokt.

14

Callen was aan het klussen in huis toen Angela en haar moeder terugkwamen van hun massage. Anna vertelde dat ze een gast zouden hebben voor het avondeten.

'Prima,' zei Callen. 'Dat gebeurt niet elke dag, dat ik mijn culinaire talenten op een rechtendocent mag uitproberen.'

Anna grinnikte. 'Heb je nog iets nodig uit de supermarkt?'

'Nee.' Hij haalde een spijker uit het tasje om zijn middel. 'Ik ben net nog naar de winkel geweest, voor ik hierheen kwam.'

'Je verwent ons.' Anna keek naar haar gipsverband. 'Maar ik waardeer het erg dat je me helpt.'

'Graag gedaan.' Callen gaf haar een charmante glimlach. 'Ik zorg dat ik hier onmisbaar word, zodat Angela wel met me moet trouwen.'

Angela rolde met haar ogen. 'Dat had je gedacht.'

'Ruzie samen maar lekker verder. Ik ga even rusten,' zei Anna.

'Je bent vroeg bezig vandaag,' zei Angela toen haar moeder was vertrokken.

'Ja. Ik wil de aanbouw dicht hebben voor het gaat regenen. De rest van de week wordt het nat, zeggen ze. Bovendien ben ik er volgende week niet. Ik moet naar het regionaal forensisch opleidingscentrum in Portland voor nascholing. Vier dagen per jaar is dat verplicht, wil ik mijn rangen en standen behouden. Zondag vertrek ik.'

'O.' Angela deed geen moeite om haar teleurstelling te verbergen. 'En het onderzoek dan?'

'Een andere rechercheur uit het kantoor in Portland neem het van me over. Ik zou liever later gaan, maar dit staat al maanden vast. Ik moet zelfs nog een lezing geven over schietincidenten waar agenten bij betrokken zijn.'

Angela huiverde. 'Daar heb je genoeg ervaring mee.' Callen had ook het onderzoek geleid naar de schietpartij waar zij zelf bij betrokken was geweest. Ze dacht terug aan de eerste keer dat ze elkaar hadden ontmoet. Na de schietpartij had ze zich geschokt en verslagen gevoeld en Callen had haar met respect en medelijden behandeld.

'Vijf keer in het afgelopen jaar.'

'Hmm.'

'Help even met dit raam, als je wilt.' Hij pakte een groot raam aan de ene kant beet en Angela aan de andere. Ze gaf een gil toen de pijn door haar gewonde arm schoot. Ze had hem met het zwemmen waarschijnlijk te zwaar belast.

'Sorry, Angela. Daar had ik niet aan gedacht.'

'Het gaat wel.' Ze klemde haar kiezen op elkaar en probeerde het nog eens.

'Nee. Misschien kan Tim na het eten even langskomen om te helpen. Of die docent.'

'Dat is een goed idee.' Ze wreef over haar bovenarm.

'Het spijt me.' Hij kwam naar haar toe en omhelsde haar.

'Het gaat wel.' Ze sloeg haar goede arm om hem heen. 'Ik had beter moeten weten.' Ze wreef over het litteken. 'Ik zal je niet langer ophouden,' zei ze. 'Moet ik nog iets voor je doen?'

'Nee, dank je. Waarom ga je ook niet even liggen? Doe wat ijs op die arm.'

'Goed dan.'

Angela ging naar de keuken, haalde wat ijsblokjes uit de koelkast, schonk een cola voor zichzelf in en liep toen met de telefoon naar buiten, naar de veranda. Het was koel vandaag en het zag ernaar uit dat het zou gaan regenen. Dreigende, donkere wolken pakten zich samen boven de oceaan. Ze haalde een deken uit de kist bij de deur en ging op een ligstoel zitten.

Ze dacht aan de gebeurtenissen van de afgelopen dagen. Tim had nog niet teruggebeld over dr. Hathaway en Angela hoopte dat ze meer wist voor hij kwam eten, zodat ze Callen over hem kon vertellen. Ze had haar wantrouwen niet naar hem geuit. Eerst moest ze meer te weten zien te komen.

Angela keek naar de golven die op de rotsen en het zand sloegen. Het gestage ritme bracht haar tot rust. Ze had net haar ogen dichtgedaan, toen de telefoon ging.

'Hoi, Angela. Met Rachel.'

'Hoi. Heb je een klusje voor me?'

'Nee, maar ik heb wel wat informatie voor je. Kom je even naar Joanie's? Ik heb zin in een espresso en ik wil je iets vertellen over de gebroeders Penghetti.'

'Goed. Ik kom eraan.'

Angela vertelde Callen waar ze naartoe ging. 'Ik ben denk ik over een uurtje terug. Rachel heeft wat onderzoek gedaan naar een zaak waar Luke mee bezig was.'

'Waarom?'

'Dat heeft Paul haar gevraagd, weet je nog? Misschien is ze iets te weten gekomen over Luke.'

Hij fronste zijn wenkbrauwen. 'Ik zou graag willen horen wat ze ontdekt heeft. Ik heb de officier van justitie gevraagd om een verslag van die zaak, maar ik heb nog niets gekregen.'

'Je kunt ook meegaan, als je wilt.'

'Nee, ik moet dit afmaken. Maak maar aantekeningen, dan praten we na het eten wel. Als ze iets belangrijks heeft ontdekt, speel ik het door naar rechercheur Downs.'

'Downs? Die naam klinkt niet bekend. Ken ik hem?'

'Waarschijnlijk niet. Jim werkte tot voor kort in Salem. Ik zal proberen hem nog aan je voor te stellen voor ik de stad uit ga.'

'Goed.' Angela gaf hem een kushand en griste haar tas mee, terwijl ze naar de auto rende.

'Wat heb je ontdekt?' vroeg Angela toen ze besteld hadden en in hun favoriete hoekje waren gaan zitten.

'Een heleboel.' Rachel deed haar koffertje open en haalde een map tevoorschijn. 'Ik dacht dat Callen dit misschien ook zou willen weten, dus ik heb alles gekopieerd. Ik heb gemaild met de rechercheur die undercover aan de zaak Penghetti heeft gewerkt. Interessante informatie. De getuige was Robert Penghetti's schoonzoon. Hij had contact gezocht met rechercheur Mike Lacy, omdat hij wilde onderhandelen. Lacy heeft hem meegenomen naar de officier van justitie. Vermoedelijk stond Robert Penghetti's schoonzoon aan het hoofd van een van de drugsdeals en wilde hij ermee stoppen toen hij zich realiseerde waar het om draaide. Ze importeerden snuisterijen van over de hele wereld, maar niet alleen dat.

Rechercheur Lacy zegt dat ze de schoonzoon in hechtenis hebben genomen om hem te beschermen. Daarna hebben ze een aantal mensen gearresteerd. Helaas hebben ze geen drugs gevonden of enig ander bewijsmateriaal. Hij denkt dat iemand erachter is gekomen wat Stanton had bekokstoofd en dat de broers vervolgens de hele operatie hebben afgeblazen. De staat had veel indirect bewijs en ze hoopten dat ze met het getuigenis van die schoonzoon de broers in de kraag konden vatten.'

'Dus ze hebben niet alleen de deal waar Stanton mee bezig was, afgeblazen, maar ook een professional ingehuurd om hem te vermoorden.'

'Precies. Mike werkte samen met Luke en hij dacht dat de huurmoordenaar Luke had vermoord en zijn lichaam ergens had gedumpt. Dan zou het net lijken of Luke was gevlucht en zou alle verdenking op hem rusten. Maar blijkbaar had hij het mis.'

'Heb je tegen rechercheur Lacy gezegd dat Luke nog leeft?' Angela schreef de naam van de rechercheur op en maakte nog wat aantekeningen.

'Ja. Dat mocht toch wel? Mike zegt dat hij sindsdien heeft geprobeerd bewijs te verzamelen tegen de gebroeders Penghetti, maar het is haast onmogelijk om hard te maken dat ze zich met illegale zaken bezighouden. Ze lijken een aantal gerenommeerde bedrijven te runnen. Import, onroerend goed – ze hebben overal wel een handeltje in.' Ze zweeg even toen Joanie hun bestelling kwam brengen. Toen haalde ze een paar velletjes papier uit een map. 'Ik heb hem verteld dat Nick is neergeschoten en wat hij over Luke had gezegd. Mike heeft me een paar foto's gemaild. Ik dacht dat we die misschien aan Nick konden laten zien, om te kijken of hij de man herkent die geprobeerd heeft hem te vermoorden.'

De eerste foto was een familiekiekje van twee oudere mannen met dik peper-en-zoutkleurig haar. Ze stonden naast twee vrouwen, blijkbaar hun echtgenotes. Beide vrouwen waren knap en gekleed alsof ze een Oscar in ontvangst moesten nemen. Voor hen zaten vijf Penghetti telgen.

'Weten we wie deze mensen zijn?'

'De man rechts is Bernard, Roberts oudste zoon. Daarnaast staat Sophia, de weduwe van Stanton, en Michael, de jongste.' Rachel draaide het papier om. 'Naast Robert staat Richards zoon, Rick junior, en zijn dochter, Ellen.'

Angela bekeek elk gezicht en wees naar de derde van rechts. 'Dit gezicht lijkt bekend.'

'Van iedereen is er een uitvergroting.'

Angela keek naar de foto van Michael. 'Hij komt me bekend voor. Misschien komt het omdat ik het zo graag wil. Ik weet het niet, maar dat donkere haar en dat magere gezicht... Hij lijkt op die tuinman op de begrafenis.' Ze dacht aan de verslaggever die die dag foto's had genomen. 'Misschien heeft Faith hem wel op de foto. Zo ja, dan kunnen we hem misschien identificeren.' Ze keek nogmaals naar de mannen en zuchtte. 'Ze zien eruit als familie. Al deze mannen voldoen aan de omschrijving.'

Geen van de mannen op de foto's leek op dr. Hathaway en Angela voelde zich opgelucht. Maar ze had geen rust tot ze zeker wist dat hij te vertrouwen was. Ze vertelde Rachel over hem.

'Ik begrijp dat je het niet vertrouwt. Als hij de waarheid spreekt, komt hij op een bijzonder ongelegen moment. Het moet niet zo moeilijk te achterhalen zijn of hij liegt of niet.'

'Dat dacht ik ook, maar ik heb nog niets van Tim gehoord.'

Rachel gaf haar een kopie van de vergaarde informatie. 'Misschien wil je dit aan Callen doorgeven. Het kan zijn dat hij het meeste al wist.'

Angela nam een slokje van haar koffie en vertelde Rachel over Callens vertrek volgende week. 'Er komt een rechercheur uit Portland. Jim Downs.'

'Balen. Callen zal het vast ook niet prettig vinden om nu weg te moeten. Hij en Nick zijn goede vrienden.'

'Dat klopt. Heb jij rechercheur Downs wel eens ontmoet?'

Rachel schudde haar hoofd.

'Ik hoop dat hij net zo goed is als Callen.'

Rachel glimlachte. 'Niemand kan aan Callen tippen – als het aan jou ligt niet, tenminste.'

'Misschien heb je wel gelijk. Ik moet maar proberen niet al te kritisch te zijn.'

Angela dronk haar mok leeg, bedankte Rachel voor de informatie en vertrok. Ze had even bij Tim langs willen gaan op kantoor, maar toen ze zag dat zijn auto er niet stond, reed ze door naar huis. Callens auto was weg. Hij had waarschijnlijk nog iets nodig gehad uit de winkel. Ze luisterde het antwoordapparaat af, maar Tim had niet gebeld. Toen ze naar de kerk belde, kreeg ze een bandje met de tijden van de kerkdiensten. Ze hing op en probeerde Tim thuis te bereiken. Geen gehoor.

Het was stiller in huis dan normaal. Misschien omdat Callen niet aan het hameren of zagen was. Angela klopte zacht op haar moeders slaapkamerdeur.

'Binnen.' Anna lag op bed een tijdschrift te lezen. 'O, Angela. Ik dacht wel dat jij het was.' Ze legde het tijdschrift neer en ging rechtop zitten.

'Weet u waar Callen heen is?'

Anna fronste haar wenkbrauwen. 'Is hij er niet?' Toen glimlachte ze. 'Geen wonder dat het zo stil was.'

'Misschien is hij opgeroepen.'

'Je kunt hem altijd even bellen.'

'Dat kan ik wel even proberen, ja.' Angela liep terug naar de hal.

'Vraag even of we iets aan het eten moeten doen. Dr. Hathaway komt over een uur al.'

'Goed.' Angela toetste Callens mobiele nummer in. Callens hallo klonk kortaf.

'Ook een goedemiddag. Stoor ik?'

'Dat kun je wel zeggen, ja.'

'Wat is er aan de hand?'

'Er heeft iemand geprobeerd Nick te vermoorden.'

15

'Meen je dat, Callen? Ik dacht dat hij bewaakt werd.' Ze haalde diep adem. 'Je zei "geprobeerd". Alles goed met hem?'

'Dankzij zijn snelle reactie wel, ja.'

'Wat is er gebeurd? Hebben jullie de dader gepakt?'

'Ik kan nu niet met je praten. Ik praat je wel bij als ik hier klaar ben. Maar ik kan vanavond niet koken. Dat moet jij maar samen met je moeder doen. Alles staat in de koelkast. Anna weet vast wel wat er mee moet gebeuren.'

'Hathaway kan me gestolen worden. Ik wil Nick zien.'

'Dat kan niet. Nick maakt het prima, maar je mag niet met hem praten.'

'Maar…' Angela besloot niet tegen Callen in te gaan. 'Goed dan. Ik zie je straks.'

'Het spijt me dat ik nu geen tijd voor je heb.'

'Ik begrijp het wel.' Angela hing op. Ze voelde zich buitengesloten. Ze had geen zin om dr. Hathaway bezig te houden of voor hem te koken zonder Callen erbij. Maar ze kon haar moeder niet alleen laten, en zoals Callen had gezegd, kon ze Nick nu niet spreken. Ze zou daar alleen maar in de weg lopen.

Angela vertelde het nieuws aan haar moeder, die meteen wilde bidden. Ze pakte Angela's hand en dankte God dat Nick deze tweede moordaanslag ook had overleefd. Na het bidden zei ze: 'We moeten maar eens kijken wat Callen voor het eten had gepland.'

Ze liepen de keuken in en Anna zette de oven aan. Callen had alles voorbereid. Hij had lasagne gemaakt, die alleen nog maar opgewarmd hoefde te worden. Angela bakte wat broodjes af en maakte een salade. Dat was niet zo moeilijk.

Het ging verbazend goed tijdens het diner, gegeven het feit dat Angela nog steeds niet wist of de man loog of niet. Hij was erg voorkomend en vertelde verhalen over zijn studenten, waar ook Luke soms in voorkwam. Als hij een bedrieger was, had hij wel zijn huiswerk goed gedaan.

Angela bleef maar piekeren over waarom Tim nog niet gebeld had. Ze probeerde hem nog een paar keer thuis te bereiken, maar er werd steeds niet opgenomen. Om kwart over acht ging eindelijk de telefoon. Ze sprong op van haar stoel en rende er heen.

'Angela, met Tim.'

'Waar zit je? Ik probeer je al uren te bereiken.'

'We moesten eerst naar de huisarts en toen naar het ziekenhuis. Abby heeft griep en hoge koorts. Ze kan niets binnenhouden en de dokter heeft besloten haar aan een infuus te leggen om te voorkomen dat ze uitdroogt.'

'O, nee. Gaat het wel met haar?'

'Ze is heel zwak en heeft nog steeds verhoging.' Hij zuchtte. 'Ik heb Susan en Heidi naar huis gestuurd. Heidi voelt zich ook niet zo lekker. Ik hoop dat ze niet dezelfde kant op gaat.'

'Dat is niet te hopen, nee. Doe Abby maar de groeten van oma en mij.' Opeens moest ze denken aan Nick, die ook in het ziekenhuis lag. 'Heb je Nick nog gezien?'

'Nee, daar heb ik geen tijd voor gehad.'

'Dan heb je het laatste nieuws nog niet gehoord. Iemand heeft weer geprobeerd hem te vermoorden. Callen is bij hem.'

'Niet te geloven. Nu begrijp ik waarom er zoveel politie rondloopt.'

'Je hebt zeker nog geen nieuws over je-weet-wel?'

'Nee, sorry. Ik had andere dingen aan mijn hoofd. Toen ik terugkwam op kantoor, had Susan net gebeld. Ik ben meteen weer weggegaan.'

'Het geeft niet. Ik ben blij dat het beter gaat met Abby. Maak je maar geen zorgen. Ik zal vanavond of morgen zelf nog wel even kijken of ik iets kan vinden. Zorg goed voor mijn nichtje.'

'Dat ben ik wel van plan.'

Angela hing op en vertelde haar moeder het nieuws.

'Gaat het echt wel goed met haar?' vroeg Anna. 'Heeft ze geen hersenvliesontsteking of zo? Ik heb gehoord dat kinderen daaraan kunnen overlijden.'

'Tim zegt dat het griep is en dat ze is uitgedroogd. Ik weet zeker dat ze alles nalopen daar.'

'Dat hoop ik maar.' Ze bracht haar mok naar het aanrecht. 'Ik zou graag bij haar op bezoek willen.'

Dr. Hathaway keek bezorgd. 'Kan ik iets doen?'

Er was niets dan oprecht medeleven in zijn ogen te lezen en Angela vroeg zich af hoe ze ooit had kunnen denken dat hij loog. Hij was gewoon wie hij zei dat hij was: Luke's favoriete docent. 'Bedankt voor het aanbod.'

'We kunnen in ieder geval bidden,' zei Anna.

'Dat zal ik doen.' Hij stond op. 'Ik moet gaan. Ik ga morgen weer weg. Ik heb jullie gastvrijheid erg gewaardeerd. Het eten was heerlijk. Het spijt me dat ik je rechercheur Riley niet heb kunnen ontmoeten, Angela. Hij lijkt een bewonderenswaardige man.'

'Dat is zo,' zei Angela.

'Ik ben blij dat u ons bent komen opzoeken,' zei Anna,

terwijl ze met hem naar de deur liep. 'Het was enig om u te ontmoeten en iets over Luke te horen. Het was lang geleden dat we over hem hadden gepraat.'

Dr. Hathaway nam Anna's hand in de zijne. 'En jij, Anna, moet me zeker komen opzoeken als je in Californië bent. Ik wil je graag aan mijn familie voorstellen.'

'Dat zal ik doen.'

'Dat geldt natuurlijk ook voor jou, Angela.'

'Dank u, dr. Hathaway, maar ik denk niet dat ik binnenkort naar Californië ga.'

Na een paar laatste woorden ten afscheid vertrok hij. Angela ruimde de keuken op en toen reed ze met haar moeder naar het ziekenhuis. Angela weerhield zich ervan Nick op te zoeken. Ze liepen meteen naar de kinderafdeling voor Abby.

'Oma! Tante Angela!' Abby zag er helder uit. Ze spreidde haar armen naar hen uit.

Tim bood zijn stoel aan Anna aan. 'Jullie hadden niet helemaal hierheen hoeven komen.'

'Natuurlijk wel.' Anna maakte zich los uit Abby's armen en gaf haar het cadeautje dat ze onderweg in een supermarkt had gekocht. Abby haalde een klein, zacht beertje uit het pakpapier en drukte het tegen zich aan. 'O, oma, dit is het mooiste cadeautje wat ik ooit heb gekregen.'

Angela grinnikte. Ze was blij dat ze zich om Abby geen zorgen meer hoefden te maken. Misschien waren hun gebeden verhoord.

Terwijl de drie volwassenen bijpraatten, dommelde Abby in slaap met het beertje in haar armen. Anna zag er moe uit en Tim ook.

'We kunnen maar beter gaan,' fluisterde Angela. Haar moeder sprak haar niet tegen.

'Ik ben blij dat we even geweest zijn,' zei Anna toen ze in de lege lift stapten. 'Nu kan ik tenminste rustig slapen vannacht.'

'Wat een beetje vocht toch voor effect kan hebben – en een knuffelbeer.'

Toen ze thuis waren, maakte Angela twee kopjes kamillethee en nam ze mee naar de woonkamer, waar haar moeder in een leunstoel was gaan zitten.

'Heeft u al iets van Faith gehoord, die verslaggeefster die dat artikel over papa zou schrijven?' vroeg Angela.

'Nee. Ik vond het al vreemd. Ze zei dat het artikel binnen een paar dagen in de krant zou staan en dat ik het eerst zou mogen lezen.'

'Hmm. Misschien had ze het druk met andere dingen. Ik zal haar morgen wel even bellen, of ik rijd even langs.' Angela geeuwde. Ze hoopte dat Michael Penghetti de tuinman was geweest en dat Faith een foto van hem had gemaakt.

'Prima, lieverd.' Na een lange stilte stond Anna op. 'Ik zou hier graag met je willen blijven kletsen, maar ik ben vreselijk moe.'

'Ga dan maar naar bed.' Angela glimlachte. 'U hoeft niet bij me te blijven zitten. Callen komt vast zo terug.'

'Welterusten dan.'

'Welterusten, mam.'

Angela keek naar de flakkerende vlammen in de haard. Ze miste Callen en vroeg zich af of ze weer naar het ziekenhuis moest gaan.

Callen kwam rond elf uur binnenvallen. Hij wilde nog even welterusten zeggen voordat hij naar huis ging, zei hij.

'Krijg ik geen update? Ga je me niet vertellen wat er gebeurd is?'

'Kan dat niet tot morgen wachten?' Callen geeuwde en

wreef in zijn ogen. 'Dan kun je het in de krant lezen of op het journaal zien.'

'Ja, maar ik hoor het liever van jou. Misschien kun je morgen hier komen ontbijten.' Hoe benieuwd Angela ook was naar wat er met Nick gebeurd was, en hoe graag ze ook wilde vertellen waar zij en Rachel mee bezig waren – ze had het hart niet om hem nog langer tegen te houden. Hij kon zijn ogen nauwelijks openhouden.

Hij knikte. 'Bedankt voor je geduld.' Hij gaf haar een vluchtige zoen op haar lippen. 'Ging het goed met het eten?'

'Prima. De lasagne was heerlijk.'

'Sorry dat ik dr. Hathaway niet kon ontmoeten. Morgen misschien.'

Angela haalde haar schouders op. 'Te laat. Morgen gaat hij weer weg.'

'Jammer.'

'Er was nog wel wat opschudding trouwens.' Ze vertelde hem over Abby en hun bezoek aan het ziekenhuis.

'Arm kind,' zei hij. 'Ik zal morgen wel even bij haar langsgaan als ik met Nick ga praten. Tot morgen. Ik zorg dat ik vroeg ben, dan kan ik het ontbijt klaarmaken.'

'Dat hoeft niet, Callen. Zoveel last van mijn arm heb ik nu ook weer niet.'

'Nee, maar zoals ik al zei, vind ik het leuk om je te verwennen en te zorgen dat ik onmisbaar word hier.'

Ze gaven elkaar een laatste zoen ten afscheid. Eigenlijk wilde ze niet dat hij wegging, maar ze bleef op de veranda staan en keek zijn auto na. Ze zuchtte. Op dit soort momenten zou ze graag willen toegeven en met Callen trouwen. Misschien was het toch niet zo'n goed idee om tot de zomer te wachten. Ze hield van hem, dus wat hield haar nog tegen?

Te veel onduidelijkheid in haar leven.

Toen zijn achterlichten om de hoek verdwenen, ging Angela naar binnen en sloot de deur. Ze bedacht zich en ging terug naar de veranda om nog wat spullen op te ruimen – een deken en haar glas. Plotseling liep er een ijzige rilling over haar rug en gingen de haartjes in haar nek overeind staan. Ze tuurde in het donker. Bewoog daar een schaduw?

Vast de wind. Of je verbeelding. Angela ging vlug weer naar binnen en duwde de zware deur dicht, deed hem op slot en sloot de gordijnen.

16

De spion bleef nog een uur buiten bij het huis van Angela staan. Toen liep hij door het zand naar zijn auto, die hij een kilometer verderop geparkeerd had. Hij moest zijn haar weer verven en uitchecken uit het motel – allemaal omdat die ellendige agent per se wakker moest worden voordat hij alle digitalis had geïnjecteerd. Wat een pech. Twee keer had hij nu de kans gehad om Caldwell te vermoorden, en beide keren was er roet in het eten gegooid.

'Het lijkt wel of die vent een beschermengel heeft of zo,' mompelde hij. 'Hoe kon hij die schietpartij nou overleefd hebben?' En vandaag was hij weer zo dichtbij geweest. Een paar seconden nog, dan zou de digitalis in Caldwells bloedsomloop zijn terechtgekomen.

Zijn baas zou dit niet grappig vinden. Helemaal niet zelfs. De spion stak zijn handen in de zakken van zijn regenjas. Wat moest hij nu doen? Hij had de moord op Caldwell verknald en Luke Delaney was ontsnapt. Drugs dealen en stelen ging hem veel beter af. Moord was niets voor hem, dat was duidelijk. Het zou niet zo moeilijk geweest zijn als zijn opdrachtgever geen foto's had willen hebben. Nou, hij had een foto van Caldwell waar hij dood genoeg op leek. Misschien moest hij die foto gewoon opsturen, dan was hij er vanaf. De spion had het vermoeden dat zijn baas ergens in het oosten woonde. Hij zou er waarschijnlijk nooit achter komen dat Caldwell nog leefde. Zou hij het riskeren? De spion veegde het zand van zijn schoenen en ging achter het stuur zitten. Toen reed hij langzaam door de stad, terwijl hij het nummer van zijn baas intoetste. Toen er eindelijk werd opgenomen, was hij al onderweg naar Lincoln City. 'Ja, met mij.'

Zijn opdrachtgever mompelde iets onverstaanbaars. 'Ik hoop dat je een goede reden hebt om me midden in de nacht wakker te bellen.'

'Sorry. Ik was het tijdsverschil vergeten.'

Nog meer gevloek en gemopper. 'Ik hoop voor je dat dit belangrijk is.'

'Dat is het. Ik heb Caldwell vermoord. Ik stuur je morgen een foto van hem. Zeg maar waar naar toe.'

Zijn baas gaf hem een postbusnummer in Orlando.

Toen hij had opgehangen, glimlachte de spion. Binnen een dag of twee zou hij tienduizend dollar rijker zijn. Dan ging hij misschien naar Mexico. Of hij deed nog wat meer zijn best om die vent van Delaney te vinden. Dat betekende nog tien ruggen. Hij kon het geld goed gebruiken.

17

Er smaakte bijna niets beter dan Callens pannenkoekjes met stroop en knapperige plakjes spek. Hoewel de kok een gezondheidsfreak was en alleen maar verse ingrediënten gebruikte, smaakte alles prima.

Hier kan ik best aan wennen. Angela zei het niet hardop. *Hij hoeft niet aangemoedigd te worden.*

Toen hij Anna en Angela van pannenkoekjes had voorzien, ging Callen zitten en nam een slokje koffie. Toen goot hij wat stroop over zijn eigen pannenkoekjes. Angela wachtte tot hij een paar happen had genomen voor ze vroeg wat er met Nick was gebeurd.

Hij legde zijn vork neer en pakte zijn mok koffie op. 'Volgens de bewaker sliep Nick toen een man met een witte jas binnenkwam met wat medicatie. Hij had een naamplaatje waarop stond dat hij arts was, dus de bewaker dacht dat het geen kwaad kon. Daarna ontstond er een chaos. Nick werd wakker en zag de man. Hij herkende zijn gezicht meteen en zag dat hij iets in zijn infuus injecteerde. Nick trok het infuus eruit en begon te schreeuwen. De zogenaamde arts rende de kamer uit. Zodra de bewaker het bloed zag dat uit het infuus drupte, viel hij flauw. Nick probeerde het bloeden te stelpen, maar dat lukte niet. Er kwamen een paar verpleegsters binnenrennen, die dachten dat Nick gek geworden was. Hij bleef maar zeggen dat ze de politie moesten bellen, en eindelijk was er iemand die naar hem luisterde.'

Angela kon haar lachen niet inhouden. 'Sorry hoor. Ik weet dat het niet grappig is, maar het klinkt als een scène uit een slechte B-film.'

'Zo grappig was het niet. Joe belde om te zeggen dat een van zijn agenten op de oproep had gereageerd. Hij vroeg of ik ook wilde komen.' Callen schudde zijn hoofd. 'Het was een volkomen chaos. Overal bloederige voetstappen. Het kan wel een week duren voor ons onderzoeksteam uitvindt wat er precies gebeurd is. Nick zegt dat hij zeker weet dat de man die hem heeft neergeschoten, dezelfde is als die zogenaamde arts die hem probeerde te vergiftigen. We hebben het infuus in beslag genomen en het naar het lab gebracht. Even wisten we niet of Nick had gehallucineerd of gedroomd of dat het echt gebeurd was. Hij heeft de drain in zijn borst er ook uit getrokken, dus hij is er niet best aan toe. Hij blijft volhouden dat het dezelfde man was die hem heeft neergeschoten, alleen zijn haar was een andere kleur – oranjeachtig.'

'Oranje?' Angela verslikte zich bijna in haar sapje. 'Ik heb gisteren in het ziekenhuis ook een man met oranje haar gezien. Hij liep achter een rolstoel. Verder heb ik er niet zo op gelet.'

'Denk je dat het dezelfde man is?'

'Mogelijk. Hoeveel mannen zijn er met oranje haar? Nou ja, misschien tegenwoordig best heel wat. Ik vond dat hij er vreemd uitzag. Hij droeg toen ook een witte jas met een naamplaatje.'

'De bewaker zei dat hij de man al eerder op deze verdieping gezien had.'

Anna had nog geen woord gezegd en leek geen trek te hebben. Callen verontschuldigde zich voor het onprettige gespreksonderwerp.

'Dat is het niet. Ik kan alleen niet begrijpen waarom iemand zoveel moeite doet om Nick te vermoorden.' Anna dronk haar mok leeg en zei dat ze ging douchen en daarna op bezoek bij Abby in het ziekenhuis. 'Bedankt voor het heerlijke ontbijt.'

Angela keek hoe haar moeder haar mok in de gootsteen zette en de kamer uit sjokte. Ze vroeg zich af hoe lang het zou duren voor de glinstering in haar ogen weer terug zou zijn.

'Ze redt het wel, Angela,' zei Callen.

'Dat weet ik.' Angela sneed een stukje pannenkoek af en deed het in haar mond. 'Ik neem aan dat de veiligheidsmaatregelen in het ziekenhuis verscherpt zijn.'

'Ja,' zei Callen. 'Maar het is heel moeilijk. De bewaker in uniform blijft. Onze mannen hebben aangeboden extra diensten te draaien. We hebben een lijst met mensen die de kamer in mogen. Ieder ander die probeert binnen te komen, wordt naar het politiebureau gebracht. Ze hebben orders om eerst te handelen en later pas vragen te stellen.'

'Dus die vent is ontsnapt?'

'Ik ben bang van wel. Tegen de tijd dat Nick tot rust gekomen was, was hij al lang weg. Er zijn geen artsen of verplegers met hetzelfde signalement. Ik vermoed dat hij het naamplaatje en de kleren uit iemands kluisje heeft gestolen. Hij moet geweten hebben wie er op vakantie was, maar dat is ook niet zo moeilijk te achterhalen. Iemand heeft hem gezien toen hij het ziekenhuis verliet, maar we hebben geen idee in wat voor auto hij rijdt of in welke richting hij is weggereden. We hebben een opsporingsbevel uitgevaardigd, en zijn signalement doorgegeven aan de media.'

Angela probeerde zich de man met het oranje haar voor de geest te halen. Was hij dezelfde als de tuinman op de begraafplaats? Herkende ze hem van de foto van de familie Penghetti? Ze wist het niet.

'Ik heb nog iets voor je van Rachel.' Ze vertelde Callen over de informatie die Rachel had verzameld over de Penghetti's en ging naar haar kamer om de documenten te halen. Ze wilde de foto's eigenlijk houden, maar later zou ze van Rachel kopieën krijgen.

Hij bladerde door de map met papieren. 'Rachel heeft haar huiswerk gedaan. Maar dit wist ik allemaal al.'

'Dat vermoedde ze al. Vind je het goed als ik deze houd? Ik wilde de foto's van de gebroeders Penghetti vergelijken met de foto's die op de begrafenis zijn genomen.'

'Dat is een goed idee,' zei Callen. 'We hebben een paar berichten ingesproken op het antwoordapparaat van die verslaggeefster, maar ze heeft nog niet teruggebeld. Om eerlijk te zijn, hebben we het te druk om uit te zoeken waar ze is.'

'Ik kan haar wel vinden voor je.'

'Prima. Laat maar weten als je iets hebt ontdekt.'

Na het ontbijt ging Callen naar zijn werk. Angela waste af. Ze was net klaar toen Anna de keuken in kwam voor een tweede kop koffie. 'Hoe vind jij het als ik bij Gabby op bezoek ga?' vroeg ze.

'Heeft dr. Hathaway u dit aangeraden?' Angela probeerde niet geïrriteerd te klinken.

'Natuurlijk niet. Ik zei gisteren toch dat ik een brief heb gekregen van Gabby.'

'O, ja. Hebt u er zin in?'

'Ik geloof het wel. Ik ben het beu om hier rond te hangen. Er moet zoveel gebeuren, maar ik kan niet veel doen met mijn gebroken arm.'

'Ik probeer wel te helpen, mam, maar door de verbouwing…'

'Je hebt me geweldig goed geholpen.' Ze glimlachte. 'Callen en ik hebben zelfs een redelijke kok van je weten te maken.'

'Redelijk?' Angela grinnikte. Ze was blij dat ze zo ver gekomen was met haar kookkunsten. Ze had nooit veel opgehad met huishoudelijke dingen. Ze was liever in haar vaders voetstappen gevolgd dan in die van haar moeder. Ze leerde nu dingen die ze tijdens haar opvoeding had gemist, zoals koken en het huishouden.

'Misschien wel wat beter dan redelijk. Maar je moet nog een lange weg gaan voordat je echt een keukenprinses bent.'

'Nou, ik eet tenminste niet meer zo vaak een pizza of iets van de afhaalchinees.'

'Je hebt mijn vraag nog niet beantwoord.' Anna liet haar arm in het gips op de tafel rusten. Wat vind je ervan als ik bij Gabby op bezoek ga?'

'Ik denk dat u het moet doen.'

'Mooi. Ik heb online een goedkoop ticket gekocht. Ik vertrek zondag.'

'Mam!' Angela lachte. 'Als u toch al van plan was om te gaan, waarom vraagt u het dan?'

Anna grijnsde. 'Als je het niet goedvond, had ik het wel geannuleerd.'

'Ik wil dat u gelukkig bent.' Angela ruimde de glazen op. 'U bent toch niet van plan om ook bij dr. Hathaway langs te gaan?'

'Misschien wel. Vind je dat niet goed?'

'Mam, hij heeft een oogje op u. Ik vertrouw hem niet.'

'Doe niet zo raar, Angela. Hij gedroeg zich als een echte heer. Bovendien is hij getrouwd.' Ze zweeg even. 'Ik kan me niet voorstellen dat je denkt dat…' Er welden tranen op in haar donkere ogen. 'Lieverd, ik ben echt niet in hem geïnteresseerd, als je dat soms denkt. Ik hield zo veel van je vader. Daarom wil ik er ook even uit. Ik kan het niet verdragen om nog langer in dit huis te zijn. Elke keer dat ik de slaapkamer in loop, denk ik er weer aan hoe ziek hij was en hoe hij bovenop me viel. Ik blijf maar piekeren over wat ik had moeten doen om bij de telefoon te hebben kunnen komen.'

Angela droogde haar handen af en sloeg haar goede arm om haar moeders schouders. 'U moet uzelf de schuld niet geven. U had hem met geen mogelijkheid van u af kunnen krijgen. Dat weet u zelf ook. Maar ik begrijp wat u bedoelt. Ik geef mezelf ook de schuld. Als ik eerder gekomen was, had ik hem misschien kunnen redden.'

Anna knikte. 'Je kon het niet weten. Ik denk niet dat een van ons iets had kunnen doen om zijn dood te voorkomen.' Ze zuchtte. 'Schuldgevoelens zullen wel bij het rouwproces horen.'

'Ja, maar dat zeggen en het geloven zijn twee verschillende dingen.' Angela kneep even in haar moeders schouder. 'We moeten maar denken dat het tijd was voor papa. Bovendien, zoals Tim steeds blijft herhalen, heeft hij het nu veel beter.'

Anna pakte een tissue uit haar zak. 'Dat weet ik wel. Ik vind het gewoon moeilijk. Ik wil niet meer huilen. Ik wil weer verder met mijn leven. Ik ben het beu om steeds tissues te moeten kopen.' Ze glimlachte flauwtjes, maar het was genoeg om de sombere sfeer wat te verlichten.

'Ik ook.' Angela had ook een paar tissues nodig.

'Zullen we een stukje langs het strand gaan lopen?' snikte Anna. 'Dan kunnen we mijn reis bespreken.'

'Het regent.'

'Wat wil je daarmee zeggen?'

Angela grinnikte. Sinds haar vaders dood had ze veel tijd

met haar moeder doorgebracht. Ze had haar vastgehouden als ze huilde, met haar gewandeld als ze dat nodig had, gepraat als ze dat wilde. Na de begrafenis had een vriend haar een boek gegeven over rouwverwerking en een van de dingen die de auteur benadrukte was dat mensen er vooral voor elkaar moesten zijn.

Anna huilde nog steeds toen ze op het strand kwamen. Angela wist dat ze een moeilijke dag had. De regen waste hun tranen af en prikte in hun gezicht, maar ze liepen door. Even later draaide Anna zich om. 'Het wordt inmiddels minder, gelukkig.'

'Wat?'

'De woede. Hij had het recht niet om zomaar dood te gaan. Ik riep al een jaar lang dat hij met de VUT moest gaan, maar dat wilde hij niet. We zouden nog reizen samen, naar gebieden die ik altijd al heb willen zien. Eerst naar Californië.'

'Dat kan nu toch nog?'

'Ja, maar dat is anders. Hij is er niet bij.' Ze zuchtte. 'Hoor nu toch eens hoe ik loop te bazelen. Ik heb het recht niet om kwaad te zijn. Frank is nu in de hemel en is gezond en gelukkig. Daar wacht hij op me. We hebben een goed leven gehad, je vader en ik. God heeft ons rijk gezegend.'

Angela zweeg. Ze liet haar moeder praten over dood en leven en onvervulde dromen. Meer dan eens overwoog ze Anna te vertellen dat Luke op de begrafenis was geweest. Ze wilde haar laten weten dat haar oudste zoon nog leefde en dat hij thuis gekomen was om afscheid te nemen van pa. Maar het was onmogelijk. Dan zou ze ook moeten vertellen dat hij nu weer was vertrokken en dat ze geen idee had waar hij was.

'Heb je Faith al gesproken over het artikel?'

'Nog niet.'

'Ik heb haar visitekaartje gevonden. Je kunt haar misschien even bellen als we terug zijn.'

'Prima. Ik beloof dat ik haar vandaag zal bellen.'

'Mooi. Ik wil het artikel graag zien voordat ik naar Californië ga, zodat ik het ook aan Gabby kan laten lezen. Dat zal ze wel graag willen.'

Toen ze thuis waren, ging Angela even douchen. Ze deed een spijkerbroek aan en een witte trui. Haar haren vielen in zachte krullen langs haar gezicht. Angela stak het aan beide kanten omhoog met kammen. Make-up had ze eigenlijk niet nodig, dus daar besteedde ze geen tijd aan. Bovendien huilde ze de laatste tijd zo vaak dat alles toch maar uit zou lopen.

Voordat ze naar buiten ging, belde Angela Faith Carlson. Op haar antwoordapparaat stond dat ze rond elf uur terug zou zijn. Toen belde ze naar de redactie van de krant, maar de eigenaar zei dat Faith al een paar dagen niet op kantoor was geweest. Dat was blijkbaar niet ongewoon, omdat Faith meestal vanuit huis werkte.

Ze had geen zin om een uur te wachten. Bovendien moest ze nog wat boodschappen doen, dus Angela besloot rond de middag even bij de verslaggeefster thuis langs te rijden. Ze reed met haar moeder naar het ziekenhuis voor een bezoekje aan Abby, die al bijna weer naar huis mocht. Ze sprak af dat Tim Anna later naar huis zou brengen. Zelf ging ze nog even bij Nick langs, maar hij sliep.

Toen reed ze naar 12th Street, waar Faith Carlson woonde. Het was een oud huis, maar pas opnieuw geverfd in grijs en donkerblauw. Angela klopte op de deur, maar er deed niemand open. Ze tuurde door het grote raam aan de voorkant en zag tot haar schrik dat de woonkamer helemaal overhoop was gehaald. Faiths huis zag er precies zo uit als Angela's appartement toen er was ingebroken. Ze keek naar de omgeduwde bank en tafels, de gebroken lampen, de foto's die op de grond waren gegooid. Plotseling stokte haar adem. Ze zag iets wat eruitzag als een arm. *O, nee, God. Alstublieft.* Vlug rende Angela naar haar auto en belde het alarmnummer met haar mobiel.

18

Laat haar niet dood zijn. Laat haar alstublieft niet dood zijn.
Angela herhaalde deze woorden toen ze terugliep naar de
veranda en tegen de deur duwde. Tegen de medewerker van
de alarmcentrale aan de telefoon zei ze: 'De deur zit op slot.
Ik probeer het achterom.'

Ze probeerde de achterdeur. 'Ook op slot.' Angela liep
om het huis heen, op zoek naar een open raam, maar tever-
geefs. Toen ze weer bij haar auto was, kwam er een politieauto aanrijden. Het was Brandy Owens, op dit moment de
enige vrouwelijke agent in Sunset Cove. De ambulance
kwam achter haar aan.

'Hoi, Angela. Wat is er aan de hand?' Brandy stapte uit
haar auto en kwam naar Angela toe lopen. Ze had een lieve
glimlach en grote blauwe ogen. Zelfs na een lange winter
was ze nog gebruind, maar ze ging dan ook elke week twintig minuten onder de zonnebank. Ze was een lange vrouw
en had een goed figuur. Haar pas geknipte blonde haar viel
als een helm om haar hoofd.

Ze begroetten het ambulancepersoneel en Angela zei: 'Ik
ging even langs om iets te vragen, maar toen er niemand
opendeed, keek ik door het raam. Het ziet ernaar uit dat er
is ingebroken. Ik zie iemand op de grond liggen, maar alle
deuren zijn op slot.'

'Geweldig.' Brandy en de verplegers keken ook naar binnen. Brandy zei: 'Wat heb ik hier toch een hekel aan. We
moeten naar binnen om te zien hoe het met haar gaat.

Zullen we de deur intrappen?'

'In de achterdeur zit een raam. Daar kunnen we naar binnen.' Angela wees hen de deur achterom.

Brandy schraapte haar keel. 'Goed. Laat maar zien.' Ze gingen alle vier de veranda op. Brandy wikkelde haar jas om haar onderarm, sloeg het raam in en deed de deur langs de binnenkant open.

De geur die hen tegemoet kwam, liet geen twijfel over de toestand van het slachtoffer. Brandy en het ambulancepersoneel liepen voorop. Ze kwamen een paar tellen later weer terug. 'Ze is dood,' zei Brandy. 'Al een paar dagen. Ik ga de lijkschouwer bellen.'

Angela vermoedde dat ze al meer dan een paar dagen dood was.

Een van de ambulanceverplegers pakte haar mobilofoon. 'Hier kunnen we niets meer doen. Goed. We komen eraan.' Ze hing de mobilofoon weer aan haar riem. 'Er is een verkeersongeval aan de andere kant van de stad. Sorry, maar levende slachtoffers hebben voorrang.'

'Bedankt.' Brandy stak haar hand op.

Angela pakte haar mobiel. 'Ik kan beter rechercheur Riley even bellen.'

'Waarom?' vroeg Brandy. 'Hij is toch van de Oregon State Police?'

'Ja, maar ik denk dat dit te maken heeft met degene die Nick heeft neergeschoten.'

'Je meent het.' Ze keek nog eens over haar schouder naar binnen. 'Hoe dan?'

Angela vertelde haar over de begrafenis en de foto's die Faith had gemaakt. 'Mogelijk heeft ze per ongeluk een foto gemaakt van degene die Nick heeft neergeschoten. Daarom kwam ik haar nu opzoeken. Ik wilde kijken of Nick hem zou kunnen identificeren.' Ze zuchtte. 'Het is een lang en ingewikkeld verhaal. Vertrouw me nu maar, Callen moet ook ingelicht worden.'

'Als jij het zegt. Ik zorg dat de boel hier afgezet wordt.'

Angela had Brandy maar een paar keer gezien sinds ze met verlof was, maar elke keer behandelde ze Angela alsof ze nog in actieve dienst was.

Angela liep naar de voorkant van het huis en belde Callen op zijn mobiel. 'Misschien heeft het er niets mee te maken,' zei ze tegen hem. 'Misschien had ze wel ruzie met haar vriend of zo.'

'Misschien is er wel een verband,' zei Callen. 'Ik ben over vijf minuten bij je.'

Angela hielp Brandy het huis af te zetten. 'Je haar zit leuk,' zei ze.

'Bedankt.' Brandy haalde haar schouders op. 'Ik moet er nog aan wennen. Ik wilde er weinig onderhoud aan hebben. Dat klopt wel.'Toen ze klaar waren, zei ze:'Wanneer kom je weer terug naar het bureau?'

Angela glimlachte. 'Dat weet ik nog niet.'

'Dus je komt op den duur wel terug.' Brandy legde het roodwitte band weer in haar auto, netjes in een plastic kist. Uit een andere kist haalde ze een opschrijfblok waarin ze alle bijzonderheden zou noteren en opschrijven wie er allemaal op het plaats delict geweest was.

'Ik denk er nog over na. Maar ik moet eerst een paar dingen oplossen.' Angela gaf geen verdere details.

'Hopelijk duurt het niet al te lang meer.' Ze praatten nog wat over de veranderingen op het politiebureau. En over Nick. Brandy was hem die ochtend wezen opzoeken. 'Hij is nog wel een beetje ondersteboven van gisteren, maar dat gaat vast wel weer over. Nick is een taaie.'

'Het is al vreselijk om neergeschoten te worden, natuurlijk, en als er dan nog een tweede keer wordt geprobeerd om je te vermoorden. Afschuwelijk. Het zal wel een hele tijd duren voordat hij er overheen is – emotioneel bedoel ik.'

'Waarschijnlijk wel. Hij zal wel minstens zes weken met verlof zijn. Joe is al op zoek naar twee nieuwe agenten. Hij hoopt dat hij iemand uit Newport of Lincoln City kan laten overkomen.' Ze grijnsde naar Angela. 'Hij zou jou graag weer terug willen hebben, Angela.'

Angela wilde dat ze ja kon zeggen. Maar dat kon niet, nu nog niet. Zoals ze tegen Joe had gezegd, moest ze eerst Luke zien te vinden.

Callen en de lijkschouwer kwamen ongeveer tegelijkertijd aan. Dr. Bennet, een lange magere man met zilverwit haar, haalde zijn tas uit de kofferbak van zijn auto. Callen begroette hem en ze kwamen samen naar de voordeur toe lopen.

Brandy had de voordeur op slot gedaan, maar deed hem nu weer open. 'Daar ligt ze. Ga jullie gang.'

Callen deed overschoenen en handschoenen aan en volgde dr. Bennet naar binnen. Zijn donkere ogen namen elk detail op. Angela wilde dat ze bij hen had mogen zijn. Ze was bij de politie gegaan om haar vader een plezier te doen, maar de laatste tijd verlangde ze uit zichzelf terug naar het politiewerk.

Het onderzoeksteam arriveerde toen dr. Bennet en Callen klaar waren en net weer naar buiten kwamen.

'Ik vermoed dat ze al een paar dagen dood is,' zei dr. Bennet. 'Als ik de autopsie gedaan heb, weten we het zeker. Er zitten strepen op haar hals, dus het zou kunnen dat ze gewurgd is, maar ze heeft ook een hoofdwond.'

'Het zal wel even duren voor we alles hebben uitgezocht.' Callen deed zijn latex handschoenen uit. 'Er liggen honderden foto's op de grond. We moeten ze allemaal bekijken om te zien of de foto's die ze op de begrafenis heeft gemaakt er tussen zitten.'

'Ontwikkelde ze de foto's zelf?' vroeg Angela.

Callen knikte. 'Er is een donkere kamer in de kelder. Daar is het ook een chaos. De moordenaar was duidelijk ergens naar op zoek.'

'Ja.' Angela staarde langs hen heen naar de vrouw op de grond. 'Een foto van zichzelf.'

Toen Angela weer thuiskwam, stonden er twee berichten op het antwoordapparaat. Een van haar moeder, dat ze bij Tim en Susan zou eten, en dat Angela ook was uitgenodigd. Het tweede was van Callen, dat hij om half zeven langs zou komen en voor haar wilde koken, tenzij ze andere plannen had. Ze belde Tim om te laten weten dat ze niet kwam eten. Toen ging ze hardlopen op het strand en naar het fitnesscentrum. Thuis nam ze een douche en kleedde zich aan.

Callen kwam, zoals gezegd, om half zeven langs. 'Misschien kunnen we vanavond bij mij thuis eten, als je dat goed vindt. Je moeder is ook van harte welkom, natuurlijk.'

'Dat klinkt goed. Mama is bij Tim en Susan, dus we zijn met z'n tweeën.'

Callen glimlachte en trok haar tegen zich aan. 'Bedoel je dat we eindelijk een keer alleen zijn?'

'Het lijkt erop dat je dat niet erg vindt.' Angela kuste hem en maakte zich los uit zijn omhelzing. Ze pakte haar jas van het haakje. Ze deed de deur op slot en ze liepen naar Callens auto. Het was allang geleden dat ze samen waren geweest.

'Hoe gaat het met het onderzoek?' Angela deed haar gordel vast.

'Het onderzoeksteam is nog wel een paar uur bezig. Ze bellen als ze me nodig hebben. Ik dacht dat ik maar eens even thuis ging ontspannen met mijn favoriete privédetective.'

'Ik ben blij dat je belde. Ik had niet zoveel zin om bij Tim te gaan eten, maar ik wilde ook niet alleen zijn.'

Callen pakte haar hand en bracht hem naar zijn lippen. Het duurde niet lang voor ze bij Callens huis waren.

Toen ze de oprit op kwamen, kon Angela Callens hond al tegen het raam zien springen. De witte pluizenbol rende rondjes door de kamer. Toen Callen de deur opendeed, was de hond moe. 'Hoi, ouwe jongen.' Angela pakte de hond op en wreef met haar wang langs zijn zachte vacht, terwijl hij haar handen en gezicht likte.

'Rustig, Mutt,' grinnikte Callen. Hij zette een tas boodschappen op het aanrecht. 'Je bent maar een paar uur alleen geweest.'

Angela zette de hond op de grond en genoot van de gezellige sfeer in Callens huis. Het was een vervallen strandhuis geweest, maar Callen had het helemaal gerenoveerd, zodat het nu niet zou misstaan in een duur woontijdschrift. Ze hield van de Italiaanse sfeer in de brandschone keuken, warm gedecoreerd met tegeltjes aan de muur en heel veel potten en pannen.

Callen sloeg zijn armen om haar heen. 'Gaat het?'

'Ja. Ik sta je huis te bewonderen. We moeten je keuken maar eens aan mijn moeder laten zien. Ze is er vast weg van.'

'Hij is niet zo mooi als de hare, maar we hebben wel dezelfde smaak.'

Callen draaide haar om in zijn armen en drukte zijn lippen op haar voorhoofd. 'Het spijt me dat je dit allemaal mee moet maken. Het is al erg genoeg dat je pas je vader hebt moeten begraven, en nu is Nick neergeschoten en moest je het lichaam van Faith vinden. Ik wou dat ik iets kon doen om de last voor je te verlichten.'

'Je bent toch bij me?' Angela sloeg haar armen om Callens middel. Ze hield hem stevig vast en liet haar wang tegen zijn overhemd rusten. Ze hield van de geur van zijn aftershave en het veilige gevoel als hij haar vasthield. Op momenten als dit wilde Angela niets liever dan haar hele leven bij deze man blijven. Ze maakte zich los uit zijn omhelzing. 'Wat ga je koken?'

'Verrassing.' Hij zoende haar nogmaals. 'Ik moet me even verkleden, maar dan ga ik de keuken in.'

Angela knikte en liep naar de bank. Mutt kwam bij haar liggen. Hij draaide rondjes tot hij de perfecte positie had gevonden. Ze aaide hem zonder erbij na te denken, leunde achterover in de kussens en sloot haar ogen. Ze dacht aan Luke – de bebaarde man op de begrafenis. Het was moeilijk voor te stellen dat iemand in zes jaar zo kon veranderen. Zelfs nu Nick haar ervan had verzekerd dat het echt Luke geweest was, kon ze niet begrijpen waarom haar broer weer zomaar was vertrokken. De Luke die ze kende zou met hen hebben gepraat, hen hebben omhelsd en zich hebben gedragen als familie.

Niet als hij op de vlucht was voor de politie, of als hij zijn familie probeerde te beschermen.

Callen kwam weer tevoorschijn en ging de keuken in. Hij maakte de boodschappentas leeg en zette geheimzinnig iets in de gootsteen.

'Zal ik je helpen?'

'Nu even niet, dankjewel.'

Callen was op zijn gemak in de keuken. Hij had haar verteld dat hij vaak ging koken als hij gespannen was. Ze kon zijn schouders bijna zien ontspannen toen hij twee citroenen halveerde en het sap in een maatbeker uitkneep.

Ze wilde over het onderzoek praten, maar dat zou weer meer stress veroorzaken. Tot haar verbazing begon hij er zelf over. 'Ongelooflijk dat niemand Faith als vermist had opgegeven.'

'Ik heb eerder vandaag haar baas op kantoor gesproken en hij zei dat ze freelance werkte. Hij leek niet erg verontrust.' Angela aaide Mutt over zijn kop.

'Ze had wel een heleboel berichten op haar antwoordapparaat. Er zou toch wel iemand geweest zijn die de boel niet vertrouwde?' Callen stond met zijn rug naar haar toe. Hij was met een snijplank en een mes in de weer. Het klonk als iets hards – krab of kreeft. Angela vond beide gerechten heerlijk. 'Ik heb wel ontdekt dat ze de maandag na de begrafenis een paar dagen in Portland is geweest op bezoek bij haar vriend en familie. Een van onze mannen heeft hen verteld dat ze overleden is. Blijkbaar is ze donderdag weer naar Sunset Cove gegaan.'

'Weet je al hoe en wanneer ze gestorven is?'

Callen schudde zijn hoofd. 'Wurging, een klap op het hoofd. De lijkschouwer zegt dat beide de dood tot gevolg konden hebben. Wanneer het gebeurd is, is moeilijk te zeggen. De berichten op haar antwoordapparaat zijn ingesproken van maandag tot vandaag.'

Angela huiverde. 'Misschien heeft hij haar donderdag op staan wachten.'

'Waarom heeft hij dan niet gewoon ingebroken? Waarom heeft hij gewacht tot Faith thuiskwam, zodat hij haar kon vermoorden? Het klinkt niet logisch.' Callen had het geheimzinnige ingrediënt in een schaal gedaan. Hij haalde een ander mes en snijplank tevoorschijn en begon een ui te pellen.

'Tenzij hij de eerste keer niet vond wat hij wilde hebben, maar hoe kon hij weten wanneer ze thuis zou komen?'

'Dat is niet zo moeilijk.' Callen legde een knoflookteentje op de snijplank en plette het met de brede kant van het lemmet. 'We hebben een briefje op de veranda gevonden waarop stond dat ze donderdagavond weer thuis zou zijn.' Angela keek toe hij nog een teentje pelde en plette. 'Een uitnodiging voor de moordenaar.'

'Niet zo slim.' Hij concentreerde zich op het snijden van de knoflook en vroeg toen: 'Zullen we een muziekje opzetten?'

Angela stond op een zocht tussen Callens cd's. Ze koos voor jazz. Callen was nog een halfuur bezig in de keuken, terwijl Angela de tafel op de veranda dekte en een salade maakte. Wat het ook was dat Callen klaarmaakte, het rook geweldig.

'Het is klaar.' Callen liep met een paar schalen met deksels erop naar de veranda.

Nog één keer liep hij naar binnen. Hij kwam terug met een vaas met rode rozen en gipskruid. Toen onthulde hij zijn meesterwerk. Angela stond versteld. Pasta met kreeft, krab, zalm en kappertjes in roomsaus, tomaten met paprikasaus en asperges. Het smaakte net zo verrukkelijk als het eruitzag. 'Het is heerlijk. Hebben we iets te vieren?' vroeg Angela.

'Nee. Ik wilde je verrassen.' Dat was gelukt, vooral met de chocolademousse toe.

Na het eten ruimden ze de vaat op en gingen buiten op de veranda zitten. Naast elkaar op een ligstoel genoten ze van de ondergaande zon. Angela leunde tegen Callen aan en genoot van het gevoel van zijn sterke armen om haar heen.

Ze was niet van plan geweest over het onderzoek te beginnen, maar het gebeurde gewoon. 'Zijn er nog andere verdachten dan de tuinman?'

Callen schraapte zijn keel. 'We doen onderzoek naar een aantal mensen. Haar vriend, bijvoorbeeld.'

'En?'

Hij zuchtte. 'Dat zeg ik liever niet.'

Dat was ook niet nodig. Angela wist precies wie hij bedoelde. Ze draaide zich om en keek hem aan. 'Luke? Verdenken jullie Luke?'

Hij antwoordde niet meteen, maar koos zijn woorden zorgvuldig. 'Ik moet alle mogelijkheden onderzoeken.'

'Luke is mijn broer.' Ergens wist ze wel dat Callen geen keus had, maar dat wilde ze niet toegeven.

'Hij was op de begrafenis en heeft ongetwijfeld gezien dat Faith foto's nam. We weten niet hoe ver hij wil gaan om zijn identiteit geheim te houden.'

Angela sloeg de deken weg en stond op. 'Luke zou nooit iemand vermoorden. Nooit.'

'Luke is voortvluchtig,' zei Callen. 'Hij wordt gezocht in verband met de moord op die twee mannen in Florida.'

Woede won het van haar gezonde verstand. 'Hoe kun je beweren dat hij iemand zou hebben vermoord? Je kent mijn familie toch?'

Callen stond ook op. 'Ik ken Luke niet. Jij ook niet meer.'

Angela klemde haar kiezen op elkaar. 'Ik heb geen zin om te luisteren hoe jij mijn broer van moord beschuldigt.'

'Ik beschuldig hem niet. Ik wil hem alleen nog niet van de lijst schrappen.'

'En ik dan? Ik heb haar gevonden.'

'Doe niet zo raar.'

'Ik ga naar huis.'

'Goed. Ik haal even mijn sleutels.'

'Doe geen moeite. Ik loop wel.'

'Prima. Jij je zin.' Hij ging naar binnen en deed de deur achter zich dicht.

Toen ze thuiskwam, was Angela's woede wat bekoeld, maar ze voelde zich beverig en moe. Ze maakte een kop thee en zette de verwarming wat hoger. Haar moeder was nog niet thuis, dus ze had het huis voor zichzelf. Maar ze wist niet zeker of ze dat wel zo prettig vond.

Angela bleef maar denken aan de verslaggeefster en de begrafenis. Beelden van de tuinman, of de man die deed of hij tuinman was, kwamen in haar gedachten. Callen had verteld dat het hoveniersbedrijf die dag niemand naar de begraafplaats had gestuurd. De man had ongetwijfeld gezien dat Faith foto's nam en had haar vermoord om de foto's te pakken te krijgen.

En Luke? Had Nick gelijk? Was de tuinman achter hem aan gegaan? *Idaho.* Luke had tegen de vrouw in het hotel gezegd dat hij familie had in Idaho. De kans dat ze hem zonder specifieke informatie daar zou vinden, was nihil.

Ook piekerde ze over wat Callen haar na het eten had verteld. Het had een romantische zonsondergang moeten worden, maar hij had gezegd dat Luke verdacht werd van de moord op Faith. Ze had zich als een verwend kind gedragen. Als rechercheur moest Callen alle mogelijkheden onderzoeken. Dat wist ze best. Hij kon het zich niet veroorloven om bewijs te laten liggen, zelfs als het om haar broer ging.

Haar moeder kwam om tien uur thuis. Ze praatten nog wat en toen ging Angela naar bed. Ze kon niet slapen. Haar hoofd gonsde van de vragen en frustraties.

Even na twee uur dommelde ze eindelijk in. Toen ze wakker werd, rook ze dat iemand het ontbijt aan het klaarmaken was. Was het Callen? Ze hoopte dat hij begreep waarom ze zo tekeer was gegaan en dat hij haar had vergeven. Ze kleedde zich snel aan, kamde haar haren en liep op blote voeten naar de keuken.

'Hallo, slaapkop.' Callen glimlachte naar haar en gebaarde dat ze moest gaan zitten.

'Waar is mama?'

'Susan kwam haar ophalen. Ze gingen naar Lincoln City om nog wat inkopen te doen voor je moeders reis naar Californië.'

Ze keek op de klok en zag dat het al na tienen was. 'Wat doe jij hier? Waarom ben je niet op jacht naar mijn broer?'

'Ik heb een dag vrij. Bovendien heb ik de leiding niet meer.'

'Wat?'

'Ik moet de stad uit, weet je nog? Bovendien vind ik het moeilijk om objectief te blijven, omdat Luke je broer is. Rechercheur Downs neemt het van me over. Vandaag ga ik nog wat klussen en inpakken. Morgen is het zondag, of was je dat vergeten?' Hij zette een bord voor haar neer. 'Het spijt me van gisteravond. Ik had mijn gedachten voor me moeten houden.' Hij glimlachte. 'En ik had moeten weten dat je door het lint zou gaan.'

Angela zuchtte. 'Het is mijn schuld. Ik weet dat je alle mogelijkheden na moet gaan. Ik had niet kwaad op je mogen worden.'

'Geeft niet. Maar ik kon er niet van slapen. Ik heb afgelopen nacht een paar keer op het punt gestaan hierheen te komen.'

'Het spijt me.'

'Nou, ik ben nu niet meer verantwoordelijk. Rechercheur Downs regelt het wel. Eet nu je ontbijt maar op, voordat het koud is.' Hij schonk een mok koffie voor haar in en ging verder met klussen.

Angela smeerde wat jam op haar toast en snelde de koppen in de krant. Plotseling wist ze het. In een flits schoot het door haar hoofd hoe ze Luke kon vinden.

Toen hij in Florida woonde, had haar broer zijn abonnement op de lokale krant aangehouden, omdat hij bij wilde blijven. Stel dat hij nu nog steeds deze krant las? Hoe moeilijk zou het zijn om te weten te komen wie er in Idaho een abonnement had op deze krant? Zou de krant informatie over hun abonnees loslaten? Waarschijnlijk niet. Maar misschien kon ze het via via te weten komen.

Callen, of liever rechercheur Downs, kon erachter komen. In het ergste geval moesten ze de krant dagvaarden. Maar wat zou rechercheur Downs doen als ze Luke vonden? Ze wilde eigenlijk niets voor de politie achterhouden, en zeker niet voor Callen, maar toch besloot ze zelf op onderzoek te gaan. Ze kon altijd nog beslissen om het tegen de politie te vertellen.

Na het ontbijt ging ze zoeken op het internet. Ze ontdekte dat Ethan Hathaway inderdaad les gaf op de universiteit van Stanford en daarvoor twintig jaar op Harvard. Opgelucht ging ze onder de douche, waarna ze de deur uit ging om bij Rachel langs te gaan.

Haar ex-advocate en huidige baas zat in haar krappe kantoortje. Haar bureau was bedolven onder de boeken en papieren. Sherlock, haar kat, zat op de boekenkast en keek Angela wantrouwend aan toen ze binnenkwam. 'Volgens mij heb je het druk. Weet je zeker dat je de tijd hebt om met mij te praten?'

'Natuurlijk wel.' Ze lachte breeduit. Ze keek omhoog en zei tegen de kat: 'Sherlock let wel even op deze papieren, hè?'

De kat miauwde en het klonk als 'nee'.

Rachel rolde met haar ogen. 'Je zou toch denken dat hij wel eens iets wil doen voor de kost. Maar nee, al mijn suggesties zijn beneden zijn waardigheid.'

Angela grinnikte.

Rachel wurmde zich vanachter haar bureau vandaan en liep naar de gang. 'Koffie? Of zullen we in de vergaderzaal gaan zitten?'

'Koffie, graag.'

'Prima.' Rachels vergaderzaal was de kerkzaal van St. Matthews. Angela hield van het sfeertje daar, met de glas-in-loodramen en de beelden, maar Joanie's leek een geschiktere locatie voor hun gesprek.

Toen ze hun bestelling gedaan hadden, gingen ze in het gebruikelijke hoekje zitten en deelden samen een kaneeldonut. Er was verder niemand, behalve een man in pak die met zijn neus in een krant zat.

Angela vertelde Rachel over haar idee met de krant. 'Ik weet alleen niet hoe ik die informatie te pakken moet krijgen.'

'Nou, je zou met de hoofdredacteur kunnen gaan praten en hem de waarheid vertellen. Gewoon zeggen dat je je vermiste broer zoekt omdat je vader pas is gestorven. Je vermoedt dat hij in Idaho woont, maar je weet zeker dat hij een andere naam heeft aangenomen.'

'Ik betwijfel of hij tegen het privacybeleid in wil gaan. Wat moet ik zeggen als hij wil weten waarom mijn broer zijn naam veranderd heeft?'

Rachel pakte een plastic mes en sneed een klein stukje

van de donut af. 'Dan moet je de betreffende afdeling bellen en vragen of er ook kranten naar Idaho gestuurd worden.'

'En dan?' Angela beet in haar helft van de donut. 'Heerlijk.'

'Gelukkig maakt ze deze alleen in het weekend.'

'Eigenlijk hoopte ik dat jij een computerhacker zou kennen die in kan breken in hun systeem,' zei Angela.

'Angela, ik sta versteld van je. Dat is illegaal.' Rachel fronste haar wenkbrauwen. 'Maar ik ken wel iemand die daar werkt. Ze beoordeelt restaurants. Misschien kan zij het voor je uitzoeken.'

'Denk je dat ze dat wil proberen?'

'Ik bel haar wel even als ik weer op kantoor ben.'

Angela drukte haar op het hart niemand iets te vertellen over haar plan. 'Nu mijn moeder naar Californië gaat en Callen vier dagen in Portland zit, heb ik mooi de kans om naar Idaho te gaan en het een en ander uit te zoeken.'

'Ik weet het niet hoor, Angela. Ik zou er niet al te zeer op rekenen. Het is een goed idee, maar misschien heeft hij geen abonnement meer op de krant. Misschien blijkt al je moeite voor niets te zijn geweest.'

'Daar kan ik wel mee leven. Dit is mijn enige houvast. En als Nick gelijk heeft dat er iemand achter Luke aan zit, moet ik hem waarschuwen.'

'Misschien heb je wel gelijk.' Rachel nam een slokje koffie. 'Ik ben blij dat je het mij verteld hebt. Iemand moet toch weten waar je zit en wat je van plan bent, voor het geval er iets misgaat.'

'Daar heb ik ook over nagedacht. Maar niemand behalve jij weet wat ik ga doen. Zelfs de politie niet.'

19

Prachtig. Cade luisterde naar het gesprek tussen de twee vrouwen. Door het draadloze microfoontje dat hij in haar tas had gedaan terwijl ze bij het hotel aan het zwemmen was, kon hij elk woord horen in zijn oortelefoontje. Niet dat hij constant luisterde. Alleen als het belangrijk was, als ze bij haar vriend was, of bij Caldwell, of die advocate. Hij had de afgelopen dagen een heleboel nuttige informatie vergaard.

Cade had gelijk had. Hij had wel verwacht dat Luke's kleine zusje iets zou gaan ondernemen. Ze was slim en vindingrijk. Zij zou hem regelrecht naar Delaney brengen. Het was een kwestie van tijd

Cade glimlachte naar de vrouw die zijn kopje nog eens bijvulde en ging verder met het lezen van de krant.

20

In een telefooncel in de lobby van het hotel belde Luke het ziekenhuis en deed navraag naar Nick.

'Mag ik vragen wie u bent?' De verpleegster legde uit dat ze navraag moesten doen naar iedereen die voor de agent belde.

'Dat begrijp ik. Ik ben een vriend van hem en ik las in de krant dat hij neergeschoten is.'

'En uw naam?'

'Paul,' zei hij. 'Paul Delaney.'

'Een momentje geduld, alstublieft.'

Even later kwam ze weer aan de lijn. 'Het gaat al veel beter met meneer Caldwell. Vandaag is hij voor het eerst uit bed.'

Luke was opgelucht. 'Goed om te horen. Bedankt.'

'Zal ik zeggen dat u gebeld hebt?'

'Nee, dat hoeft niet.' Hij bedankte haar en hing op, in de hoop dat zijn telefoontje niemand had gealarmeerd.

Het is waarschijnlijk een kwestie van tijd. Hij ging naar boven naar zijn kantoor. In de krant uit Oregon van vandaag stond een foto van Luke Delaney – gemaakt op de computer, maar hij leek aardig. Elk politiebureau in het land zou inmiddels wel ingelicht zijn. Luke Delaney, meldde de verslaggever, werd verdacht van de aanslag op een agent uit Sunset Cove en de moord op een verslaggeefster. Bovendien werd hij gezocht voor een onopgeloste moordzaak in Florida. Gelukkig had de lokale krant niets met het verhaal gedaan.

Toen hij zijn kantoor binnenliep, werd hij staande gehouden door Eileen. 'Er is voor je gebeld. De commissaris van politie wil je spreken.'

Luke schrok. 'Heeft hij gezegd waarover?'

Eileen hield haar hoofd schuin en keek hem onderzoekend aan. 'Heb je iets gedaan wat niet mocht?'

'Niet dat ik weet.' Hij glimlachte geforceerd.

Ze glimlachte terug. 'Kijk dan niet zo ongerust. Misschien komt zijn familie op bezoek en wil hij korting.'

'Misschien is dat het wel.' Hij pakte het papiertje met het telefoonnummer van haar aan en liep zijn kantoor in. Hij liet zich in zijn stoel vallen, deed het middelste laatje van zijn bureau open en haalde een pakje Rennies tevoorschijn. Waarom zou Sam Warren hem willen spreken? Had hij de foto gezien? Er was maar één manier om er achter te komen.

Luke haalde een hand door zijn haar en dwong zichzelf rustig adem te halen. Toen toetste hij het nummer in.

21

Het was een druk weekend. Callen, Tim en een paar mannen uit de kerk werkten aan de verbouwing, in een poging alles klaar te krijgen voordat Callen naar Portland moest. Angela bracht haar tijd door met schoonmaken, schilderen, uitpakken en verhuizen naar haar nieuwe kamer. Ook hielp ze haar moeder met inpakken voor de reis naar Californië. Het enige probleem deed zich voor toen haar moeder vroeg naar het artikel dat Faith over Frank zou schrijven. Angela moest haar wel vertellen dat Faith vermoord was, maar ze zei niet dat er misschien een verband bestond tussen de dood van Faith en de aanslag op Nick.

Zaterdagavond was alles klaar en Angela kon in haar nieuwe slaapkamer slapen. Gedachten aan Luke zwierven zoals altijd door haar hoofd. Haar moeder en Callen zouden de volgende ochtend vertrekken. Dan kon ze al haar tijd besteden aan de zoektocht.

Om zes uur op zondagochtend nam Angela afscheid van Callen en Anna. Omdat Callen toch naar Portland moest, bood hij aan Anna naar het vliegveld te brengen. De cursus begon pas maandagochtend, maar hij wilde zondagavond nog wat vrienden opzoeken.

'Ik hoop dat ik de juiste beslissing genomen heb.' Anna drukte Angela voor de zoveelste keer stevig tegen zich aan.

Ik hoop ik ook. Angela gaf haar moeder een laatste zoen, terwijl ze dacht aan haar eigen reisplannen.

'Ik heb nog nooit in mijn leven zoiets impulsiefs gedaan.'

Anna maakte zich met tegenzin los uit de omhelzing. 'Ik zie er wel naar uit, maar ik maak me ook zorgen omdat jij hier alleen achterblijft.'

'Ik red me best,' zei Angela. 'En ik denk dat een bezoek aan tante Gabby precies is wat u nodig hebt.'

'Angela heeft gelijk,' zei Callen, terwijl hij de laatste tas in de auto zette. 'We moeten opschieten, anders mist u het vliegtuig.'

Aan Callens afscheidskus merkte Angela dat hij haar net zo zou missen als zij hem. Ze wilde hem vertellen over haar onderzoek naar Luke's verdwijning, maar ze kon het niet. Ze voelde zich als een puber die stiekem met een jongen uitgaat. *Ik moet het hem toch vertellen.* 'Callen,' begon ze, 'even over Luke. Misschien heb ik...'

Hij zoende haar op haar voorhoofd. 'Ik weet hoe graag je hem wilt vinden, schat. We doen wat we kunnen. Als je iets op het spoor komt, moet je rechercheur Downs bellen. Ik heb tegen hem gezegd dat je waarschijnlijk op eigen gelegenheid op onderzoek zou gaan. Sorry dat ik jullie niet aan elkaar heb kunnen voorstellen, maar er was geen tijd voor.'

'Goed.' Hij wilde er niet over praten en dat kon ze hem niet kwalijk nemen. Dit was niet de juiste tijd, maar toch was ze geïrriteerd omdat hij het onderwerp zo gemakkelijk aan de kant schoof. Ze had rechercheur Downs nog niet ontmoet, en daar had ze ook niet zoveel zin in.

'Gaat het wel?' vroeg hij.

Ze knikte. 'Ik heb een hekel aan afscheid nemen.'

Hij grijnsde. 'Je zult mijn kookkunsten zeker wel missen?'

'Dat ook.' Ze moest lachen. 'Maar ik kan zelf soep koken en dan is er altijd de hamburgertent nog.'

'Ik zie je vrijdag.' Hij draaide zich om en rende naar de auto, in een poging niet al te nat te regenen.

Toen ze weg waren, pakte Angela de zondagskrant van de veranda, liep naar binnen en probeerde nog wat te slapen. Na een uur woelen gaf ze het op en ging in de keuken koffie zetten.

Ze keek uit over de duinen en bedacht dat ze al dagen niet meer was wezen hardlopen. Weer of geen weer, ze kon wel wat beweging gebruiken. Ze trok een korte broek en een regenjasje aan en ging door de achterdeur naar buiten. De frisse ochtendbries en de koude mist in haar gezicht maakten haar beter wakker dan de cafeïne gedaan had.

Ze probeerde er niet te veel op te hopen dat ze informatie van de redactie los zou kunnen krijgen. De mogelijkheid dat Luke nog steeds op de krant geabonneerd was en dat ze misschien aanwijzingen zou kunnen vinden over zijn verblijfplaats, deden haar trillen van de spanning. Maar de gedachte dat ze Callen niet in vertrouwen had genomen, zette een domper op haar opwinding. Hij had alles wel aan rechercheur Downs overgedragen, maar zou toch willen weten wat ze van plan was. Ze nam zichzelf voor om Callen te bellen zodra ze meer wist over haar broer. En als ze naar Idaho ging, zou ze hem dat in ieder geval laten weten.

Toen Angela weer thuis was en gedoucht en aangekleed had, was het tijd voor de kerkdienst. Tijdens de autorit naar St. Matthews dacht ze eraan met hoeveel tegenzin ze naar de kerk gegaan was toen ze uit Florida hierheen was verhuisd. Ze was kwaad geweest op God om een heleboel redenen. Die woede was nu bedaard. Ze gaf God niet langer de schuld, maar de daders.

Ze zette haar auto op de parkeerplaats en bewonderde zoals altijd het stenen gebouw. De kerk was in 1896 gebouwd en stond vandaag nog net zo stevig als toen. De klokken in de toren met het kruis erop werden elke dag om twaalf uur geluid, en op zondag voor de kerkdienst. Angela was graag in de kerkzaal, met de gebrandschilderde ramen die zorgden voor een regenboog van kleuren en vormen als de stralen van de zon er doorheen vielen.

Toen Angela binnenkwam, speelde de pianist een medley van moderne liederen. Ze liep naar de bank waar de Delaneys altijd zaten, de tweede bank links van voren, waar Susan met de meisjes zat. Heidi en Abby wilden elk aan één kant van hun favoriete tante zitten. Ze was de enige tante die ze hadden. Of toch niet? Luke had ook een gezin, had de vrouw van het hotel gezegd. Als hij die vrouw de waarheid had verteld, hadden de meisjes nog een tante en een nichtje.

Rachel kwam binnen en ging naast Heidi zitten.

'Iets gevonden?' fluisterde Angela over Heidi's hoofd.

Rachel knikte en haalde een opgevouwen stuk papier uit haar tas. Ze gaf het aan Angela en fluisterde: 'We praten wel na de dienst.'

Als ik het zo lang vol kan houden. Ze was te nieuwsgierig om te wachten en vouwde het papier open. Er waren tien tallen abonnees in Idaho. Een lange lijst in Sun Valley, Boise en Coeur d'Alene. Geen van de namen in Sun Valley zag er bekend uit. Maar dat had ze ook niet verwacht. Luke gebruikte een andere naam. Hij had de creditcard van Hal Perkins gebruikt, maar dat was waarschijnlijk een afleidingsmanoeuvre geweest.

Na kerktijd zou ze naar het ziekenhuis gaan om Nick op te zoeken en hem de lijsten te laten zien. Misschien kon hij zich iets herinneren over zijn gesprek met Luke. Ze vouwde het papier weer op en stak het in haar tas. 'Bedankt,' fluisterde ze naar Rachel.

'Graag gedaan. Vraag me niet hoe ik eraan gekomen ben.'

22

Cade was niet meer naar de kerk geweest sinds hij tien was. Toen was aan zijn vertrouwde leventje een eind gekomen. Nu zat hij daar, op de achterste bank, en keek hoe Angela door het gangpad liep en vooraan ging zitten. Zijn vader was vermoord toen Cade nog klein was en daarna was zijn moeder psychisch in de knoop geraakt. Ze had zich steeds meer in zichzelf teruggetrokken, en twee jaar na de dood van haar man had ze zelfmoord gepleegd. Hij en zijn broer waren van elkaar gescheiden en geadopteerd. Cade dacht bijna nooit meer aan zijn familie, of aan zijn jeugd.

De kerkzaal, met de glas-in-loodramen en de versierde crucifix brachten die oude pijn weer op volle sterkte terug. Hij draaide de zegelring die van zijn vader geweest was, rond aan zijn vinger. Hij had hem uit het juwelenkistje van zijn moeder gehaald en ze had hem nooit gemist. Hij wist niet waarom die ring destijds zo belangrijk voor hem geweest was, maar op de een of andere manier had dat aandenken hem geholpen in zijn jonge jaren.

Maar hij was hier niet gekomen om te piekeren over vroeger. Hij was gekomen om Angela Delaney te bespioneren en te luisteren naar wat ze te zeggen had.

23

De kerkdienst leek extra lang te duren. Hoewel Tim een
goede preek had over het grote gebod, God en je naaste lief-
hebben, kon Angela bijna niet wachten tot de slotzang. Toen
ze eindelijk naar buiten konden, bleef ze nog even staan praten met Susan en Rachel. Ze gaf Tim een kus toen hij hen
bij de deur begroette.

'Waar was je vanmorgen, Angela?' vroeg hij.

Ze fronste haar wenkbrauwen. 'Hier.'

Hij glimlachte. 'Je hebt geen woord van de preek gehoord. Mis je Callen en mama nu al?'

Niet bepaald. Maar ze loog niet toen ze zei: 'Je hebt gelijk.
Ik vraag me af wat ik vandaag moet eten.'

'Kom je bij ons eten? Dat is al even geleden. En we moeten eens praten.'

'Ik wilde eigenlijk naar het ziekenhuis om Nick op te
zoeken. Maar bedankt voor de uitnodiging.' Angela praatte
nog wat met een paar mensen die vroegen hoe het met haar
moeder was, maar toen liep ze snel naar haar auto.

Voordat ze langs de bewaker en de verpleegster wist te
komen, waren er tien minuten voorbij. Toen ze eindelijk
Nicks kamer binnenliep, zag ze dat hij gladgeschoren was en
zijn infuus eruit was.

'Je ziet er goed uit, zeg.'

'Allemaal voor jou, Angie.'

'Ja, dag.' Angela rolde met haar ogen. Ze had het opgegeven om bezwaar te maken tegen het koosnaampje dat hij

voor haar had verzonnen. 'Wanneer komt Rosie?'

'Over een uurtje.' Hij geeuwde. 'Ik ben het hier beu.'

'Wanneer mag je naar huis?' Angela trok een stoel bij het bed en ging zitten.

'Dat weet ik niet. Morgen misschien. Het hangt er vanaf of ik goed genoeg kan lopen en mijn eten binnenhoud. Vandaag gaat het goed.'

Hij was nog steeds bleek en leek slecht op zijn gemak. 'Heb je nog veel pijn?'

Hij keek op zijn horloge en knikte. 'Het is bijna weer tijd voor mijn pijnstiller.'

Angela knikte. 'Ik blijf niet zo lang. Heb je al met die rechercheur gepraat die het van Callen overneemt?'

'Nee. Maar Joe wel. Ze besteden nu al hun tijd aan Luke en die verslaggeefster.' Hij sloot even zijn ogen. 'Ik dacht altijd dat ik goed werk deed als agent, Angela. Maar ik kon Luke niet uitleveren aan de autoriteiten. Eigenlijk wil ik niet dat ze hem vinden.'

'Hoeveel heb je Callen verteld over jullie gesprek?'

'Ik heb gedaan wat jij me had aangeraden. Ik heb verteld dat de man op de begrafenis Luke was. Vooral omdat ik bang was dat de man die mij had neergeschoten, ook achter Luke aan zou gaan. Ik had Luke beloofd dat ik niemand zou vertellen dat hij contact met me had opgenomen.' Hij zuchtte.

'Als Luke gevonden wordt... Hij zei dat de huurmoordenaar die die getuige en zijn bodyguard in die hotelkamer heeft vermoord hem had vrijgelaten, maar niet zonder voorwaarde.'

'Ja, en dat de moordenaar achter mij aan zou gaan. Dat heb je me al verteld.'

'Achter jou en de rest van de familie. Luke is zo goed als dood als hij boven water komt en jij ook. Ik weet niet hoe ver die moordenaar zal gaan.' Hij voelde aan het verband om zijn borst. 'Ik weet niet waarom hij jou nog met rust laat, maar ik weet zeker dat hij mij heeft neergeschoten omdat ik met Luke heb gepraat.'

'Houd je iets voor me achter?'

'Nee. Luke heeft niets gezegd over waar hij nu woont.'

Angela haalde het papier tevoorschijn dat ze van Rachel had gekregen. 'Ik heb misschien wel een idee.' Ze zweeg even. 'Nick, ik wil proberen hem te vinden.'

'Dat kan niet. Veel te gevaarlijk. Ik had niet moeten zeggen dat je het wel kon proberen.'

'Te laat.' Angela stond op en gaf hem de lijst met namen. 'Je weet ook wel dat de politie hem vroeg of laat zal vinden. Als dat gebeurt, weet de moordenaar precies waar hij is. In de gevangenis is hij niet veilig, dat weet je. Ik denk dat Luke in Idaho is. Mijn broer kennend is hij nog steeds geabonneerd op onze krant. Weet je nog dat hij hem naar Fort Myers liet sturen toen hij daar woonde? Als dat zo is, kunnen we hem opsporen.'

'Dat is nogal vergezocht.'

'Hij was op mijn vaders begrafenis. Hoe had hij anders kunnen weten dat hij gestorven was?'

'Daar zit wat in. Hij zei dat hij je vader ook in het ziekenhuis had opgezocht.'

'Ik wou dat hij het ons had laten weten.'

'Dat was onmogelijk zonder jullie in gevaar te brengen. Hij is bang dat jullie ook doelwit zullen worden.' Nick bekeek de lijst. 'Ik kan je er niet vanaf brengen, zeker?'

'Nee.'

Nick kreunde.

'Ik denk dat Luke in Sun Valley is. Ik weet hoe graag jullie daar altijd heen gingen.'

'Nee, dat geloof ik niet.' Nick schudde met zijn hoofd. 'Hij heeft me een aantal dingen verteld. Ik heb de afgelopen dagen genoeg tijd gehad om na te denken. Hij is getrouwd en heeft een dochtertje. Zijn vrouw heet Kinsey.' Hij schudde weer zijn hoofd. 'Ik mag je dit allemaal niet vertellen.'

'Alsjeblieft, Nick. Ik moet Luke vinden om hem te waarschuwen.' Angela greep de rand van het bed vast.

Nick zuchtte. 'Tijdens onze studie ontmoetten we Kinsey. Luke was gek op haar. Misschien heb ik het mis, maar ik zou bij Kinsey beginnen. Na de begrafenis – voordat ik werd neergeschoten – heb ik haar opgezocht. Ze is eigenares van de Summerfield kunstgalerie in Coeur d'Alene.

'Kinsey. Hij heeft haar naam nooit genoemd.'

'Dat verbaast me niets. Jij zat nog op de middelbare school en had het druk met je eigen vrienden. Toen we afgestudeerd waren, heb ik haar nooit meer gezien. Maar Luke hield contact met haar.'

Ze gaf hem de lijst van Coeur d'Alene. 'Komt een van deze namen je bekend voor?'

Hij bekeek de lijst met namen. 'Nee, sorry. Zoals ik al zei, heeft hij me niet veel verteld. Hij wilde eigenlijk helemaal niets zeggen, maar liet per ongeluk de naam van zijn vrouw vallen.'

'Je hebt me meer dan genoeg informatie gegeven. Ik vind hem wel.'

'En dan, Angie?'

'Dat weet ik niet.'

'Pas goed op. Als de moordenaar weet dat Luke hier was en als dezelfde vent achter mij aan kwam, kan hij dat ook bij jou doen. Misschien volgt hij je wel naar Idaho.'

'Ik weet hoe hij eruitziet. En ik kan zorgen dat ik niet gevolgd word.'

'Hij is wreed een meedogenloos. Kijk maar wat er met mij gebeurd is – en met die verslaggeefster.'

'Heb je nog iets gehoord over het onderzoek?' Angela ging weer op de stoel zitten en stak het papier met de namen in haar tas.

'Joe zei dat de Oregon State Police alle mogelijkheden onderzoekt. Maar we weten nog niets over de verdachten.'

'Callen zei dat ze zelfs Luke als mogelijke verdachte moeten beschouwen.' Angela beet op haar lip. 'Hij zou nooit iemand vermoorden om incognito te kunnen blijven, toch?'

'Niet de Luke die ik ken – kende, maar…' Hij schudde zijn hoofd. 'Nee, natuurlijk niet. Luke is nog steeds dezelfde aardige vent die hij was voordat hij verdween.'

Angela knikte. 'Ik hoop dat je gelijk hebt.'

'Wanneer ga je weg?' vroeg Nick.

Wanneer? Nu. Vandaag. 'Daar heb ik nog niet over nagedacht. Moet ik vliegen? Met de auto? Ik heb daar wel vervoer nodig.'

'Het is zeven of acht uur rijden.'

'Ik kan meteen vertrekken. Bedankt, Nick. Ik houd je op de hoogte.'

Ze stond op. 'Nog één ding: vind je dat ik het aan Callen moet vertellen? Ik voel me schuldig omdat hij nog van niets weet.'

'Vertel hem maar wat nodig is. We hebben alleen nog maar een paar aanwijzingen. Als je Luke vindt, kun je Callen altijd nog inlichten. Als je hem vindt, moet je vertellen wat je weet. Dan zal hij wel beslissen wat er verder moet gebeuren.' Nick stak zijn hand naar haar uit. Angela boog voorover en gaf hem een zoen op zijn wang.

'Wees voorzichtig,' zei hij.

Dat beloofde ze. Het moest wel. Luke's leven hing ervan af.

Voordat ze vertrok, zocht ze nog even op internet naar de Summerfield galerie. Binnen een paar seconden had ze Kinsey's website gevonden. Haar volledige naam was Kinsey Summerfield Sinclair. De kunstwerken waren indrukwekkend. De galerie was gevestigd in het wereldberoemde vakantie- en conferentiecentrum in Coeur d'Alene. Toen ze nog verder zocht, ontdekte ze dat Kinsey getrouwd was met Thomas Sinclair. Haar hart ging sneller kloppen. Zou Nick gelijk hebben? Zou de aantrekkelijke vrouw van de galerie Luke's vrouw zijn? Angela's schoonzus?

Toen ze de adressen en telefoonnummers had opgeschreven, sloot ze de computer af en zette een paar tassen in de auto. *Is dit de juiste beslissing, God?*

'Ik hoop dat ik gelijk heb en dat Luke veilig is,' zei ze tegen zichzelf toen ze de voordeur op slot deed. Ze stapte in haar Corvette en moest opeens denken aan Callens hond. Callen had haar niet gevraagd om voor Mutt te zorgen, maar misschien was hij ervan uitgegaan dat ze er zelf aan zou denken. Ze reed naar Callens huis en zag een bekende auto op de oprit staan. Angela belde aan en toen de deur open werd gedaan, sprong Mutt enthousiast tegen haar op. Ze pakte hem op. 'Hoi, ouwe jongen. Heb je me gemist?'

Callens zus Kath lachte. 'Ik heb je ook gemist.'

'Leuk om je weer eens te zien.' Angela zette de hond neer en omhelsde Kath. 'Ik wist niet dat jij zou komen.'

'Het verbaast me dat Callen je het niet heeft verteld. We hadden afgesproken dat ik hier zou logeren als hij in Portland was.'

'Geen wonder dat hij me niet gevraagd heeft om voor

Mutt te zorgen. Ik dacht dat hij er gewoon van uitging dat ik het wel zou doen. Ik had moeten weten dat hij zoiets belangrijks niet zou vergeten.'

Kath draaide zich om. 'Ik ben blij dat je even langskomt. Wil je een kop koffie?'

'Ik stond eigenlijk op het punt de stad uit te gaan. Ik wilde alleen even kijken of er wel voor Mutt gezorgd werd.'

'Maak je maar geen zorgen. Ga jij er ook al vandoor? Wat een uittocht. Heb ik soms iets gemist?'

'Nee hoor. Ik moet even iets regelen.' Angela wilde dat ze Kath in vertrouwen kon nemen. Ze mocht Callens zus wel en vond het vervelend om dingen voor haar achter te houden.

'Nou, goede reis dan. Weet Callen dat je weg bent?'

'Ik zal hem elke dag bellen.' Ze nam afscheid van Kath en Mutt. Opgelucht dat er voor Mutt en Callens huis gezorgd werd, reed ze in de richting van Lincoln City. Onderweg belde ze Rachel om te laten weten waar ze naartoe ging.

'Je moet me twee keer per dag bellen, zodat ik weet waar je mee bezig bent.'

'Twee keer?'

'Een soort verzekering. Als jij niet belt, bel ik Callen. Ik vind het maar niks dat je alleen op pad gaat.'

'Goed dan. Maak je maar niet druk,' zei Angela zelfverzekerd. Maar ze voelde zich heel anders. Toen ze had opgehangen, keek ze in haar achteruitkijkspiegeltje naar de lange rij auto's achter haar. Ze had tegen Nick gezegd dat ze het zou weten als ze werd gevolgd, maar met zoveel verkeer op de weg werd het lastig. Maar na Portland zou het wel rustiger worden. Ze moest gewoon op haar hoede blijven.

24

Cade haalde zijn oortelefoontje uit zijn oor toen Angela uit het ziekenhuis vertrok. Het was een lange ochtend geweest, maar erg nuttig. Om eerlijk te zijn, had hij zelfs genoten van de preek van Tim Delaney. Jammer genoeg had hij zelf nooit die zekerheid gehad waar Delaney over had gesproken. Cade was te ver weggezakt om na te denken over genade en zijn behoud.

Vroeger had hij ervan gedroomd om dominee te worden, zoals zijn vader. Maar het leven had alle kansen daarop vernietigd. God had toegestaan dat een gek zijn vader vermoordde. Waarom? Cade wist het niet. Niemand wist het. De man was op een avond in de winter schreeuwend en vloekend hun huis binnengekomen met een pistool. Hij had vijf keer geschoten en toen zichzelf omgebracht. Cade en zijn moeder hadden hulpeloos toegekeken, verlamd van angst. Zijn broer had de politie gebeld. Hij had in zijn kamer zitten studeren en had de schoten gehoord.

Cade's vader had wel eens met hem over vergeving gepraat, maar hoe kon je iemand zo'n brute, zinloze daad vergeven? Woede en bitterheid hadden Cade uit de kerk verdreven. Misschien was hij inmiddels geen haar beter dan de man die zijn vader had vermoord. Misschien was hij nog wel slechter.

Vergeving? Laat me niet lachen. Cade had al veel te veel mensen vermoord om nog vergeven te kunnen worden. Hij zette de herinneringen en het flintertje berouw dat hij voelde uit zijn hoofd. Zijn taak zou binnenkort afgelopen zijn. Dankzij Angela had hij alle informatie die hij nodig had. Hij zou de gehuurde auto weer inleveren in Portland en met het vliegtuig naar Spokane gaan. Met een beetje geluk was hij dan nog eerder in Coeur d'Alene dan Angela.

25

Toen Angela in Coeur d'Alene arriveerde, was het donker. Ze had flink doorgereden en was maar drie keer gestopt om te tanken, wat eten te kopen en naar het toilet te gaan. De laatste stop was bij de afrit van de snelweg geweest, waar ze bij een benzinestation de weg had gevraagd. Dat was tien minuten geleden.

Nu reed ze de parkeerplaats op van het vakantiecentrum waar de Summerfield galerie was gevestigd. Hopelijk kon ze Kinsey Summerfield-Delaney even spreken. O, nee, Sinclair heette ze. Kinsey was getrouwd met Thomas Sinclair, had Angela op het internet gevonden.

Hoe was Luke bij die naam gekomen? Wist Kinsey wie hij echt was? Als ze hem op de universiteit had gekend, moest het wel.

Ze was moe en kon niet meer helder nadenken. Ze gaf haar autosleuteltje aan de hotelbediende, pakte haar koffer en weekendtas en liep door de deur naar binnen, die door een andere bediende voor haar werd opengehouden.

Ze mompelde een bedankje naar de man en liep regelrecht naar de receptie. Ze kwam voorbij een paar winkeltjes en bleef even staan bij de Summerfield galerie. De gedachte dat ze haar broer zou weerzien deed haar hart een slag overslaan. Als Nick gelijk had en Luke hier woonde, was dit de galerie van haar schoonzus. Wat was het voor een vrouw? Werkte Luke hier ook? Zou ze hem zien als ze morgenochtend ging ontbijten?

Reken er maar niet te veel op. Misschien is hij het helemaal niet. Morgen is er weer een dag. Nu eerst slapen. Of in ieder geval uit-rusten. Ze was zo gespannen dat ze betwijfelde of ze lang zou kunnen slapen.

De prijs voor een overnachting was veel hoger dan ze zich kon veroorloven. Er waren geen kleinere, goedkopere kamers meer vrij, maar tot haar verbazing berekende de receptioniste haar dezelfde lagere prijs voor een grotere kamer. Een aardig gebaar.

Toen Angela haar kamer gevonden had, haar pyjama had aangetrokken en haar tanden gepoetst, was ze slaperig geworden. Ze deed de gordijnen dicht en zag dat haar kamer uitkeek over het meer. Lichtjes twinkelden in de haven en aan de overkant van het donkere water. 'Prachtig,' mompelde ze. Deze kamer zat waarschijnlijk in de hoogste prijsklasse. De kamer was ruim en er stond een bank, een stoel, een tafel en een bureau. Angela geeuwde en sloeg de dekens terug. Ze kroop in bed en viel meteen in slaap.

Ze werd wakker toen er iemand op haar deur klopte.

'De schoonmaakster.'

De deur ging open en een meisje van Latijns-Amerikaanse afkomst bood in gebroken Engels haar verontschuldigingen aan. 'Het spijt me. Ik wist niet – ik heb wel geklopt.'

'Het is niet zo erg. Maak je niet druk.' Angela ging rechtop zitten en probeerde goed wakker te worden. 'Hoe laat is het eigenlijk?'

'Elf uur.' De jonge vrouw liep achteruit de kamer weer uit. 'Ik kom later.'

'Dat is goed.' Angela sleepte zichzelf uit bed en hing het 'niet storen'-bordje aan de deurkruk. Ze glimlachte en zwaaide naar de schoonmaakster. Toen deed ze de deur dicht en liep naar het keukentje, waar ze koffie en een koffiezet-apparaat vond. Toen ze het apparaat had gevuld en aangezet, nam ze een lange hete douche. Hoe wakkerder ze werd, des te rustelozer voelde ze zich worden. Met een handdoek om zich heen geslagen schonk ze zichzelf een mok koffie in. Toen kleedde ze zich aan. Ze had vrijetijdskleding ingepakt en koos voor een blauwe spijkerbroek en een truitje met korte mouwen. Wat moest je aan voor de ontmoeting met de vrouw van je vermiste broer?

Als ze dat inderdaad is. Hoewel Nicks verhaal logisch klonk, was Thomas Sinclair misschien haar broer helemaal niet.

'Niet te veel verwachten, Angela.' Ze haalde een borstel door haar nog vochtige haren, stak de sleutel van de kamer in haar zak, pakte haar tas en ging de deur uit. Ze zou eerst ergens iets eten en intussen nadenken over wat ze tegen die Kinsey zou zeggen. Hopelijk had de vrouw wat tijd voor haar.

Angela had de naam en het adres van Thomas Sinclair opgeschreven en de door de computer gegenereerde foto van Luke meegenomen. Een aantal dingen wist ze en alles leek in elkaar te passen. Luke was op de begrafenis geweest en had met Nick gepraat. Hij had tegen de vrouw van het hotel de staat Idaho genoemd. En Nick vermoedde dat de man die hem had geprobeerd te vermoorden, ook achter Luke aan zat. De verslaggeefster die foto's had gemaakt op de begrafenis was dood. Faiths huis was overhoopgehaald en Angela vermoedde dat de moordenaar waarschijnlijk een foto van zichzelf had gezocht. Nick wist vrijwel zeker dat de tuinman op de begraafplaats de man was die hem had neer-geschoten. Angela had de man twee keer gezien en zijn gelaatstrekken stonden in haar geheugen gegrift. Ze wist zeker dat ze hem zou herkennen als ze hem nog eens zag. *Tenzij hij zijn uiterlijk drastisch heeft veranderd.*

Angela ging naar de eetzaal op de begane grond en kreeg een plekje bij het raam, waar ze uitkeek over de haven. Ze keek om zich heen naar de andere hotelgasten. Niemand zag er verdacht uit. En niemand leek op de tuinman.

Onderweg naar Idaho had ze steeds op de mensen en auto's om haar heen gelet. Er waren geen aanwijzingen dat ze gevolgd werd. Natuurlijk betekende dat niet dat het ook echt niet zo geweest was. Angela wist zelf precies hoe ze iemand moest volgen zonder gezien te worden.

Ze dwong zichzelf te ontspannen en bestudeerde het menu. Ze koos eieren op toast met jus d'orange en koffie. Hoewel haar maag protesteerde als ze alleen al aan eten dacht, dwong ze zichzelf toch iets te eten. Ze kon wel wat energie gebruiken. En moed ook.

Toen ze klaar was met haar ontbijt, bereidde ze zich voor op haar ontmoeting met Kinsey Summerfield-Sinclair. Angela betaalde de rekening en liep zenuwachtig over de marmeren vloer naar de enorme lobby met de comfortabele zitjes. Weer controleerde ze de andere aanwezigen. Niemand zag er verdacht of bekend uit.

Haar hart bonsde in haar keel toen ze naar de galerie toe liep. Ze haalde diep adem en liep naar binnen. Ze liep langzaam de ruimte door en deed net of ze de kunstwerken bewonderde. Ze zag een aquarel van een van haar favoriete schilders en vergat even waarom ze gekomen was.

'Kan ik u helpen?'

De stem deed Angela opschrikken en ze draaide zich vlug om. Ze probeerde tegelijkertijd te glimlachen en te bepalen wat voor vrouw ze voor zich had. Ze was ongeveer net zo oud als Angela en net zo lang, alleen wat zwaarder gebouwd. Ze had warme bruine ogen en kastanjebruin haar dat prachtig kleurde bij het shirt dat ze droeg.

'Dit is een van mijn favoriete aquarellisten.' De vrouw keek even naar het schilderij en toen weer naar Angela.

'Van mij ook,' zei Angela.

De vrouw stak haar hand uit. 'Ik ben Kinsey Sinclair.'

'Angela.' Haar naam bracht geen reactie bij Kinsey teweeg. Ze vroeg zich af of ze Delaney zou zeggen, maar besloot daar nog even mee te wachten.

'Logeer je in het hotel?' vroeg Kinsey.

'Ja. Ik ben gisteravond aangekomen.' Angela had een brok in haar keel, waardoor praten haar moeilijk afging.

'Welkom in Coeur d'Alene.' Kinseys glimlach leek gemeend. 'Ik zal je weer met rust laten. Als ik iets voor je kan doen of als je iets wilt vragen, hoor ik het graag.'

'Er is wel iets, ja.' De woorden waren eruit voor ze het wist. 'Kent u deze man?' Angela haalde de foto uit haar tas en gaf hem aan haar.

Kinsey staarde naar de foto met een verbaasde uitdrukking op haar gezicht. Behoedzaam vroeg ze: 'Wie ben je?'

'Angela Delaney. Ik ben... misschien ben ik je schoonzus.'

Kinsey keek de andere kant op. 'Onmogelijk.'

'Je hebt mijn broer op de universiteit ontmoet. Zijn beste vriend was Nick Caldwell.'

Ze likte langs haar lippen. 'Ik weet niet wat ik moet zeggen.'

'Ik moet hem zien. Hij loopt gevaar. Nick is neergeschoten.'

'Ik...' Ze schudde haar hoofd.

'Hij maakt het goed,' zei Angela haastig. 'Maar we maken

ons zorgen dat degene die hem heeft neergeschoten, nu achter Luke aan zit. Help me alsjeblieft, voordat het te laat is.'

'Dat kan niet…'

'We moeten praten, Kinsey. Kun je hier even weg?'

Kinsey dacht even na en knikte. 'Tijdens de lunch ben ik altijd gesloten.' Ze ging naar buiten en wachtte op Angela. Toen draaide ze een bordje om van *open* naar *gesloten* en deed de deur op slot. 'Heb je trek in iets te eten?'

'Ik heb net ontbeten.' Ze vouwde de foto van Luke op en stak hem weer in haar tas.

'Laten we dan maar een stukje wandelen.'

Dat was prima. Angela wilde liever nergens gaan zitten, omdat ze dan meer kans hadden om afgeluisterd te worden.

Ze liepen door de lobby naar buiten naar een steiger, die helemaal om de haven heen liep.

'Hoe heb je ons gevonden?' vroeg Kinsey toen ze ver genoeg bij het gebouw vandaan waren.

Angela vertelde haar de verkorte versie van het verhaal. 'Thomas maakte zich zorgen om Nick.'

'Wisten jullie het?'

Ze knikte. 'Maar je zei dat hij het goed maakt.'

'Ja. Hopelijk blijft dat ook zo. Maar nu maak ik me meer zorgen om Luke. Deze foto is naar politiebureaus door het hele land gestuurd. Het verbaast me dat niemand hem hier nog herkend heeft.'

Ze zuchtte. 'Dat hebben ze wel. De politiecommissaris kwam gisteren met Luke praten. De foto was bij hen binnengekomen en hij vond hem op Luke lijken. Gelukkig gelooft hij niet dat het Luke daadwerkelijk is, maar gewoon iemand die erg op hem lijkt.'

Gelukkig ging er ook nog wel eens iets goed. 'Heb je het altijd geweten?'

'Ik ken mijn man. Ik vertrouw hem.'

'En jij hebt ook die andere naam aangenomen.'

'Dat moest wel. Luke is hier ongeveer vijf jaar geleden gekomen. We hadden daarvoor wel contact gehad per brief en e-mail, en toen hoorde ik bijna een jaar lang niets van hem. Toen hij plotseling hier opdook, vertelde hij wat er met hem gebeurd was. Ik heb hem geholpen hier een nieuw leven op te bouwen.'

'Waar is hij nu?'

'Hier.'

'In het vakantiecentrum?'

Kinsey knikte. 'Mijn vader is eigenaar en Thomas is de manager.'

'Kent je vader Luke's verleden?'

'Nee. Niemand. Ik heb hem geïntroduceerd als Thomas Sinclair en zo heet hij sindsdien.'

'Ik moet met hem praten. Nick was niet de enige die wist dat hij op de begrafenis was. Iemand heeft een bombrief aan hem geadresseerd.'

'O, nee.' Kinsey keek uit over het water. 'Ik zei tegen hem dat het te gevaarlijk was, maar hij wist zeker dat niemand hem meer zou herkennen. Hij wilde het zo graag weer goedmaken met zijn vader.'

'Nick herkende hem en anderen misschien ook. De man die Nick heeft neergeschoten heeft misschien ook die bombrief gestuurd. Zodra ik zag dat Luke's naam erop stond, vertrouwde ik het niet meer.'

'Je hebt gelijk. Thomas moet het weten. Zal ik bellen en vragen of hij hierheen komt?'

'Dat is misschien te gevaarlijk. Ik geloof niet dat iemand me gevolgd is, maar daar kun je nooit zeker van zijn. Waar is hij nu?'

'Op kantoor.'

'Breng me erheen. Niet bellen.' Ze liepen weer verder. Ze beet op haar lip. 'Om je de waarheid te zeggen, wil ik niet dat hij er weer vandoor gaat, en jij waarschijnlijk ook niet.'

'Dat zou hij niet doen, maar goed.'

Ze keken elkaar recht in de ogen. Angela keek even naar een man en een vrouw die naar hen toe kwamen lopen, en toen weer naar Kinsey. 'Eh… jij en Luke… hoe lang zijn jullie al getrouwd?'

'Vier jaar.'

'Hebben jullie…' Angela likte langs haar lippen. 'Nick zei dat jullie een dochtertje hebben.'

Kinsey's ogen lichtten op. 'Marie. Ze is drie. Een geweldig meisje.'

'Ik wou dat ik dat eerder geweten had.'

'Ik ook. Thomas en ik hebben vaak op het punt gestaan om contact op te nemen met zijn familie, maar het gevaar was te groot. Hoe groot precies zullen we binnenkort wel ontdekken, denk ik.'

'Laten we hopen van niet. Zoals ik al zei, geloof ik niet dat ik hierheen gevolgd ben. Zelfs de politie weet niet dat ik hier ben. Nick en een goede vriendin zijn de enigen die ervanaf weten.'

Kinsey knikte. Bij de liften aarzelde Angela even voor ze naar binnen ging. Dit was wat al te gemakkelijk. Kon ze Kinsey echt vertrouwen?

Maar Luke vertrouwde deze vrouw, dus moest Angela dat ook doen. Het was waarschijnlijk dat de dader van de dubbele moord in Florida de familie Delaney in Sunset Cove in de gaten had gehouden. De moordenaar had geraden dat Luke incognito naar de begrafenis zou gaan.

Angela wilde dat ze meer wist. De puzzel leek veel te

ingewikkeld, maar misschien zou Luke wat ontbrekende stukjes kunnen inpassen.

Ze zond een schietgebedje op. *God, bewaar hem alstublieft. Spaar ons allemaal en laat ons deze meedogenloze moordenaar te pakken krijgen voordat hij ons vindt.*

26

Cade kropte zijn frustraties op, zoals hij altijd deed als het niet helemaal volgens plan ging. Zelfs als Angela Delaney eerder bij Luke was dan hij, had het geen zin om daar energie aan te verspillen. Dan moest hij het plan gewoon een beetje wijzigen.

Zijn vlucht naar Spokane was vertraagd geweest, waardoor de aansluitende vlucht volgeboekt was. Omdat hij vaak reisde, was hij gewend aan de onbetrouwbaarheid van luchtvaartmaatschappijen. Hij had het uiteindelijk maar opgegeven en had een auto gehuurd. Om middernacht arriveerde hij bij het hotel en koos een kamer met balkon die uitzag over het meer.

Zijn lichaam deed pijn van de lange rit. Hij werd te oud voor dit soort dingen. Toen hij hoorde dat Frank Delaney een hartaanval had gehad, wist hij zeker dat Luke op zou duiken. Soms wilde hij dat hij Luke met rust kon laten, maar dat was geen optie.

Cade ging in het tweepersoons bed liggen. Hij wilde nog een paar uurtjes slapen voordat hij zijn oude vriend Luke Delaney zou ontmoeten, alias Thomas Sinclair.

27

Luke ijsbeerde door zijn kantoor als een gekooide tijger. Hij voelde het gevaar, maar wist niet wat hij eraan moest doen. Gelukkig had zijn goede vriend, de politiecommissaris, hem de foto laten zien die overal circuleerde. 'Ik weet dat jij dit niet bent, Thomas, maar misschien kun je beter je baard afscheren.' En dat had hij ook gedaan. Hij was er nooit echt gelukkig mee geweest. Zonder baard leek hij helemaal niet meer op de jonge Luke Delaney die gevlucht was in plaats van naar de politie te gaan. Hij was kalend en zijn bril en de extra kilo's hadden zijn uiterlijk flink veranderd.

Dezelfde vragen van toen kwelden hem. Als hij niet gevlucht was, zou de huurmoordenaar Angela dan hebben vermoord, zoals hij had gedreigd te doen? Jarenlang had Luke zichzelf ervan weten te overtuigen dat hij de juiste beslissing genomen had. Maar nu... Nu moest hij die put wel opendoen en alle demonen eruit laten waarvan hij dacht dat hij ze achter zich gelaten had.

Zijn leven zou geen waarde meer hebben als de autoriteiten of de moordenaar hem vonden. Was iemand hem na de begrafenis naar Idaho gevolgd? Hij had zorgvuldig iedereen bestudeerd die bij hem in het vliegtuig had gezeten. Hij had Nick niet verteld waar hij woonde, en zelfs al had hij dat wel gedaan, dan zou Nick het nooit doorvertellen.

Hij wreef over de gespannen spieren in zijn nek en besloot dat hij niet zomaar kon blijven wachten tot er iets gebeurde. Misschien maakte hij zich voor niets zorgen. Maar als de huurmoordenaar hem vond, wat zou er dan met Kinsey en Marie gebeuren? De angst dreef hem zijn kantoor uit.

'Ga je lunchen?' vroeg Eileen.

'Ja. Ik ben over een uur of twee, drie terug.'

'O.' Ze glimlachte naar hem. 'Ga je golfen?'

Hij dwong zichzelf terug te lachen. 'Dat was ik niet van plan, maar misschien wel, ja.'

Luke liep door de lobby langs Kinsey's galerie. Op het bordje stond *gesloten*. Hij liet zijn auto halen en reed naar het kinderdagverblijf om Marie even op te zoeken. Hij at een van de koekjes die ze hem gaf en verzekerde zichzelf ervan dat zijn gezin veilig was. Voorlopig tenminste.

Toen hij terugreed naar het hotel, bedacht hij dat zijn secretaresse eigenlijk helemaal niet zo'n slecht idee had geopperd. Hij reed langs zijn huis om zijn golfclubs te halen en ging naar de golfbaan bij het vakantieoord. Eerst liep hij even het restaurant in voor een broodje. Een klein halfuur later stond hij op de green met drie zakenlui van een groot elektronicabedrijf in de stad, die hij vrij goed kende.

Het lukte hem niet om de spanning kwijt te raken, waardoor hij slecht speelde. Na negen holes besloot hij weer terug te gaan naar kantoor.

Eerst moest hij nog even naar het toilet. Hij stapte de toiletruimte binnen en keek plotseling in de loop van een pistool.

28

'Had u een afspraak met meneer Sinclair?' vroeg de receptioniste toen Angela en Kinsey naar hem vroegen.

'Ik ben zijn vrouw, Kinsey. Zeg dat maar.'

'Oeps, sorry,' grinnikte de jonge vrouw. 'Ik ben hier nieuw. Ik herkende u niet.'

Kinsey glimlachte. 'Dat geeft niet. Is hij in bespreking?'

'Hallo, Kinsey.' Een oudere vrouw kwam de receptieruimte binnen lopen. 'Thomas is net weg. Zouden jullie samen lunchen? Dat had hij niet tegen me gezegd.'

'Nee, maar ik had gehoopt dat ik hem even kon spreken. We hebben een gast.' Ze gebaarde naar de oudere vrouw. 'Angela, dit is Eileen. Thomas is de manager, maar zij is het brein achter de hele operatie.'

Eileen lachte en stak haar hand uit. 'Soms voelt het wel zo, ja. Thomas is de laatste paar dagen een beetje uit zijn doen. Hij is een minuut of vijf geleden vertrokken. Hij zou over een paar uur terug zijn. Hij is waarschijnlijk aan het golfen.'

'Bedankt.' Kinsey draaide zich om naar Angela. Haar ogen stonden ongerust.

'Zal ik zeggen dat je er bent? Ik kan hem even naar de galerie sturen.'

'Ja, graag. Zeg maar dat ik hem dringend moet spreken.'

'Zal ik doen.'

Angela en Kinsey gingen weer met de lift naar beneden. Toen ze uit de lift stapten, voelde Angela een ijzige rilling langs haar rug gaan. Ze keek om zich heen, maar zag niets ongewoons. Twee mannen in pak en een vrouw stapten in de lift. Een magere, kale man met een rond brilletje en een shirt met het logo van het vakantiecentrum stond vlakbij de planten te begieten.

Ze huiverde toen ze dacht aan de tuinman op de begrafenis. Was dit dezelfde man?

'Is er iets?' vroeg Kinsey.

'Ik weet het niet zeker.' De man was een werknemer hier – maar de tuinman had zich ook voorgedaan als een arts in het ziekenhuis om Nick te vermoorden. Ze keek de man onderzoekend aan. Hij was jong, zag ze, en meer gebruind dan de tuinman was geweest. Had hij zijn hoofd kaalgeschoren?

'Zie je die kale man die de planten water geeft?' fluisterde ze.

Kinsey knikte.

'Herken je hem?'

Kinsey haalde haar schouders op. 'Geen idee.' Ze glimlachte. 'Er werken hier een heleboel mensen – elke dag komen er wel nieuwe bij.'

Angela keek op en zag dat de man haar aankeek. Hij grijnsde, duidelijk in zijn schik dat hij haar was opgevallen. Angela keek de andere kant op.

'Wat is er?' vroeg Kinsey.

'Niets. Ik… ik had het gevoel dat iemand ons bespioneerde en… Laat maar zitten. Na alles wat er gebeurd is, ben ik een beetje paranoïde geworden.'

'Weet je het zeker? Ik kan zo laten uitzoeken of hij hier echt werkt.'

'Nee, dat hoeft niet.' Angela keek nog eens naar de man en zag dat hij haar aan stond te kijken. Hij knipoogde en

Angela glimlachte terug. Als hij hen inderdaad in de gaten hield, wilde ze niet dat hij wist dat ze hem wantrouwde. Maar als hij nog een keer hun kant op keek, zou ze zelf achter zijn identiteit zien te komen.

Kinsey ging weer naar de galerie. Angela wist niet wat ze verder moest doen. Hopelijk zou Luke over een uur of twee terug zijn. Zo niet, dan zou ze met Kinsey mee naar huis gaan en hem daar ontmoeten.

Haar zenuwen waren tot het uiterste gespannen toen ze terugliep naar haar kamer. Ze was moe van de lange rit de vorige dag en teleurgesteld dat ze Luke nog niet had gezien.

In haar kamer belde ze eerst Rachel en daarna Nick. Ze vertelde hen dat ze Kinsey had gevonden en dat Nick gelijk had gehad. Thomas Sinclair was inderdaad Luke Delaney.

'Als alles goed gaat,' zei ze tegen Nick, 'eet ik vanavond bij mijn broer thuis.'

'Heb je al met Callen overlegd?' vroeg Nick.

'Nee. Ik was van plan hem te bellen als wij uitgepraat zijn.'

'Rechercheur Downs is vandaag bij me langs geweest,' zei Nick. 'Hij is alles behalve gelukkig dat hij Callens zaakjes mag oplossen. Hij zit tot over zijn oren in het werk en tenzij er zeer binnenkort een doorbraak komt, schort hij deze zaak op. Het lab is nog bezig met het bewijsmateriaal van de moord op die verslaggeefster. Ze hebben de foto's van de begrafenis nog niet gevonden.'

'Dat betekent waarschijnlijk dat de man die achter jou aan zit, haar heeft vermoord en het bezwarende bewijsmateriaal uit haar huis heeft gestolen.' Angela vertelde Nick over de politiecommissaris die bevriend was met Luke. 'Gelukkig heeft hij daar niets van te vrezen. Thomas Sinclair heeft een goede reputatie in deze stad. Niemand vermoedt dat hij iemand anders is dan hij zegt te zijn.'

'Dus alles lijkt in orde? Geen aanval op Luke?'

'Nog niet. Ik miste hem vanmiddag net. Zijn secretaresse dacht dat hij was gaan golfen. Geweldige timing.'

Allebei zwegen ze even. 'Ik vind dat je Callen in moet lichten. Hoe meer ik erover nadenk, hoe ongeruster ik word dat die vent achter Luke aan gaat.'

'Doe ik.' Ze zuchtte. 'Ik wou dat we een foto van die tuinman hadden. Ik dacht dat ik hem wel zou herkennen als ik hem nog eens tegenkwam, maar nu weet ik dat niet meer zo zeker. Ik heb vandaag een man gezien met vergelijkbare gelaatstrekken, maar hij droeg geen bril en was kaal.'

'Kun je een foto van hem nemen en die naar me toe mailen?'

'Goed idee, Nick. Jij hebt hem veel beter gezien dan ik.'

'Oké, dan wacht ik daarop.' Nick zweeg even. 'Angela?'

'Ja?'

'Wees voorzichtig.'

29

De spion duwde de irritante bril terug op zijn neus. Het stomme ding gleed steeds naar beneden. Maar zijn vermomming werkte. Angela had gezien dat hij naar haar keek, maar ze had hem niet herkend. Het had de halve ochtend geduurd voor hij de juiste vermomming had gevonden. De eigenaar van het uniform en het naamplaatje zou pas over een paar dagen worden gevonden door de politie. Maar dan zou hij zijn taak allang volbracht hebben en onderweg zijn naar Mexico. Hij had al een vlucht geboekt. Zijn contactpersoon in Florida had hem de tien ruggen voor die agent gestuurd en hij had het geld op zijn spaarrekening gestort.

Hij had meer moeten vragen. Misschien zou hij dat alsnog doen. Chantage kon erg lucratief zijn. Zijn hoofd deed pijn, waarschijnlijk door slaapgebrek. Hij was Angela uit Sunset Cove helemaal naar Coeur d'Alene gevolgd. Hij had gezien dat ze uitstapte, haar autosleutel aan een hotelbediende gaf en naar binnen ging. Zelf had hij een kamer genomen in een motel een eindje verderop. Vanmorgen vroeg was hij weer naar het hotel gekomen. Gelukkig had hij de juiste kleding en een naamplaatje te pakken weten te krijgen.

Hij had broertje Delaney nog niet gezien, maar dat was een kwestie van tijd. Hij hield Angela goed in de gaten en wist dat ze hem recht naar haar broer zou leiden.

Hij huiverde van opwinding. Nog een paar uurtjes. Hij keek hoe Angela weer naar de lift liep. Het was niet nodig om haar te volgen. Hij wist precies waar ze heen ging.

30

Toen ze Nick had gesproken, toetste Angela Callens nummer in. Hij nam niet op en Angela sprak geen bericht in. Ze zou het later nog wel eens proberen.

Ze liep naar het cadeauwinkeltje en kocht een wegwerpcamera. Toen ging ze op zoek naar die kale man. Na twintig minuten gaf ze het op. Om een beetje te ontspannen, trok ze haar badpak aan en ging naar het zwembad. Ze nam haar camera mee, voor het geval ze de man toch nog zou zien.

Het was leeg in het zwembad. De enige andere aanwezige was een hotelbediende, die haar een handdoek gaf. Ze zwom een paar baantjes en merkte verrast dat haar schouder alweer behoorlijk sterk geworden was. Hoewel het soms nog wel pijn deed, was het genezingsproces al een heel eind op gang. Na het zwemmen ging ze even in het bubbelbad. Ze wilde dat haar zorgen net zo gemakkelijk zouden verdwijnen als haar spierpijn.

Toen ze uit het bubbelbad stapte, zag Angela de kale man met de hotelbediende staan praten. Ze droogde zich af en pakte haar camera uit haar tas. Toen ze een foto van hen beiden genomen had, liep Angela glimlachend in hun richting. 'Ik kan nog wel een handdoek gebruiken, Brandon,' zei ze. Tegen de kale man zei ze: 'Je bril beslaat helemaal.' Ze glimlachte en keek op zijn naamplaatje. 'Matt.'

Hij zette zijn bril af en veegde hem schoon met zijn T-shirt. 'Dat komt vast omdat jij zo'n lekker ding bent.'

Brandon gaf hem een por. 'Hé, doe niet zo stom. Zo praat je niet tegen klanten, als je niet ontslagen wilt worden tenminste.'

'Sorry.' Hij haalde zijn schouders op. 'Ik ben hier nieuw.'

'Misschien moet je het handboek eens lezen.'

'Zal ik doen.' Matt leek een beetje zenuwachtig en ging snel weer aan het werk.

Toen hij weg was, zei Angela: 'Werkt hij hier nog niet zo lang?'

'Ik denk het niet. Ik kan me niet herinneren dat ik hem al eens eerder heb gezien, maar omdat ik in het zwembad werk, heb ik niet zoveel met de anderen te maken.'

'Wat kwam hij doen?'

'Hij zei dat hij nieuwsgierig was. Wilde weten of de werknemers hier ook mogen zwemmen – dat soort dingen. Hij had even pauze. U wilt toch geen klacht indienen, hoop ik?'

'Dit keer niet.'

Matt Turlock zei dat hij hier nieuw was, maar dat was aan zijn naamplaatje niet te zien.

Angela ging naar de galerie terug en vroeg Kinsey of ze een afspraak wilde regelen met de personeelschef. Even later zat Angela op een rechte stoel in een net kantoor. De vrouw aan de andere kant van het bureau, die zich had voorgesteld als Sheila Parsons, zette haar ellebogen op het tafelblad. 'Kinsey zei dat er een probleem is met een van onze werknemers.'

'Mogelijk. Werkt er hier een Matt Turlock?'

Ze fronste haar wenkbrauwen en rolde met haar stoel naar een lage dossierkast. Ze trok de tweede lade van onderen open, gleed met haar vingers langs de mappen en haalde er een uit. 'Turlock, Matthew. Ja. Die werkt hier.'

'Hoe lang al?'

'Een maand of vier.'

'Eh, zit er ook een foto van hem bij?'

Ze aarzelde. 'Mag ik vragen waarom je dat wilt weten?'

'Ik weet dat het vreemd klinkt, maar ik heb reden om te geloven dat de man die met Matts naamplaatje rondloopt, Matt helemaal niet is.'

'Juist. Normaal zou ik je zijn dossier niet laten zien, maar omdat Kinsey me heeft gevraagd je te ontvangen...' Ze schoof de map naar Angela toe.

Matt was kaal en had een mager, hoekig gezicht en een bril. Het was lastig te bepalen of de man die ze gezien had Matt Turlock was, of niet. 'De man die ik vandaag gezien heb was ouder, geloof ik. En zijn wenkbrauwen waren donkerder. Hij zei dat hij hier nieuw was.' Angela leunde achterover. 'Ik zou graag Matts baas spreken. Als de man met zijn naamplaatje is wie ik denk dat hij is, zou Matt in gevaar kunnen zijn.' Bezorgdheid om de jonge man op de foto deed haar hart sneller kloppen. Hopelijk had de moordenaar alleen het naamplaatje gestolen en zou de echte Matt Turlock snel weer opduiken.

'Natuurlijk. Dat is Carmen Tate van de afdeling onderhoud.' Ze pakte de telefoon, toetste een nummer in en wachtte. 'Hallo, Carmen. Kom even naar mijn kantoor, alsjeblieft.' Ze legde de hoorn op de haak. 'Ze komt er zo aan.'

'Bedankt.' Angela greep de stoelleuningen stevig vast.

'Kan ik iets te drinken voor je halen?'

'Ja. Koffie graag, als dat kan.'

Sheila stond op en ging de kamer uit. Even later kwam ze terug met een dienblaadje met koffie en koekjes en een groene mok met het logo van het vakantiecentrum.

Toen Angela een eerste slokje had genomen, kwam Carmen binnen. Ze wierp Angela en Sheila een vragende blik toe. 'Is er iets mis?'

'Misschien wel,' zei Sheila. 'Je hebt een jonge man in dienst met de naam Matthew Turlock.'

'Dat klopt. Matt doet onderhoud. Prima kracht. Maar vandaag is hij er niet.' Ze fronste haar voorhoofd. 'Hij heeft zich niet gemeld vandaag en dat is vreemd voor zijn doen.'

Angela haalde diep adem en leunde voorover. 'Daar was ik al bang voor. Misschien heb ik het mis, maar kunt u iemand bellen om te vragen waar hij is? Of alles goed is?'

'Zijn moeder. Hij woont nog thuis. Ik ken haar.' Carmen pleegde een paar telefoontjes en kreeg eindelijk de moeder te pakken, die zei dat Matt die ochtend gewoon naar zijn werk was gegaan.

'Weet je zeker dat hij niet is gearriveerd?' vroeg Angela.

'Ja. Misschien is hij aan het spijbelen.'

'Er loopt iemand rond met zijn naamplaatje.' Sheila zag bleek.

Angela keek naar Carmen. 'Ik denk dat we de politie maar eens moeten bellen.'

Angela deed een verwoede poging om de politie uit te leggen waarom ze de kale man niet vertrouwde, zonder de namen van Luke en Nick te noemen. Dat was niet zo eenvoudig. Hoe moest ze uitleggen waarom het gezicht van de man haar was opgevallen? Intuïtie was niet genoeg. 'Hij zag er verdacht uit en hij leek me in de gaten te houden,' zei Angela. 'Toen ik hem in het zwembad zag, zei hij dat hij hier nieuw was, maar zijn naamplaatje zag er niet nieuw meer uit. Het leek me goed om dat even te melden.'

'We kunnen geen van beide mannen vinden,' ze de

agent, die zich had voorgesteld als Brad Denham. Hij gedroeg zich alsof het probleem helemaal bij Angela lag.

'Hoor eens, ik heb geleerd op dingen te letten. Ik werk ook bij de politie.' Ze zei er niet bij dat ze met verlof was. 'Ik heb een probleem gesignaleerd, meer niet. Misschien is de man geschrokken toen hij jullie zag binnenkomen.' Angela haalde haar schouders op. Ze keek op haar horloge. 'Meer heb ik niet te vertellen. Ik logeer in kamer 524. Als je met me wilt praten of mijn hulp nodig hebt, kun je me bellen. Ik heb nu een afspraak.'

Denham leek haar nog steeds niet te geloven, maar nu hij wist dat ze bij de politie zat, leek hij wat vriendelijker te worden. 'Goed. Bedankt voor de tip. We houden het in de gaten.'

'Ik hoor het graag als jullie iets vinden. Ik maak me ongerust dat er iets gebeurd is met de echte Turlock.'

'Goed. En nogmaals bedankt.' Hij glimlachte en schudde haar de hand.

Angela raakte er steeds meer van overtuigd dat de man die zich voordeed als Matt Turlock dezelfde man was die Nick had neergeschoten. Hoe hij ontdekt had dat Luke hier was, wist ze niet — tenzij hij haar had weten te volgen.

Ik had hier niet heen moeten gaan. Ik had voorzichtiger moeten zijn.

Misschien had ze de moordenaar afgeschrikt door de politie te bellen. Misschien had ze gezorgd dat haar broer nog iets langer veilig was. Ze moest nadenken. Ze nam haar camera mee naar de galerie en vroeg Kinsey waar ze het rolletje kon laten ontwikkelen. Kinsey bood aan het zelf te doen. 'Over een uurtje kan ik het klaar hebben,' zei ze.

'Prima. Ik ga even boven kijken of Luke al terug is.'

'Het spijt me.' De secretaresse stak verontschuldigend haar handen omhoog toen Angela naar haar bureau toe kwam lopen. 'Hij is nog niet terug. Ik heb de golfbaan gebeld en hij is er wel geweest, maar niemand weet waar hij daarna heen is gegaan.'

De kale man was verdwenen en Luke liep ook ergens rond. Angela's hart bonsde in haar keel.

'Maak je maar geen zorgen,' zei Eileen. 'Het zal waarschijnlijk niet meer zo lang duren voor hij terugkomt, of anders belt hij wel even. Hij heeft daar vast een collega ontmoet of zo.'

'Als hij komt, wil je me dan bellen? Ik zit in kamer 524. Niet zeggen dat ik hier ben. Ik wil hem verrassen.'

'Prima.' Eileens vriendelijke glimlach deed Angela denken aan haar moeder.

Ze had onderweg naar tante Gabby gebeld en gehoord dat Anna veilig was gearriveerd en nu lekker op de veranda zat. Angela vond het lastig om zoveel dingen tegelijk aan haar hoofd te hebben. Ze had het gevoel dat het een kwestie van tijd was voordat alles tegelijk fout zou lopen. Ze moest Rachel nog bellen, en Callen.

Ze liep snel naar haar kamer om te gaan bellen. Ze moest nog één hoek om, dan was ze bij haar kamer. Ze hoorde een deur dichtgaan en haar hart begon sneller te kloppen. *Rustig, Angela. Er is niemand. Het is hier veilig.* Maar was dat wel zo? De man met Matts naamplaatje kon nog in het hotel zijn en haar opwachten.

Angela schudde haar hoofd. Er hing een vreemde sfeer in de gang, maar er was niemand, behalve een oude man met wit haar en een stok. Angela glimlachte naar hem toen hij haar passeerde en om de hoek verdween. Bij haar kamerdeur gekomen, stak ze de sleutel in het slot en keek nog één keer om zich heen. Toen ze niemand zag, besloot ze dat de kust veilig was.

En als er nu eens iemand binnen is? Angela aarzelde. Had ze maar een vuurwapen bij de hand gehad. Dan zou ze met getrokken pistool naar binnen hebben kunnen gaan. Ze had alleen haar mobiel en haar sleutels. Ze pakte haar sleutelbos en verdeelde de sleutels tussen haar vingers, zodat ze een soort boksbeugel had.

Toen ze de deur opendeed en naar binnenstapte, hoorde ze achter zich iets bewegen. Iemand sloeg een arm om haar keel en trok haar tegen zich aan.

31

Adrenaline pompte door haar aderen. Ze zette haar tanden in de blote arm van haar aanvaller en gaf met haar elleboog een stomp in zijn maag.

Hij gaf een schreeuw en greep haar met zijn andere arm om haar middel vast. Ze trapte hem op zijn voet en draaide zich om, waarbij ze haar sleutels langs zijn gezicht haalde. Hij gaf een schreeuw en liet haar los. Toen strompelde hij weg door de gang.

Angela greep haar mobiel, die samen met de overige inhoud van haar tas op de grond gevallen was, en rende achter hem aan. Ze toetste het alarmnummer in en rende door de smalle gang naar de liften en de trap. Haar aanvaller was verdwenen. Ze deed de deur naar de trap open en hoorde voetstappen. 'Dit is Angela Delaney,' zei ze tegen de telefoniste. 'Ik achtervolg de kale man die zich voordoet als Matt Turlock.' Angela gaf haar locatie. Toen ze via de trap naar de derde verdieping was gerend, hoorde ze geen voetstappen meer. Ze bleef staan. Was hij nog in het trappenhuis of was hij een verdieping op gegaan?

Een verdieping lager vloog een deur open. Ze rende naar beneden. Het waren twee agenten met getrokken pistool. Toen hij haar zag, liet Denham zijn pistool zakken. 'Gaat het, mevrouw Delaney?'

Angela ging hijgend op de trap zitten. 'Hij is ontsnapt. Hij is er daar vast uit gegaan.' Ze wees naar de volgende verdieping.

'Rennen!' blafte Denham tegen zijn partner. 'Ik blijf bij haar.'

De tweede agent rende de trap op.

'Heeft hij je bezeerd?' Denham ging naast haar op de trap zitten.

Ze hijgde nog steeds. 'Ja, maar ik hem nog veel meer.'

'Ik bel de ambulance.'

'Nee. Het gaat wel. Ga maar achter hem aan.'

'Ik denk dat ik beter nog even bij jou kan blijven.' Hij stond op en trok haar overeind. 'We hebben een verklaring nodig. Als je eraan toe bent. Neem gerust de tijd.'

Tranen prikten in haar ogen en Angela verborg haar gezicht in haar handen. 'Hij stond opeens achter me toen ik mijn kamer binnenging. Ik heb in zijn rechterarm gebeten en zijn gezicht opengehaald met mijn sleutels.'

'Goed gedaan.' Hij liep achter haar aan de trap op.

'Ik had hem al verwacht.'

'Dat begrijp ik niet.'

'Ik kreeg een vreemd voorgevoel toen ik door die nauwe gang naar mijn kamer liep. Bovendien heb ik een snelle reactietijd. Een van de beste tijdens de lessen zelfverdediging.' Ze ging op haar eigen verdieping de deur door.

Denham vroeg: 'Enig idee waarom hij achter je aan zat?'

'Hij hield me eerder al in de gaten. Misschien dacht hij dat ik hem had aangegeven bij de politie.'

'Dat was ook zo.'

'Ja. Eh – vind je het goed als ik nog even naar mijn kamer ga voor ik je een formele verklaring geef? Ik heb mijn tas op de grond laten vallen en...'

'Prima. Ik loop even met je mee om te kijken of alles veilig is.'

'Bedankt.'

Toen ze bij haar kamer kwamen, zagen ze dat de sleutel nog in het slot stak en de deur op een kier stond. Haar tas lag op de drempel. Angela duwde de deur open en bukte om haar spullen op te rapen.

'Wat is dit?' Denham ging op zijn hurken zitten en pakte haar portemonnee op en nog iets. Het was een klein zilverkleurig apparaatje.

'Geen idee. Nooit eerder gezien.'

'Het lijkt wel een microfoontje.'

Angela pakte het van hem aan. 'Je hebt gelijk. Iemand moet het in mijn tas hebben gedaan... maar wanneer?'

'Kun je je niet beter afvragen waarom?'

Ik weet best waarom. Angela hield het apparaatje stevig in haar vuist omklemd. Misschien was Kaalkop haar toch niet gevolgd. Misschien had hij gewoon geweten waar ze heen ging omdat hij haar gesprek met Nick had afgeluisterd.

'Er is hier meer aan de hand, of niet soms?' vroeg Denham.

Ze keek hem in de ogen. Durfde ze hem te vertrouwen?

Ze moest wel. Als Kaalkop het microfoontje in haar tas had gedaan, wist hij dat Luke Thomas Sinclair was. Had hij Luke al vermoord? Was zij het volgende slachtoffer? Ze zuchtte. Ze had geen keus. 'Ik ben bang van wel,' zei ze.

Agent Denham stak zijn hand uit.

'Wat wil je?'

'Je kunt het microfoontje beter maar aan mij geven. Bewijsmateriaal.'

Ze knikte. 'Inderdaad.' Ze gaf het hem. 'Is er een manier om erachter te komen waar het vandaan komt? Kun je het naar het lab van de Oregon State Police sturen? Ik denk dat ik nog in Sunset Cove was toen het in mijn tas werd gedaan.'

'Dat moet ik even aan mijn baas vragen.'

Angela ging haar kamer binnen. Alles leek nog op zijn plek te staan. 'Vind je het erg als ik me even ga opfrissen?'

Opfrissen? Wat was dat nu weer voor uitdrukking? Het klonk zo ouderwets. Dat was ongetwijfeld haar moeders invloed. Ze moest alleen maar even naar het toilet.

Angela waste haar gezicht en probeerde weer een beetje tot rust te komen. Ze had Callen nog niet gebeld. Misschien vond Denham het niet erg om nog iets langer te wachten. Hij leek nu wat vriendelijker en ze merkte dat hij bewondering had voor de manier waarop ze haar aanvaller had afgeweerd.

Ze liep de badkamer uit en vroeg of hij nog even wilde wachten tot ze een paar telefoontjes had gepleegd. 'Anders maken mensen zich ongerust,' zei ze.

'Nee hoor, ga je gang. Maar ik heb eerst slecht nieuws voor je.' Hij stond met zijn rug naar haar toe uit het raam te kijken. Toen draaide hij zich om. 'We hebben de man niet kunnen vinden.'

'Hoe kan dat? Ik heb het allemaal niet zelf verzonnen!'

'Dat zegt niemand. Het is hier nogal groot. Misschien is hij in de richting van het meer gegaan of via de achteringang of door de conferentieruimte. Het spijt me.'

Geweldig. Dus Kaalkop, alias de tuinman, was nog op vrije voeten.

32

De spion stoof zijn motelkamer binnen en sloeg de deur achter zich dicht. Hij leunde hijgend tegen de deur. Woedend klemde hij zijn kiezen op elkaar. Hij had drie kilometer moeten rennen naar zijn motel en was met elke stap kwader geworden. Hij zou dat mens van Delaney krijgen, al betekende dat zijn dood. En hij hoefde er niet eens geld voor te hebben. Elk scheldwoord dat hij kon bedenken, slingerde hij in gedachten naar haar hoofd, terwijl hij zich op het bed liet vallen. Even later stond hij alweer overeind. Hij liep naar de badkamer om de schade op te nemen. Zijn arm deed pijn waar ze hem had gebeten. Er zat bloed aan en op zijn gezicht ook. Dat werden vast littekens. Die had hij nog niet, tenminste niet op zichtbare plekken.

Misschien moest hij de zaak gewoon laten rusten. Laat zijn contactpersoon zelf Delaney maar uit de weg ruimen. Hij had zijn tien ruggen al binnen. Als hij nu zou vertrekken naar Mexico…

Nee, tienduizend dollar had hij er zo doorheen gejaagd.

Hij had de rest van het geld ook nodig. En hij wilde Angela Delaney te pakken krijgen.

Hij draaide de kraan van de douche open en toen het water warm was, stapte hij eronder. De open wondjes brandden en dat maakte hem nog vastberadener dan hij al was. Die vrouw had hem voor het leven getekend, en daar zou ze voor boeten.

Maar hoe moest hij zich nu vermommen? De politie zou

op zoek zijn naar een kale man met drie krassen op zijn linkerwang en een beet in zijn rechterarm. Misschien kon hij een soort make-up kopen om de krassen op zijn gezicht mee te camoufleren. Hij moest naar een drogisterij. Als hij het zich goed herinnerde, was er een paar straten verderop een. Hij deed een T-shirt met lange mouwen en een spijkerbroek aan en een pet op zijn hoofd. Had hij zijn hoofd maar niet kaalgeschoren.

Hij liep zijn kamer uit en slenterde met zijn handen in zijn zakken nonchalant naar de winkel toe, terwijl hij de mensen en auto's om zich heen goed in de gaten hield. Geen politie. Hopelijk waren ze allemaal nog in het hotel aan het zoeken.

Het was erg dom geweest om te denken dat Angela Delaney met hem had staan flirten. Hij had moeten weten dat ze hem door zou hebben, omdat ze zelf agente was. Hij had niet moeten zeggen dat hij nieuw was toen hij met haar had staan praten. Eén blik op het naamplaatje was genoeg geweest. Stom, stom, stom.

In de drogisterij zei hij tegen een vrouw die bij de zelfzorgmedicijnen stond dat de kat hem in zijn gezicht had gekrabd. Wist ze misschien wat hij eraan kon doen?

'Goed schoonhouden. Dat is eigenlijk alles.'

'Maar ik moet vanavond naar een feestje, en...'

Ze glimlachte. 'U wilt het camoufleren?'

'Als dat kan, graag.'

'Natuurlijk kan dat.' Ze liet hem wat make-up en poeder zien. Hij bedankte haar en kocht nog wat andere make-upartikelen. Opeens kreeg hij een prachtig idee. Hij slenterde door de winkel en zag een paar pruiken in een bak met aanbiedingen liggen. Hij pakte en blonde pruik en liep met al zijn boodschappen naar de kassa. De caissière, een jonge vrouw met een heleboel oorringen en een neuspiercing, keek in zijn mandje en toen naar hem. 'Ben je travestiet of zo?'

'En wat dan nog?'

Ze haalde haar schouders op.

Hij ging weer naar buiten en liep zo snel hij durfde terug naar het motel.

'Een geniaal idee,' zei hij even later tegen zichzelf in de spiegel. Hij kon zo prima voor een vrouw doorgaan. Hij grinnikte. De make-up had de schrammen in zijn gezicht onzichtbaar gemaakt, tenzij je van heel dichtbij keek.

'Pas maar op, Angela Delaney. Ik kom achter je aan, en dit keer zul je me niet zo gemakkelijk herkennen.'

33

Angela toetste Callens telefoonnummer in. Ze zag een beetje tegen zijn reactie op als hij hoorde dat ze in Idaho was. 'Eindelijk!' Hij klonk ongerust. Was hij er op de een of andere manier achtergekomen waar ze mee bezig was?

'Het spijt me. Ik heb het nogal druk gehad.'

'Dat heb ik gehoord, ja.'

'Hoe bedoel je?'

'Kath zei dat je wat spullen had ingepakt en ergens naar onderweg was. Ik vermoedde dat je op zoek was naar Luke. Al iets gevonden?' De irritatie in zijn stem had plaatsgemaakt voor interesse.

'Ja. Ik heb hem zelfs gevonden.'

'Heb je hem al gesproken? Weet hij dat de politie hem zoekt?'

'Dat weet hij, maar ik heb hem nog niet gezien. Dat is een deel van het probleem.' Angela vertelde hem over haar gesprekken met Nick, hoe ze Luke had weten te vinden en haar ontmoeting met Kinsey. 'Luke weet niet dat ik hier ben en hij is niet te vinden. Ik ben bang dat er iets met hem gebeurd is.' Toen vertelde ze hem over het microfoontje dat ze in haar tas had gevonden en haar onderonsje met de neptuinman van de begraafplaats. 'Hij droeg het naamplaatje van een vermiste werknemer. Ik durf haast niet te denken aan wat er met hem gebeurd kan zijn.'

Callen zuchtte. 'Angela, Angela. Het lijkt wel of je problemen aantrekt.'

Ze ergerde zich aan de toon van zijn stem. 'Waar slaat dat op?'

Hij zuchtte nog eens. 'Nergens op. Het spijt me. Wil je dat ik naar je toe kom?'

'Ik zie niet in wat voor verschil dat zou maken. Je hebt hier geen jurisdictie en –'

'Het was meer bedoeld als morele steun. Die cursus komt later wel.'

'O. Ik zou je graag bij me willen hebben, maar je moet lesgeven en er wordt op je gerekend. Misschien zit ik hier nog wel als je klaar bent. Je kunt me via de telefoon ook steunen.'

'Heb je de politie ingelicht?'

'Ja. Agent Denham staat op me te wachten. Ik moet een verklaring afleggen.'

'Ga je hen alles vertellen?' Het was meer een verzoek dan een vraag.

'Zoveel als ik weet.' Ze aarzelde even, maar Callen zei niets meer. 'Ben je boos op me?'

'Ja, maar daar hebben we het later nog wel over. Wees voorzichtig.' Er was wat geruis op de lijn. 'Wie is de politie-commissaris daar?'

'Sam Warren. Hoezo?'

'Ik zal hem de naam van de rechercheur hier even door-geven. Het ziet ernaar uit dat er het een en ander kortgeslo-ten moet worden.'

'Succes.' Angela keek naar Denham, die een verbijsterde uitdrukking op zijn gezicht had. Hij vroeg zich waarschijn-lijk af wat hij zich nu weer op de hals had gehaald.

Toen ze nogmaals had beloofd dat ze voorzichtig zou zijn, hing ze op. Toen belde ze naar Rachel en daarna naar haar moeder, maar bij haar tante Gabby nam niemand op. Ze liep naar de agent toe en zei: 'Ik ben klaar.'

Hij raadde haar aan een jas mee te nemen. 'Het kan hier 's nachts behoorlijk koud zijn.'

'Bedankt voor de tip.' Ze pakte een jas en hing hem over haar arm. Ze controleerde of haar sleutelkaart in haar tas zat en trok toen de deur achter zich dicht.

'Je kunt beter om een nieuwe kamer vragen,' zei Denham. 'Voor het geval die vent terugkomt.'

Daar had je dat toontje weer – alsof hij dacht dat ze het hele verhaal zelf had verzonnen. Maar Angela kon het hem niet kwalijk nemen dat hij sceptisch was.

Het duurde bijna een uur voordat Angela de politie op de hoogte had gebracht van de situatie, beginnend bij Luke's verdwijning. Het voelde alsof ze hem verraadde, toen ze vertelde dat Thomas Sinclair niet alleen erg op de man op de foto leek, maar ook daadwerkelijk Luke Delaney was. 'Voor zover wij weten, heeft Luke de lijken in die hotelkamer ontdekt en werd hij gedwongen om te verdwijnen. De huurmoordenaar dreigde zijn familie te vermoorden als hij het iemand zou vertellen. We weten zeker dat Luke niets te maken had met de moord op die twee mannen.'

'Wij? U en wie nog meer?' Commissaris Warren ondervroeg Angela persoonlijk. Hij had al een arrestatiebevel uitgevaardigd tegen Thomas Sinclair.

'Nick Caldwell, Luke's beste vriend en agent bij de politie van Sunset Cove. En Kinsey. Hoe dan ook, Luke is even aan de oppervlakte gekomen om onze vader een bezoek te brengen toen hij hoorde dat die een hartaanval had gehad, en later was hij ook op de begrafenis. Ik herkende hem niet, maar Nick wel. Luke heeft Nick gevraagd om zijn mond te houden, want als de moordenaar uit Florida hoorde dat hij

185

met iemand uit zijn verleden had gepraat, zou ik waarschijnlijk het eerste slachtoffer worden. Wat geen van ons toen wist, was dat een man die zich voordeed als tuinman op de begraafplaats Luke ook herkend moest hebben.'

'Klopt dit?' vroeg de commissaris aan Kinsey, die er inmiddels ook bij was gekomen.

Kinsey knikte. 'Ik was de enige die de waarheid wist. Thomas wilde dat ik het hele verhaal kende. Hij heeft jarenlang geworsteld met de vraag of hij de juiste beslissing had genomen. Zodra hij naar de begrafenis ging in Sunset Cove, begon de ellende. Zijn beste vriend werd neergeschoten en voor dood achtergelaten.' Ze liet haar hoofd hangen. 'Ik ben bang dat Thomas nu aan de beurt is. Help hem alstublieft.'

'We zullen ons best doen.' Er stond medelijden in Warrens ogen te lezen. 'Ik wou dat Thomas naar mij toe gekomen was.'

'Daar hebben we het wel over gehad. Vooral na wat er met Nick gebeurd was. We hoopten dat het allemaal los van elkaar stond, maar...' Ze keek naar Angela. 'Er moet wel een verband bestaan.'

'Nick heeft het overleefd en de neptuinman geïdentificeerd als de man die hem heeft neergeschoten,' zei Angela. 'Ik weet zeker dat de man met het naamplaatje van Matt Turlock dezelfde is, en dat hij mij ook heeft aangevallen. Ik heb een paar foto's van hem gemaakt.'

Kinsey haalde een pakketje uit haar tas. 'Hier heb ik ze.'

De politiecommissaris nam het mapje van haar aan en haalde er twee foto's uit.

'Ik wilde ze naar Nick faxen, zodat hij de man kon identificeren,' zei Angela.

'Dat kunnen we wel doen, ja.' De commissaris maakte een aantekening. 'Ik ben gebeld door rechercheur Callen

Riley, die me vertelde dat hij tot voor kort de leiding had in deze zaak. Inmiddels is alles overgedragen aan rechercheur Downs. Ik zal Downs bellen als we hier klaar zijn. Is er nog iets anders?'

'Helaas wel,' zei Angela. 'Ik denk dat die tuinman ook een verslaggeefster heeft vermoord die foto's maakte op mijn vaders begrafenis. Haar huis wordt nog onderzocht. Ik denk dat de moordenaar op zoek was naar bezwarend bewijsmateriaal.'

'Zoals een foto waaruit blijkt dat hij op de begrafenis was.'

'Precies. Hij is goed in vermommingen, maar hij heeft een mager, hoekig gezicht. Daarom viel hij me in het vakantiecentrum op.'

'Denkt u dat hij Thomas gevonden heeft?'

Angela wreef over haar voorhoofd. 'Ik weet het niet. Ik weet alleen dat agent Denham en ik een microfoontje in mijn tas hebben gevonden. Ik denk dat het erin gedaan is voordat ik uit Sunset Cove vertrok. Rond die tijd hebben Nick en ik nog een gesprek gehad. Uit wat Luke hem had verteld, meende Nick te kunnen afleiden dat hij hier zou zijn.'

Commissaris Warren zuchtte. 'Goed denkwerk. Trouwens, ik heb gehoord dat u aangevallen bent. U lijkt prima te weten hoe u zichzelf moet verdedigen. Helaas is hij toch nog ontsnapt.'

'Daar baal ik ook van,' zei Angela. 'Die man is gevaarlijk.'

'Bent u nog steeds met verlof?'

'Ja.'

'En u werkt als privédetective?'

'Ja.'

'Hmm. Hoe bekwaam u ook bent, ik denk dat het toch

beter is als u het onderzoek verder aan de politie overlaat.'

Angela wist niet of ze de politie wel kon vertrouwen als ze Luke gearresteerd hadden. Zouden ze hem uitleveren aan Florida? Zou hij voor moeten komen?'

Agent Denham kwam binnen en fluisterde iets over Sinclairs auto.

De commissaris fronste zijn wenkbrauwen en keek naar de twee vrouwen. 'Thomas' auto is gevonden op de parkeerplaats bij de golfbaan. Hij is twee uur geleden vertrokken met een zwaargebouwde man.'

Kinsey gaf een gil.

'Er zijn nog geen aanwijzingen dat er iets niet klopt,' zei Denham. 'De getuige zegt dat het leek of ze vrienden waren.'

Zwaargebouwd? Angela fronste haar voorhoofd. 'De man die mij aanviel was absoluut niet zwaargebouwd. Misschien is Luke toch niet in gevaar.'

'Maar het is niets voor Thomas om zolang weg te zijn zonder mij te bellen.' Kinsey keek op haar horloge. 'Ik moet Marie ophalen. Mag ik weg?'

'Natuurlijk.' Sam Warrens gezicht stond bedenkelijk. 'Mevrouw Delaney, u bent ook vrij om te gaan. Als u iets van Thomas hoort, laat het ons dan alstublieft weten.'

'Houdt u ons op de hoogte?' vroeg Kinsey.

'Zodra we iets horen, zullen we contact met u opnemen.'

Angela was met agent Denham meegereden naar het gerechtsgebouw en reed nu met haar schoonzus naar het kinderdagverblijf.

'Ik ben laat. Hopelijk vindt Jennifer het niet erg.'

'Het spijt me zo.' Angela haalde haar zonnebril uit haar tas, omdat ze recht tegen de ondergaande zon in keken.

'Jij kunt er niets aan doen. Thomas had niet op bezoek moeten gaan bij zijn vader in het ziekenhuis en niet naar de begrafenis moeten gaan. Hij wist hoe gevaarlijk die man was.'

'Misschien is het niet zo erg dat alles nu openbaar wordt,' zei Angela. 'Luke is al jaren op de vlucht en zijn vertrek heeft onze familie veel verdriet gedaan. Ik ben blij dat mijn vader wist dat Luke nog leefde toen hij stierf.'

'Je hebt wel gelijk. Ik weet dat ik egoïstisch ben, maar...' Tranen welden op in haar ogen en gleden langs haar wangen naar beneden. 'Ik ben gewoon bang.' Kinsey depte haar ogen met een tissue.

'Ik ook, maar we kunnen nu niet veel meer doen dan bidden dat de politie de moordenaar te pakken krijgt voordat hij Luke vindt.'

'Als dat niet al gebeurd is.' Kinsey haalde diep adem in een poging haar emoties weer onder controle te krijgen.

'Heb je enig idee met wie Luke van de golfbaan is vertrokken?' vroeg Angela. 'Het lijkt er niet op dat hij in gevaar is. De man die we zoeken is mager en Luke is gezien met een zwaargebouwde man.'

Kinsey schudde haar hoofd. 'Geen idee wie dat kan zijn.

De helft van alle mannen is zwaargebouwd.' Ze verfrommelde de tissue in haar hand. 'Ik hoop dat je gelijk hebt, dat Thomas niet in gevaar is. Maar zelfs als dat zo is, wat gaat er nu met ons gebeuren? Thomas heeft geen keus – hij moet zich nu wel overgeven. We weten allebei wat dat betekent. Hij wordt verdacht van moord en er gaan geruchten dat hij smeergeld heeft aangenomen van de gebroeders Penghetti. Wat er ook gebeurt, ons leven zal nooit meer hetzelfde zijn.' Angela reageerde niet. Wat kon ze zeggen? Ze leefden in een land waar mensen onschuldig horen te zijn tot het tegendeel bewezen is. Maar de pers zou Luke al kunnen veroordelen voordat hij daadwerkelijk voor moest komen. Negatieve publiciteit zorgde ervoor dat mensen hun baan en hun reputatie verloren. Dat wist Angela uit ervaring.

Kinsey parkeerde de auto en deed het portier open. 'Zeg alsjeblieft niets tegen Marie over Thomas. Ik zeg wel dat hij moest overwerken. Wie weet? Misschien is dat ook wel zo.'

Angela knikte. 'Ik wacht hier wel.' Nu de adrenaline uit haar lichaam was weggeëbd, voelde ze zich vreselijk moe. Was het de juiste beslissing geweest om de politie over Luke te vertellen?

Waar ben je, Luke? Ben je weer ondergedoken? Wie was die man op de golfbaan? Nu ze haar broer gevonden had, had ze meer vragen dan ooit.

Kinsey kwam uit het kinderdagverblijf naar buiten met een grappig klein meisje aan de hand. Marie huppelde naast haar moeder mee met een glimlach op haar gezichtje, alsof er geen problemen bestonden. Ze had Kinsey's ogen, maar ze deed Angela ook denken aan Tims dochters. Hun vaders waren tenslotte broers. Kinsey deed het achterportier open en Marie klom de auto in, ging in haar stoeltje zitten en klikte zelf haar gordel vast. 'Ik ben al een grote meid,' zei ze tegen Angela. 'Mama zegt dat jij Angela heet.'

Angela draaide zich om op haar stoel om haar nichtje beter te kunnen zien. 'Ja, dat klopt.'

'Mijn mama zegt dat jij mijn tante bent.'

Angela keek naar Kinsey en glimlachte. 'Dat klopt ook.'

'Ik wist niet dat ik nog een tante had. Ik dacht dat ik alleen tante Barbara had, de zus van mijn mama.'

'Nou, ik ben de zus van je papa.'

'Leuk.' Ze stak haar hand in haar rugzak en haalde er een

tekening uit. 'Wil je zien wat ik vandaag voor mijn papa getekend heb?'

'Graag.' Angela glimlachte om de wirwar van kleuren op een verfomfaaid stuk papier. 'Prachtig.'

'Ja, dat vind ik ook.' Ze gooide de tekening op de grond. 'Als ik groot ben, gaat mama mijn schilderijen verkopen in de galerie.'

Kinsey reed achteruit de parkeerplaats af. 'Ik dacht dat je misschien wel bij ons zou willen eten,' zei ze.

'Ja, graag. Bedankt.' Angela vermoedde dat Kinsey graag wilde dat ze na het eten ook nog bleef. Ze wilde liever niet alleen zijn. Angela wilde ook graag tijd doorbrengen met haar nieuwe familie. Bovendien wilde ze erbij zijn als Luke thuiskwam.

Toen Luke om negen uur 's avonds nog niet was komen opdagen, vond Angela het beter om terug te gaan naar het hotel. Ze moest nog een andere kamer regelen en haar spullen verhuizen voordat ze te moe was om haar ogen open te houden. Kinsey zette de slaperige Marie in het autostoeltje en reed terug naar het hotel. Ze haalde een envelop uit haar tas. 'Een vip-pakket. Je kunt kosteloos in een van onze suites overnachten en gratis ontbijten en dineren. Er zit een briefje bij waarin ik uitleg dat je onze gast bent.'

Angela bedankte haar en een halfuur later was ze met hulp van een hotelbediende geïnstalleerd in een van de elegante suites op de bovenste verdieping. 'Wat is het toch handig als je broers in de hotelbusiness hebt,' mompelde ze.

Ze zette de televisie aan en kleedde zich om in haar pyjama. Om tien uur was het journaal en ze zette het volume wat hoger. Misschien waren er nog nieuwe ontwikkelingen. De nieuwslezer zei niets over Luke. Dat betekende dat commissaris Warren die kant van de zaak nog verborgen wilde houden. Er werd wel verteld dat Matt Turlock, een werknemer in het hotel, vermist werd. Er werd een signalement van de magere, kale man gegeven die in het kader van het onderzoek gezocht werd door de politie.

Angela deed de televisie uit en het licht ook. Toen ging ze in een stoel naast het raam zitten uitkijken over het meer. Hoe was haar familie in een dergelijke chaos terechtgekomen? Wat er nu ook gebeurde, Angela zou haar moeder over Luke moeten vertellen. Het verbaasde haar dat haar moeder zijn foto nog niet gezien had op het nieuws of in de krant, maar sinds haar vaders dood was haar moeder niet bijster geïnteresseerd geweest in het nieuws. Toen Luke's foto in de krant stond, was haar moeder druk bezig met de voorbereidingen voor haar reis naar Californië. Voor de zekerheid had Angela de betreffende pagina toch maar uit de krant gescheurd voordat ze hem in de keuken liet liggen.

Anna Delaney was een sterke vrouw. Zelfs toen Frank ziek werd en uiteindelijk stierf, had ze vastgehouden aan haar geloof, in de wetenschap dat God haar erdoorheen zou helpen. Haar moeder zou het wel redden, maar hoe zou ze het nieuws verwerken dat Luke al die jaren in leven geweest was? Het zou haar niet verbazen. Ze had vaak gezegd dat Luke vroeg of laat weer thuis zou komen. Angela wist dat Anna dagelijks voor Luke bad, zoals ze deed voor al haar kinderen.

Ze mocht haar moeder dit nieuws niet onthouden, maar het leek ook niet goed om haar ermee te belasten. Hoeveel kon iemand aan? En wat moest ze zeggen? 'Hoi, mam, ik heb Luke gevonden. Hij woont in Idaho met zijn vrouw en dochtertje. Maar nu is hij weer vermist en er zit een moordenaar achter hem aan.'

Angela zuchtte en sloot haar ogen. Over één ding had ze gelukkig een goed gevoel – dat ze alles aan Callen had verteld. Ze hoopte dat hun relatie er niet onder zou lijden dat ze hem niet had verteld dat ze van plan was hierheen te gaan. Hij moest weten dat hij haar kon vertrouwen. Niet dat ze tegen hem gelogen had – ze had alleen wat informatie voor hem achtergehouden.

Angela pakte de telefoon. Ze wilde Nick en Rachel even bijpraten. Ze vermoedde dat Nick niet meer in het ziekenhuis lag en belde zijn thuisnummer. Hij nam bijna meteen op en Angela vertelde hem wat er allemaal gebeurd was.

'Het spijt me, Nick,' zei Angela. 'Ik moest de politie alles wel vertellen.'

'Maak je maar geen zorgen. Joe zal me de huid wel vol schelden, maar ik ga voorlopig toch nog niet werken.'

'Ik ben blij dat het nu allemaal openbaar is, maar nu Luke weer vermist is, weet ik niet wat ik ervan moet denken.'

'Ik weet dat dit vervelend klinkt, Angela, maar misschien is Luke er gewoon weer vandoor gegaan.'

'Hij heeft nu een vrouw en kind. Dat zie ik hem niet zomaar doen.'

'Misschien toch wel, als hij het idee had dat ze in gevaar waren. Controleer zijn bankrekening maar. Als er geld is opgenomen, kun je er vanuit gaan dat hij is vertrokken. Voor zover wij weten heeft hij twee keer een andere identiteit aangenomen, dus hij weet hoe het moet.'

Angela probeerde de pijnlijke brok in haar keel weg te slikken. 'Ik heb hem echt op een haar na gemist. O, Nick, Kinsey is zo aardig en zijn dochtertje, Marie...' Tranen rolden over haar wangen en ze veegde ze weg met de mouw van haar pyjama. 'Het is zo'n leuk grietje. Ik weet zeker dat Luke hen niet in de steek zou laten.'

'Misschien niet voorgoed, maar zoals ik al zei, is hij misschien weggegaan om hen juist te beschermen. Hou je taai, Angie. Het komt allemaal wel goed. Vertrouw hem nou maar. Of nog beter – vertrouw op God.'

'Ja,' zei ze. 'Dat probeer ik ook.'

'Als hij niet binnen 24 uur opduikt, schakelen ze vast de FBI in.'

'Ja. Ik hoop dat ze zo lang niet meer wachten. Het kost allemaal zoveel tijd. Ik moet me erbuiten houden, maar ik weet niet of dat wel lukt.'

'Ik begrijp het. Je zou natuurlijk kunnen proberen wat te ontspannen op de golfbaan.'

'Dat zou inderdaad kunnen. En ik kan vragen of Kinsey even de bankrekening controleert of er geen vreemde bedragen zijn afgeboekt met hun creditcard.'

'Dat klinkt goed.'

'Hoe gaat het eigenlijk met jou?'

'Niet zo best. Ik wou dat ik nog een dag langer in het ziekenhuis was gebleven. Maar maak je geen zorgen, de jongens zorgen goed voor me. Joe laat me dag en nacht bewaken en ik word van alle gemakken voorzien.'

'Mooi.'

'Je moeder belde vandaag. Ze was naar je op zoek. Ik denk dat we het haar moeten vertellen. Ze weet dat er iets gaande is.'

'Hoe moet ze dat weten? Jij hebt haar toch niets verteld?'

'Nee, maar je kent je moeder toch? Ze heeft een antenne voor dat soort dingen. Bij haar kon je nooit iets stiekem doen. Hoe dan ook, ze maakt zich ongerust omdat je de telefoon niet opneemt thuis.'

'Ze kan ook mobiel bellen.'

'Dat heeft ze ook geprobeerd. Die nam je ook niet op.'

Angela kreunde. 'O, nee. Die is zeker leeg. Gisteravond vergeten op te laden.'

'Dan kun je haar maar beter even bellen.'

Angela hing op, zette haar mobiel in de oplader en belde het nummer van haar tante in Californië.

Haar tante nam op. 'Hoi, Angela. Ik ben zo blij dat je belt. Je moeder maakt zich ongerust. Ik zei dat je vast een afspraakje had of zo, maar daar trapte ze niet in.'

'Geen afspraakje, maar ik heb het druk gehad en ik was vergeten mijn mobiel op te laden.'

'Waarom kom je ook niet een paar dagen hierheen, Angela? Dat zouden we erg leuk vinden.'

'Ik op zich ook wel, maar op het moment gaat dat niet.'

Toen haar moeder aan de lijn kwam, verontschuldigde Angela zich dat ze haar mobiel niet had opgeladen. 'Ik heb vanmiddag geprobeerd u te bellen, maar toen was u er niet, en sindsdien heb ik het nogal druk gehad.'

'Waarmee dan?'

'Gewoon, van alles.' *Op bezoek gaan bij mijn schoonzus en mijn nichtje.* Angela wilde haar moeder graag vertellen over Luke en zijn gezin, maar daar was het nog te vroeg voor. Haar moeder zou meteen over willen komen en dat was niet veilig. 'Waar houdt u zich zoal mee bezig? Dent u al wezen winkelen?'

'Morgen. We gaan de stad in op koopjesjacht.'

'Leuk. Koopt u ook iets voor mij?'

'Natuurlijk. Ik neem toch altijd iets voor je mee?' Haar moeder klonk ontspannen en vrolijk.

Ze praatten nog even over Gabby's gezin en daarna namen ze afscheid. Toen belde Angela Rachel.

'Eindelijk!' Rachel klonk overstuur.

'Is er iets?'

'Er is een heleboel. Paul belde vanmiddag. Angela, er is iets heel vreemds aan de hand.'

'Zijn ze nog in Florida?'

'Ja, in het hotel. Je gelooft het niet als ik het zeg, maar ze hebben een van de Penghetti's ontmoet.'

34

'De Penghetti's?' De naam bezorgde haar ijskoude rillingen.
'Waarom?'
'Luister maar, dat komt zo. Er arriveert een limousine bij het hotel. Een lange vent in een maatpak stapt uit en vraagt naar Peter en Paul. Hij zegt dat zijn baas hen wil spreken over Luke Delaney en dat ze met hem mee moeten komen.'
'Hebben ze dat gedaan? Zomaar?'
'Ik kan het ook niet geloven, maar dat hebben ze gedaan. Het lijkt wel een maffiafilm. Ze zijn gewoon ingestapt. Ik zei al tegen Paul dat dat het stomste is wat ze konden doen. Ze hadden hen met een molensteen om hun nek zo in zee kunnen gooien.'
Angela grinnikte, hoe ernstig de situatie ook was.
'Uiteindelijk liep alles goed af. Ze werden naar een prachtige plantage gebracht en behandeld als vorsten. Het was het huis van Bobby Penghetti.'
'Een van de broers die de staat strafrechtelijk wilde vervolgen voordat Luke verdween.'
'Precies. Penghetti vroeg de jongens of ze iets wisten over die zaak of wat er met Luke gebeurd was.'
'Heb je tegen Paul verteld dat ik Luke gevonden heb?'
'Ja. Dat was zeker niet zo slim.'
'Ik denk niet dat hij het tegen Penghetti heeft verteld.'
Angela fronste haar wenkbrauwen. Zouden Peter en Paul nu naar Idaho komen? Zij werden ook in de gaten gehouden. Het beviel haar allerminst.

'Terug naar het verhaal,' zei Rachel. 'Penghetti zegt dat hij denkt dat Luke nog leeft en met hen wil praten. De jongens waren er nogal van ondersteboven. Paul zei dat hij niet wist of ze daar nog wel levend vandaan zouden komen. Even later gaat Bobby naar binnen en zijn zoon, Bernard, bedankt hen voor het bezoek. Hij zegt dat hij hoopt dat ze de waarheid verteld hebben, omdat zijn vader niet van leugenaars houdt. Dat is nog eens een subtiel dreigement, vind je niet?'

Rachel had gelijk. Het leek inderdaad wel een scène uit een maffiafilm. Ze dacht weer aan de tuinman en vroeg zich af of hij bij de organisatie van de gebroeders Penghetti hoorde. Het was waarschijnlijker dat hij een huurmoordenaar was. Ze wilde dat ze een foto had van de man met zijn donkere haar om te zien of hij leek op een van de mannen op de familiefoto van de Penghetti's. Hij was te jong om een van de broers zelf te zijn, maar misschien dan een zoon, of een neef. Angela kon zich wel voorstellen dat Bobby's zoon het vuile werk van zijn vader opknapte, of dat hij iemand in zou huren om dat voor hem te doen.

De Penghetti's hadden misschien geprobeerd Nick dood te schieten en daarna de verslaggeefster vermoord. Misschien hadden zij die bombrief gestuurd en op de een of andere manier dat microfoontje in haar tas gedaan. Maar als de gebroeders Penghetti wisten waar Luke was, waarom vroegen ze het dan aan Peter en Paul?

Angela vertelde Rachel wat zij had meegemaakt en belde daarna haar tweelingbroers. Toen ze het antwoordapparaat kreeg, liet ze een berichtje achter. 'Ik hoop dat jullie de gebroeders Penghetti niet hebben verteld waar Luke zit. Als ze Luke zoeken, zullen ze jullie in de gaten houden. Dus blijf waar je bent. Ik houd jullie op de hoogte.'

Angela ging naar bed. Het leek wel of ze met een reuzen-octopus worstelde. Elke keer als ze dacht dat ze één tentakel te pakken had, werd ze door een andere vastgegrepen. Alle spieren in haar lichaam waren gespannen. Misschien kon ze zich morgenochtend laten masseren, hoewel ze betwijfelde of dat in deze situatie wel effect had.

Ze kon niet slapen. Ze bleef maar piekeren over de informatie die ze tot dusver had verzameld. Ze voelde zich deels gerustgesteld door het feit dat de gebroeders Penghetti blijkbaar nog naar Luke op zoek waren. Dat betekende dat zij hem in ieder geval nog niet te pakken hadden. Hopelijk zouden haar tweelingbroers niet proberen om naar Idaho te komen.

Toch kon ze niet loskomen van het gevoel dat iemand Luke had ontvoerd van de golfbaan. Maar wie? En waarom? Ze had Kinsey gevraagd te bellen als ze iets van Luke hoorde, maar tot nu toe was er nog niet gebeld.

God, bescherm hem alstublieft. Angela herhaalde die woorden in haar hoofd tot ze rond één uur eindelijk in slaap viel.

Angela werd wakker van de zon die door haar raam scheen en de telefoon die rinkelde. Slaapdronken liep ze erheen.

'Met Kinsey.'

Opeens was ze klaarwakker. 'Is hij thuisgekomen?'

'Nee. Ik ga naar kantoor. Ik wilde eerst hier blijven, maar het is vreselijk om te moeten zitten wachten. Bovendien is het beter voor Marie als alles gewoon doorgaat zoals altijd.'

'Ik heb gisteravond Nick gesproken en hij zei dat ik moest vragen of er bedragen van jullie creditcard zijn afgeboekt.'

'Denkt hij dat Luke ervandoor is?' Angela hoorde Kinsey's stem even haperen.

'Mogelijk. Ik denk niet dat Luke jou en Marie achter zou laten, maar misschien denkt hij dat het beter is om even onder te duiken. Wie weet?'

'Ik zoek het wel even op.'

'Als hij een creditcard gebruikt, kunnen we zien waar hij is.' Angela haalde een hand door haar haren. Het was negen uur.

'Als hij geld heeft opgenomen, zeg ik dat niet tegen de politie,' zei Kinsey.

En als ik het daar niet mee eens ben, vertel je het mij ook niet.

'Goed, maar als je het mij vertelt, ga ik er achteraan. Als er geld is opgenomen, kan ik uitzoeken waar dat is geweest. Ik ga vanmorgen naar de golfbaan – kijken of de getuige die Luke heeft zien vertrekken misschien nog een beter signalement kan geven van die andere man.'

'Is dat wel verstandig? Commissaris Warren zei dat je je niet met het onderzoek bezig mag houden.'

'Ik ga alleen maar even kijken en doe alsof ik golflessen wil nemen.'

'Bedankt, Angela,' zei Kinsey. 'Kom eerst nog even bij mij langs. Ik ben over een halfuur in de galerie.'

'Goed.'

Angela nam een douche en deed een witte korte broek en een blauw truitje aan. Ze zou bij een van de winkeltjes in de lobby even een witte zonneklep kopen. Ze liep naar de lobby en ging even bij Kinsey langs.

'Hij heeft geen cent opgenomen en de creditcard niet gebruikt,' zei Kinsey tegen Angela toen ze de galerie binnenkwam. 'Hoe vreselijk ik het ook zou vinden als hij vertrok, ik had eerlijk gezegd gehoopt dat hij het wel had gedaan. Dan wist ik tenminste zeker dat hij veilig is. Nu ben ik bang dat er iets vreselijks met hem gebeurd is.'

Angela omhelsde haar schoonzus. 'We moeten blijven hopen.' Dat was gemakkelijker gezegd dan gedaan. 'Zie ik eruit alsof ik ga golfen? Ik heb het nog nooit gedaan.'

'Je ziet er prima uit. Als je golfclubs gaat huren, moet je gewoon zeggen dat je nieuw bent, dan leggen ze alles wel uit.'

'Hoe moet ik er eigenlijk komen?' vroeg Angela.

Kinsey aarzelde. 'Misschien kun je het beste even met de boot over. Er gaat elke paar minuten een watertaxi vanaf het hotel, hier buiten op de pier.' Kinsey wees naar de uitgang aan de kant van het meer.

'Goed. Ik neem mijn mobiel mee, dus als je iets hoort...'

'Dan bel ik.'

Angela liep naar de pier. De watertaxi was gemakkelijk te vinden – een mooie boot, afgewerkt met hout. Er zaten al drie mensen in te wachten. Een jong stel dat eruitzag alsof ze pas getrouwd waren en een man van middelbare leeftijd met blond haar, een diep gebruinde huid, een bierbuikje en een duur uitziende set golfclubs. Hij knikte en glimlachte naar haar toen ze aan boord stapte. Ze ging achterin zitten, terwijl ze bedacht dat haar haren waarschijnlijk één grote klittenbos zouden zijn als ze bij de golfbaan aankwam. Niet dat dat ertoe deed – ze vond het prettig als de wind in haar gezicht blies en fijne waterdruppels op haar huid spatten.

Een jonge vrouw in een korte broek en een rood shirt met het logo van het hotel ging aan het stuur zitten. Ze begroette iedereen en startte de motor, waarna ze de haven uit voeren naar open water. Ze wees naar een aantal bezienswaardigheden die ze passeerden. Angela kon haar slecht verstaan boven het geluid van de motor en het water. Ze keek toe hoe een deltavlieger boven het meer zweefde.

'Lijkt dat je wel leuk?' vroeg de man met de golfclubs.

'Ja, ik zou het wel eens willen proberen.'

'Moet je doen. Mijn zoon is er helemaal aan verslingerd.'

Angela glimlachte naar hem. Ze was blij dat ze gewone mensen als gezelschap had die genoten van een tochtje over het meer. Het water fonkelde als een saffier. Geen wonder dat Luke het hier zo naar zijn zin had.

Het boottochtje was veel te snel voorbij naar haar zin en Angela was meteen weer op haar hoede. Ze had besloten geen golfclubs te gaan huren of echt te gaan golfen. Dat zou te veel tijd in beslag nemen. Ze zou alleen wat rondneuzen in de winkel met golfartikelen en net doen alsof ze geïnteresseerd was.

Een van de winkelbedienden kwam naar haar toe terwijl ze naar een zonneklep stond te kijken. 'Kan ik u ergens mee helpen?'

'Ja.' Ze hield het witte hoofddeksel omhoog. 'Ik wil deze graag kopen.'

Toen ze had betaald, zei Angela: 'Ik hoorde dat er hier gisteren nogal wat opschudding was.'

Hij fronste zijn wenkbrauwen. 'O, u bedoelt toen de politie vragen kwam stellen over meneer Sinclair?'

'Precies.'

'U bent toch geen verslaggever? We mogen eigenlijk niets zeggen.'

'Nee. Ik ben bevriend met mevrouw Sinclair. Ze is nogal overstuur. Wat is hier gisteren gebeurd?'

Hij haalde zijn schouders op. 'Ik heb geen idee. Marty is op de green. Hij is degene met wie de politie heeft gepraat.'

'Mag ik daar ook heen?'

'Natuurlijk. Ik zal wel even meelopen.'

Marty was een jongen van een jaar of achttien die golfte als een professional.

'Hé, Marty!' riep de winkelbediende. 'Er wil iemand met je praten over gisteren.'

Marty keek op en sloeg mis. Hij fronste zijn wenkbrauwen, maar toen hij Angela zag, lichtte zijn gezicht op en kwam hij naar hen toelopen. 'Wilde u met me praten?' Het idee leek hem wel aan te spreken.

'Ja. Kunnen we even binnen gaan zitten? Dan krijg je van mij iets te drinken.'

'Goed.' Hij stak zijn golfclub in een tas en volgde haar naar het clubhuis.

Toen ze haar bestelling geplaatst had, gingen ze naar de plek waar hij de vorige dag had gestaan. 'Zoals ik al tegen de politie heb verteld, was ik bezig een van de golfers in haar auto te helpen. Ik had net haar clubs in de kofferbak gelegd, toen er twee mannen uit het clubhuis kwamen. Ik herkende meneer Sinclair bijna niet, omdat hij zijn snor en baard had afgeschoren. Hij zei me gedag en toen liepen hij en die andere man de parkeerplaats op.'

'Leek meneer Sinclair uit zijn doen of probeerde hij te laten merken dat er iets aan de hand was?'

'Niet echt.'

'Kun je de man die met meneer Sinclair meeliep voor me omschrijven?'

'Dat heeft de politie me ook al gevraagd. Ik heb niet zo goed opgelet. Volgens mij had hij grijs haar en was hij nogal groot. Groter dan meneer Sinclair. Ouder ook. Ze leken elkaar te kennen.'

'Zei die man iets? Is je nog iets anders opgevallen?'

'Hij was nogal bruin – zoals de meeste mensen hier in de zomer. Maar het is nog vroeg in het jaar, dus hij was bruiner dan de meeste mensen, alsof hij uit Florida of Zuid-Californië kwam of zo. Er zitten hier veel gepensioneerden.'

Angela probeerde zich Luke's rechtendocent voor de geest te halen. Marty beet op zijn onderlip.

'Nog iets?'

Hij schudde zijn hoofd. 'Nee, sorry. Als ik had geweten dat er iets mis was, had ik wel iets gedaan. Zoals ik al tegen de politie heb gezegd, stapten ze in een witte Lexus en reden weg.'

Angela bedankte Marty en liep naar de pier om weer te wachten op de watertaxi terug naar het hotel. Ze had geen idee waarom ze aan de docent moest denken. Marty's omschrijving van de man was nogal vaag geweest.

Bovendien, wat had Ethan Hathaway hier te zoeken? Aan de andere kant had hij gezegd dat hij vakantie had en dit was een van de populairste vakantiebestemmingen in het noordwesten. De golfbaan hier was wereldberoemd. Ze kon zich niet herinneren dat dr. Hathaway had gezegd dat hij wilde gaan golfen, maar dat zei niets.

Ze zat op de pier en staarde naar het blauwe water. *Stel dat het hem geweest is. Misschien wist hij niet dat Luke hier was en liepen ze elkaar toevallig tegen het lijf.* De man die hen in Sunset Cove had opgezocht, leek op de foto van de docent die ze op het internet had gevonden, en Angela was er zeker van dat Hathaway was wie hij zei dat hij was.

Ze schudde haar hoofd. 'Het kan Hathaway niet geweest zijn,' mompelde ze. Ze kon zich wel voorstellen dat Luke met zijn vroegere docent zou gaan lunchen of koffiedrinken, maar hij zou nooit zo lang wegblijven. Bovendien zou hij Kinsey dan gebeld hebben. Tenzij hij in moeilijkheden was.

Het was ook mogelijk dat hij met een bekende hier was vertrokken en later was ontvoerd. Zo moest het gegaan zijn.

Angela nam zich voor later aan Kinsey te vragen waar

Luke graag uit eten ging. Ze zou een lijst maken van zijn favoriete restaurants en de hulp van commissaris Warren inroepen om uit te zoeken of Luke ergens in de stad gesignaleerd was voordat hij verdween.

35

Toen Angela een motorboot aan hoorde komen, keek ze op. De watertaxi meerde aan bij de pier. Dit keer zaten er geen passagiers in. Er zat een andere vrouw aan het stuur. Ze zwaaide naar Angela. 'Wilt u mee terug?' Haar stem klonk hees, als van een roker.

'Ja, graag.' Angela keek om zich heen, maar er stond niemand anders te wachten. Ze had liever gezien dat er nog meer mensen mee aan boord gingen. *Stel je niet aan. Niet iedereen zit achter je aan. Bovendien is dit een vrouw.*

Angela stapte aan boord en ging achterin zitten, zoals op de heenweg. Er kwamen twee mannen de pier op lopen. Ze zwaaiden, ten teken dat ze ook nog mee wilden. De vrouw had hen waarschijnlijk niet gezien, want ze voer met een enorme snelheid bij de pier weg, zodat Angela bijna haar evenwicht verloor.

'Hé!' Angela keek de vrouw aan. 'Daar staan nog een paar passagiers. Moet u niet even terug?'

'Over een paar minuten komt er weer een taxi.' De vrouw voer op volle snelheid verder.

Wat een mens. Angela overwoog even om te zeggen dat ze het geen stijl vond, maar besloot het niet te doen. *Ik moet me er niet mee bemoeien.* Ze draaide zich weer om en genoot van het tochtje en het uitzicht. Het leek langer te duren dan de heenweg. Angela keek om zich heen en kon de pier al niet meer zien. En de haven waar ze heen moesten, lag ver naar rechts. Te ver.

'Is dat de haven niet?' schreeuwde ze boven het geluid van de motoren uit. Opeens werd ze ongerust. 'Waar gaat u heen?'

De vrouw zette de motor plotseling af, waardoor Angela naar voren werd geslingerd. 'Dat zou je wel willen weten.' De vrouw hield een pistool op Angela gericht. Ze was zwaar opgemaakt, wat hier op het water niet erg praktisch leek, maar sommige vrouwen konden niet zonder.

Toen realiseerde Angela zich plotseling dat dit geen vrouw was. De make-up was dik, maar het bedekte de schrammen op de wang van de man niet helemaal - de schrammen die zij met haar sleutels had gemaakt.

Waarom had ze niet beter opgelet? Angela probeerde de brok in haar keel weg te slikken. *Rustig blijven. Laat hem niet merken dat je bang bent. Je hebt hem al eerder van je af weten te krijgen. Zo sterk is hij niet.*

Maar hij is woedend.

'Dat heb je knap gedaan met die make-up,' zei ze. 'Alleen wel een beetje dik.'

'Jij bent er in ieder geval ingetrapt.'

'Klopt.' Angela ging weer zitten en probeerde nonchalant te doen. Ze had tijd nodig om na te denken. Om in te schatten wat hij van plan was. 'Je bent nogal bedreven in vermommingen.'

'Hoe komt het dan dat jij me herkende?'

'Ik let op details. Maar dit keer had je me tuk, dat moet ik toegeven. Ik had niet gedacht dat je van geslacht zou veranderen.' Angela keek naar de haven in de verte. De dichtstbijzijnde boot was minstens zeven kilometer van hen verwijderd. Ze kon wel zwemmen, maar zo ver niet. Bovendien zou hij haar waarschijnlijk neerschieten als ze probeerde van

de boot te duiken. En in dit water zou ze binnen een halfuur onderkoeld zijn.

Hij glimlachte. 'Ik heb je te pakken.'

'Wat ben je van plan met me te doen?'

'Daar kom je snel genoeg achter.' Hij zwaaide met het
pistool. 'Kom hier en neem het stuur over.'

'En als ik dat weiger?'

'Dat doe je niet. Je doet precies wat ik zeg, als je dat
knappe vrouwtje in de kunstgalerie ooit nog terug wilt
zien.'

Angela sprong op, zodat de boot vervaarlijk schommelde.

'Wat heb je met haar gedaan?'

'Dat zou je wel willen weten.' Hij vertrok zijn knalrode
lippen in een wrede grijns. 'Kom hier en doe wat ik zeg.'

Angela dacht dat ze maar beter mee kon werken, dus ze
nam het stuur van hem over. Hij ging zitten en hield het pistool op haar gericht. 'Dat is beter. Vaar nu naar die inham.'

Ze keek waar hij heen wees. Van hieruit zag het gebied er
onbewoond uit. Geen huizen, alleen een kilometersbreed
dicht naaldbos. Ze keek om zich heen, maar zag geen andere boten vlakbij. Ze kon niemand om hulp roepen.

Angela stuurde de boot waarheen hij gezegd had. Intussen zocht ze naar mogelijkheden om hem het pistool te ontfutselen, zonder daarbij neergeschoten te worden. Haar arm
deed nog steeds pijn van de vorige kogel en dat was alleen
maar erger geworden na het gevecht met deze gek. Toch was
ze niet van plan zich zomaar over te geven. Maar op het
moment leek ze niet meer te kunnen doen dan wat hij haar
opdroeg. Even later, toen ze dicht langs de kust voeren, zag
Angela pas goed hoe ruig het landschap aan deze kant was.

'Wat ben je van plan?' vroeg ze weer.

'Jou uit de weg ruimen. Jij bent de enige die me kan herkennen, behalve dan je smerisvriendje in Sunset Cove.'

'Ga je mij uit de weg ruimen op dezelfde manier als je met Nick gedaan hebt?'

Zijn adamsappel ging op en neer. 'Dat ging niet helemaal volgens plan. Ik dacht dat hij dood was.'

'Gelukkig voor jou is dat niet zo. Anders werd je nu gezocht voor moord. Je bent niet in de wieg gelegd voor huurmoordenaar, of wel?'

'Hoe bedoel je?' grauwde hij.

'Dat zie ik. Je doet zenuwachtig.'

'Dat lijkt maar zo.'

'Als je toch van plan bent om me te vermoorden, kun je me net zo goed vertellen wie je bent en hoe je in deze chaos terecht bent gekomen.'

'Stap nou maar uit.'

'Waarom?'

'Omdat ik het zeg, en ik heb een pistool.'

Angela keek over de rand van de boot. Vlak onder het wateroppervlak zag ze een massa boomwortels, stenen en modder.

Ze vermoedde dat hij haar zou vermoorden zodra ze uit de boot was. Dan zou er geen bloed in de boot komen en niet aan zijn kleding. Ze vroeg zich af of hij goed kon richten en wat hij zou doen als ze ervandoor ging. De bomen stonden vlak langs het water. Als ze vluchtte, zou ze het bos in moeten, en dat zag er niet erg uitnodigend uit.

Angela klom over de rand van de boot en liet zich in het water zakken. Het ijskoude water kwam tot haar heupen en ze rilde. Ze waadde erdoorheen. Gelukkig had ze gymschoenen aangedaan. Zodra ze uit het water kwam, zou ze het op een lopen zetten. Als ze geluk had, kon ze ver genoeg het bos in rennen om beschermd te zijn tegen de kogels.

'Haal je niets in je hoofd.' Hij was ook het water in gegaan, wat ze niet verwacht had, en stond pal achter haar. Op deze manier kon ze zijn kogels niet ontlopen. Ze stapten op bijna hetzelfde moment op de kant. Hij hield een rol touw in zijn vrije hand. 'Ga zitten met je rug tegen die boom daar.'

'Ga je me vastbinden?'

'Heb je daar bezwaar tegen?'

'Reken maar.' Dat was niet helemaal waar. Als ze hier werd vastgebonden, zou ze tenminste een poging kunnen doen om te ontsnappen. Als ze geluk had, kon ze de knopen loskrijgen, maar ze wilde niet dat hij wist dat ze er zo over dacht. 'Ik maak hier geen kans,' jammerde ze. 'Ik ga dood van de honger, als ik niet eerst door een wild dier word verscheurd. Er zitten hier coyotes en beren en bergleeuwen.'

'Leeuwen en tijgers en beren, ja hoor.'

Angela ging zitten tegen de boom en hield haar handen achter haar rug, zoals hij had gezegd. Hij bond het touw om haar polsen en maakte haar toen vast aan de boom. Met een tweede stuk touw bond hij haar enkels bij elkaar.

'Alsjeblieft,' smeekte ze, terwijl ze meteen begon de knopen los te wrikken. Ze maakte zich niet al te veel zorgen. Vastgebonden worden was duizendmaal beter dan doodgeschoten worden.

'Wat alsjeblieft?' Hij liep achteruit en bekeek het resultaat van zijn werk. 'Je hebt geluk. Ik wilde je eigenlijk meteen vermoorden, maar ik ben van gedachten veranderd.'

'Waarom?'

Hij haalde zijn schouders op. 'Heb ik daar een reden voor nodig?'

Ze huiverde. Hij had Kinsey ook – was hij van plan losgeld te eisen? Wist hij dat haar broers rijk waren? En Luke?

Zou hij hem ook te pakken hebben gekregen?

Ze liet haar hoofd op haar knieën zakken. Ze hoopte dat hij vlug weg zou gaan, zodat ze wat harder kon proberen los te komen. Ze rilde door haar koude, natte kleren. Gelukkig stond de zon hoog in de lucht en had hij haar niet dieper mee het bos in genomen. Ze hoopte dat ze de weg uit het bos zou kunnen vinden, als ze zich had weten los te wurmen.

Wat deze engerd ook van haar wilde, ze besloot hem op alle mogelijk manieren dwars te zitten.

36

De man gaf een schreeuw, gevolgd door een hele rits scheld-
woorden waar zelfs Angela nog nooit van gehoord had. In
haar werk bij de politie had ze al heel wat naar haar hoofd
geslingerd gekregen. Ze keek op en zag waarom hij zo
kwaad was. De boot dreef langzaam weg van de kant. Hij
was vergeten het anker uit te gooien.

Angela onderdrukte een lach en keek toe hoe hij weer
het water in liep. Toen hij een meter of drie van de kant vandaan gelopen was, verdween hij plotseling onder water.
Spartelend met armen en benen kwam hij weer boven.
'Help! Ik kan niet zwemmen!' Toen ging hij weer kopje-
onder.

Angela had bijna medelijden met hem en ze deed nog
harder haar best om de touwen los te krijgen. Hij kwam
weer boven. Ze wist haar handen los te maken en ging verder met haar enkels. De man kon zijn hoofd even boven
water houden, voor hij weer onder ging.

Hij was de meest ongecoördineerde sufferd die ze ooit
had ontmoet. Hij spartelde rond in het ondiepe water tot hij
eindelijk vaste grond onder de voeten voelde en naar haar
toe strompelde. Toen hij uit het water was, zakte hij hijgend
en kokhalzend in elkaar.

Angela was nu los. Ze liep naar het water en ging naast
hem op haar hurken zitten. 'Je overleeft het wel, denk ik.' Er
zaten donkere kringen onder zijn ogen van de mascara en
zijn pruik was van zijn hoofd gegleden.

Hij kreunde en draaide zijn hoofd van haar af. 'Hoe ben je losgekomen?'

Ze haalde haar schouders op. 'Ik ben een soort Houdini. Mijn broers bonden me vroeger altijd vast als ze me beu waren, maar het werkte nooit.'

Hij hoestte. 'Wat nu?'

'Tja.' Ze haalde het pistool van achter zijn broekriem vandaan. Ze betwijfelde of het nog werkte, maar dat ging ze hem niet vertellen. 'Het lijkt erop dat we hier vastzitten.'

Hij rilde en begon te jammeren dat hij hier in de wildernis om zou komen. Hij probeerde niet eens weg te lopen toen ze terugliep om de touwen te halen, waarmee ze zijn handen en voeten bij elkaar bond.

Toen ze de knopen goed had aangetrokken, stond Angela op en keek over het water naar de boot. Helaas lag haar tas nog aan boord, met haar mobiel erin. Als ze de nacht niet hier wilde doorbrengen met Kaalkop, zou ze erachteraan moeten. De afstand was nog wel te overbruggen, maar het ijskoude water deed haar ervoor terugschrikken.

'Waar zijn de sleutels van de boot?' vroeg Angela.

'In het contactslot.' Hij hoestte. 'Je laat me hier toch niet achter?'

'Waarom niet? Dat was je met mij ook van plan.'

'Nee, alsjeblieft. Ik wilde je vrijlaten zodra ik het geld kreeg.'

Dus hij was van plan geweest losgeld te eisen. 'Maak je maar geen zorgen, je hoeft hier niet lang te blijven. Vanavond mag je in een lekker warme cel slapen in een bed dat precies groot genoeg is voor je.'

Ze deed haar schoenen uit en liep het water in. Haar blote voet kwam neer op iets harigs. Ze gilde en keek naar beneden, in de overtuiging dat het een dood dier moest zijn.

Toen realiseerde ze zich dat het de pruik was. Ze pakte het haarstuk, dat er inmiddels uitzag als een verdronken fret, en gooide het op de kant, waar het in een boom bleef hangen.

Angela rilde, deed een paar stappen over de stenen en wortels, en dook. Het ijzige water beet in haar lichaam. Een adrenalinestoot gaf haar kracht en ze wist zeker dat ze haar persoonlijk record brak. Haar armen en benen deden pijn door de kou.

Angela klom via het laddertje aan de achtersteven in de boot. Ze pakte haar mobiel en startte tegelijkertijd de motor. Er was geen ontvangst – wat ze ook niet verwacht had.

Ze was geneigd de man te laten liggen en de politie in te seinen om hem op te pikken, maar toen ze er even over had nagedacht, besloot ze terug te gaan. Als de politie hem had gearresteerd, kreeg ze waarschijnlijk niet meer de kans om met hem te praten. En daarvoor waren er te veel onbeantwoorde vragen.

Onder de bank vond ze een EHBO-kistje, een zaklamp en dekens. Gelukkig duurde het nog een uur of vier tot zonsondergang, dus ze had nog genoeg tijd om hem te ondervragen. Daarna kon ze naar de haven varen en de politie inlichten. Angela liet de boot zo dicht ze durfde naar de kant varen en stopte toen ze iets langs de voorsteven hoorde schrapen. Ze pakte de meerkabel, nam de dekens mee en legde er een over de man heen, die nog steeds lag te snotteren. Angela schudde haar hoofd. In al haar jaren als agent had ze nog nooit zo'n zielige crimineel gezien.

Ze legde de boot vast aan een grote tak.

Klappertandend stamelde de man: 'J-j-je laat m-m-me hier t-toch niet zo achter? Ik k-kan me niet bewegen en ik… ik heb het k-k-koud.'

'Ik kan zorgen dat je het warmer krijgt, maar ik stel voor dat je niets probeert uit te halen.' Ze pakte het pistool, dat ze op een tak had gelegd om te drogen. Angela maakte het touw rond zijn enkels los en bond hem toen met zijn voeten vast aan een omgevallen boom. Zijn handen bond ze voor zijn lichaam bij elkaar. Toen ze daarmee klaar was, legde ze de deken om zijn schouders. Hun kleren stoomden door de warmte van de zon.

Angela ging een paar passen bij hem vandaan op een boomstronk zitten. Ze had geen deken nodig, want door alle bezigheden had ze het warm gekregen.

'Wat ga je nu doen?' Hij was gestopt met jammeren en leek haast opgelucht.

'Je overdragen aan de autoriteiten.'

'Dat dacht ik al.'

'Wie ben je eigenlijk?' vroeg Angela. Toen hij geen antwoord gaf, zei ze: 'Hoor eens, de politie neemt je vingerafdrukken en dan weten we het binnen de kortste keren toch. Dus hoe heet je?'

'Waarom vermoord je me niet gewoon?'

'Geloof me, dat zou ik met liefde doen. Maar ik ben niet zoals jij. Ik vermoord mensen niet, ik arresteer ze.'

'Ik wilde alleen maar wat geld verdienen.'

'Dan had je beter werk kunnen zoeken, zoals de meeste mensen.'

'Je begrijpt het niet.'

Angela rolde met haar ogen. 'Nee, daar heb je gelijk in.' Na een korte stilte vroeg ze: 'Vertel me wie je bent.'

'Justin.'

'Heb je ook een achternaam, Justin?'

'Moore.'

Angela pakte de synthetische pruik, die nu bijna droog

was, en draaide hem op een vinger rond. 'Wil je je haar terug?'

'Heel grappig.'

'Vertel eens, Justin, hoe komt het dat een kluns als jij een agent probeert te vermoorden?'

Justin liet zijn schouders hangen. 'Ik was niet van plan om iemand te vermoorden. Een paar weken geleden werd ik gesnapt toen ik iemands portemonnee probeerde te stelen. Ik heb een soort baan als zakkenroller in het casino. Als ze me snappen, ga ik janken en zeg ik dat het me spijt, dat ik een vrouw en kinderen thuis heb en geen werk kan vinden. Meestal geven ze me dan een paar dollar, maar deze vent was anders. Hij vroeg of ik hier woonde en ik zei ja.'

'Is dat ook zo?'

'Ja. Opgegroeid in Road's End.'

'Hoe was deze man anders?'

'Hij heeft me ingehuurd. Ik kreeg vierduizend dollar om jouw familie in de gaten te houden. Hij zei dat hij op zoek was naar je vermiste broer en dat ik moest bellen als hij opdook.'

'Je was op de begrafenis. Hoe wist je dat Luke ook aanwezig was?'

'Het signalement klopte. Behalve de baard en zo. Maar ik wist dat ik iemand moest zoeken van zijn lengte en leeftijd. Mijn baas zei dat hij waarschijnlijk alleen zou komen. Ik wist gewoon dat hij het moest zijn.'

Justin snoof en wreef met zijn hand langs zijn neus.

'Hoe oud ben je eigenlijk, Justin?'

'Hoezo?'

'Ik ben gewoon nieuwsgierig.' Angela keek hem onderzoekend aan. Hij leek ergens midden twintig, maar zijn mentale gesteldheid leek niet bij zijn leeftijd te passen. Hij gedroeg zich meer als een tiener. Als hij drugs gebruikte, kon dat gemaakt hebben dat zijn ontwikkeling achterbleef. Een ding was zeker, hij was niet de snuggerste.

'Toen je je baas vertelde dat je Luke gevonden had, wat zei hij toen?'

'Dat ik ze allebei moest vermoorden.'

'Allebei? Had je hem ook over Nick verteld?'

'Ja. Ik zei dat dat niet de afspraak was, maar toen bood hij me meer geld. Heel veel meer.'

'Hoeveel?'

'Twintigduizend. Ik heb de helft gekregen nadat ik Nick had neergeschoten, omdat ik mijn baas een foto van hem had gestuurd.'

'Maar Nick leeft nog.'

Zijn adamsappel ging weer op en neer. 'Dat weet ik, maar ik dacht niet dat mijn baas daar achter zou komen. Ik wilde Luke vermoorden, dan de rest van het geld ophalen en naar Mexico gaan.'

'Bedoel je dat je Luke nog niet gevonden hebt?'

'Ik hoopte dat jij me naar hem toe zou brengen, maar ik was het wachten beu en toen gaf jij me een jaap met die stomme sleutels.'

Angela schudde opgelucht haar hoofd. Gelukkig had hij Luke nog niet te pakken. 'Je bent opgelicht, Justin.'

'Hoe bedoel je?'

'Twintigduizend om twee man te vermoorden is niks. Huurmoordenaars krijgen tenminste zestigduizend per keer.'

Hij staarde naar de grond. 'Zelfs dat is niet genoeg.' Hij keek haar aan en vroeg. 'Wat gaat er nu gebeuren?'

'Dat hangt ervan af hoe goed je met de politie samenwerkt.' Ze sloeg haar armen over elkaar en deed een stap naar hem toe. 'Wat is er met Faith Carlson gebeurd?'

'Wie?'

'Die verslaggeefster.'

'Welke verslaggeefster?'

Angela zuchtte. 'Kom nou, Justin, je weet best wie ik bedoel. De vrouw die foto's nam op mijn vaders begrafenis. Die ik dood in haar huis heb gevonden.'

Hij keek uit over het water. 'Ik – het was niet de bedoeling om haar te vermoorden. Ik had alleen ingebroken om de foto's die ze van me had genomen te pakken te krijgen. Ze nam niet echt foto's van mij, maar wel in mijn richting. Ik wilde de foto's pakken en er weer vandoor gaan, maar het waren er teveel en toen kwam ze thuis. Ik wist niet wat ik moest doen, dus ik heb het snoer van de telefoon om haar nek gewonden. Daarna heb ik haar op de grond geduwd en ben gevlucht.'

Angela voelde zich misselijk worden en legde haar hand op haar maag. Ze vroeg zich af hoeveel meer schade deze man had aangericht. 'Heb je de foto's?'

'Ik kon ze niet vinden, maar ik dacht dat het niet zo erg was omdat ik er nu toch anders uitzie.'

Als hij de foto's niet had, waar waren ze dan? Ze wreef over haar voorhoofd. 'Heb je nog iemand anders uit de weg geruimd, Justin?'

'Kunnen we niet gewoon weggaan hier?'

'En Kinsey Sinclair?'

'Ik heb haar met geen vinger aangeraakt. Dat zei ik alleen maar om je te laten meewerken.'

'En Matt, de man wiens kleren en naamplaatje je gestolen hebt? Wat is er met hem gebeurd?'

Justin beet op een vingernagel. 'Je stelt te veel vragen.'

'Nu moet je eens goed luisteren, Justin. Je baas zal niet zo blij zijn als hij erachter komt dat je Nick niet vermoord hebt. Als hij je te pakken krijgt, ben je de klos. Misschien kan ik je helpen om in leven te blijven, maar dan moet je wel precies doen wat ik zeg. Waar is Matthew Turlock?'

'In het hotel.'

'Waar? Het is daar nogal groot. Wat heb je met hem gedaan?'

'Misschien vertel ik dat wel tegen de politie. Breng je me naar het bureau?'

Dus dat was het. Hij wilde haar niet alles vertellen, voor het geval ze van gedachten veranderde en besloot hem daar toch achter te laten of te vermoorden.

'Dat zei ik toch al?'

'Misschien vertel ik je wel meer als je me laat gaan,' zei Justin.

'Geloof me, je overlevingskans is een stuk groter bij de politie dan bij die baas van je.' Ze schopte tegen de zool van zijn gymschoen. 'Waar is Matt?'

Hij keek haar kwaad aan. 'Zoek dat zelf maar uit.'

'Prima. Opstaan.' Ze maakte zijn voeten los. 'We gaan terug naar de haven. Onderweg bel ik de politie, zodat ze ons straks op de pier staan op te wachten. Dan vertel je hen wat je mij ook verteld hebt. En ik raad je aan om hen ook te vertellen wat je met Matt Turlock hebt gedaan.'

Justin leek alle zin om tegen te stribbelen kwijt te zijn. Hij probeerde niet te vluchten toen ze in de boot stapten. Voor de zekerheid bond ze hem vast in de stuurhut voordat ze de boot losmaakte en naar dieper water voer. Een halfuur later meerde ze aan bij de pier, waar twee agenten stonden te wachten.

'Vraag maar niets,' zei ze toen agent Denham van haar naar Justin keek en weer terug. Hij vroeg zich ongetwijfeld af waarom hun haren en kleding nat waren. 'Houd hem vast tot ik omgekleed ben. Dan kom ik ook naar het bureau.'

'Prima.'

'Hij zei trouwens dat Matt hier in het hotel is. Hebben jullie hem al gevonden?'

'Nee.'

'Hij weet waar Matt is, maar om de een of andere reden wil hij het niet zeggen.'

Denham hielp haar de boot uit.

'En mijn broer?'

'Sorry, ook nog niet gevonden.'

Angela dacht dat ze Justins mondhoek even zag omkrullen. Misschien was hij toch niet zo dom als hij leek te zijn. Ze had het vermoeden dat hij verzweeg waar Matt was om nog een troef in handen te hebben. Misschien had hij Luke toch gevonden. Ze wilde dat ze meer tijd had genomen om hem die antwoorden te ontfutselen.

Toen ze Justin Moore aan agent Denham had overgeleverd, rende Angela langs de pier terug naar het hotel, waar ze bij de galerie even haar hoofd om het hoekje van de deur stak om te zien of alles goed was met Kinsey. Ze was bezig met een klant. Op dit punt had Justin haar dus de waarheid verteld.

Twintig minuten later had Angela gedoucht en zich omgekleed in een spijkerbroek, een trui en een warme jas. Ze was helemaal verkleumd geweest in haar klamme, koude kleren.

Ze liep langs de galerie en zag Kinsey nog met dezelfde man staan praten. Ze beëindigde het gesprek en kwam naar de deur toe lopen. 'Nieuws over Thomas?'

Angela schudde haar hoofd. 'Ik neem aan dat jij ook niets van hem hebt gehoord.'

'Nee. Ik moet nog even iets met deze klant bespreken, en dan ga ik Marie ophalen.' Tranen rolden over haar wangen, ondanks haar poging om haar zelfbeheersing te bewaren. 'Waar zou hij toch zijn? Ik wil niet doemdenken, maar...' 'We moeten positief blijven. Ik moet even naar het politiebureau, maar daarna kom ik bij je langs. We moeten praten.'

Kinsey knikte en Angela sloeg haar armen om de vrouw heen. Hoewel ze haar nog maar twee dagen kende, waren ze familie. 'We vinden hem wel,' zei Angela. 'Blijf bidden.' Het was alsof ze haar moeder hoorde praten. *Mama zou hier ook moeten zijn. Het is niet eerlijk om haar overal buiten te houden.* Ze zou haar moeder op den duur moeten bellen. Maar nu nog niet.

De hotelbediende haalde Angela's Corvette en binnen vijf minuten was ze op het bureau.

'Hallo, Angela,' zei een bekende stem toen ze het gebouw binnenliep.

37

'Callen!' Ze wist niet of ze geïrriteerd of blij moest zijn. Blij, besloot ze, en ze liet zich in zijn armen vallen. Blij verrast. 'Wat doe jij hier?' Ze maakte zich los uit zijn omhelzing en keek in zijn donkere ogen. 'Ik bedoel, ik vind het leuk om je te zien, maar je had toch een cursus en lessen?' 'Vanmorgen was mijn laatste presentatie. Ik heb de eerste de beste vlucht hierheen genomen. Ik heb even overlegd met mijn supervisor en ik heb weer de leiding in deze zaak. Rechercheur Downs heeft het te druk met de dood van die verslaggeefster. Hij heeft eindelijk de foto's gevonden die ze op de begrafenis heeft genomen.' 'Bij haar thuis?' Hij schudde zijn hoofd. 'Ze zaten in de brievenbus.' 'Geen wonder dat Justin ze niet kon vinden. Heeft rechercheur Downs ze hierheen gestuurd?' 'Justin?' 'Lang verhaal. Vertel me eerst meer over die foto's.' 'Ik heb ze al bekeken. Er staan een paar mensen op die ik niet herken, maar misschien jij wel.' 'Misschien.' Ze aarzelde. 'Maar eerst moet ik een verklaring afleggen. Ik heb die vent te pakken die Nick heeft neergeschoten. Dat is me er een. Hij heeft die verslaggeefster ook vermoord – gewurgd met een elektriciteitssnoer.' 'Heb je hem gevangen?' Callen trok één wenkbrauw op. Hij zag er niet erg gelukkig uit. 'Nadat hij mij had gevangen.' Ze glimlachte. 'Zoals ik al zei, is het een lang verhaal en ik heb geen zin om het twee keer te vertellen. Kom mee.'

In de verhoorkamer stonden alleen een tafel en een paar stoelen. Angela ging zitten op de stoel die de commissaris voor haar naar achteren trok. Een andere agent zat te wachten met een dictafoon voor zich op tafel.

Commissaris Warren legde zijn handen op tafel. 'Heb je zin in koffie of wat fris?'

'Een extra grote cappuccino graag,' plaagde ze.

Warren leek het grapje niet te kunnen waarderen.

'Een gewone koffie is prima.'

'We staan erom bekend dat we bezoekers goed behandelen,' zei de commissaris. 'Jake, loop even naar de koffiecorner om een extra grote cappuccino voor mevrouw te halen.' Zijn afkeuring droop van de woorden af. Callen leunde tegen de muur met zijn armen over elkaar. Waarschijnlijk vroeg hij zich af waarom de sfeer zo vijandig was.

Ze onderdrukte haar groeiende ergernis. Misschien was ze een beetje buiten haar boekje gegaan, maar hij mocht wel dankbaar zijn dat ze de man hierheen had gebracht.

De koffiecorner zat waarschijnlijk om de hoek, want binnen vijf minuten stond de cappuccino voor haar. Intussen had Callen zich aan de anderen geïntroduceerd.

Toen ze een paar slokjes van haar koffie had genomen, gaf Angela aan dat ze klaar was voor het verhoor. Ze gaf haar verslag van de ontvoering en hoe ze de man had weten te overmeesteren. 'Het probleem is dat hij niet wilde vertellen wat hij met Matthew heeft gedaan. Hebben jullie al iets uit hem weten te krijgen?'

De commissaris stond op en liep naar haar toe. 'We hebben hem nog niet officieel ondervraagd. Eerst wilden we uw verklaring hebben. Maar we hebben wel de sleutel van de motelkamer waar hij logeerde. De kamer wordt op dit moment doorzocht.'

'En zijn auto? Hij moet me naar hier uit Sunset Cove gevolgd zijn, dus het is waarschijnlijk een nummerbord uit Oregon.'

De commissaris knikte. 'De parkeergarage bij het vakantiecentrum en de omliggende parkeerplaatsen worden doorzocht.'

Callen schraapte zijn keel. 'Als jullie zijn auto vinden, zou ik maar even in de kofferbak kijken.'

'Intuïtie, rechercheur?' vroeg de commissaris.

'Ervaring.'

'Bedankt voor de tip. Maar daar waren we vroeg of laat zelf waarschijnlijk ook wel gaan zoeken.' De sarcastische toon van zijn stem deed Callen zijn wenkbrauwen fronsen. Callen betrad het territorium van de commissaris en dat werd niet gewaardeerd. Bovendien was hij gepikeerd over Luke's bedriegerij, dus al met al kwamen de Delaney's op het moment even zijn neus uit.

'Sinds u meer informatie lijkt te hebben dan wij, kunt u ons misschien vertellen of Moore iets gezegd heeft over de verblijfplaats van uw broer,' zei de commissaris.

'Hij zegt dat hij hem niet gezien heeft. Het signalement van de man die met Luke uit het clubhuis vertrok, past niet bij hem. Maar dat betekent nog niet dat hij de waarheid vertelt. Luke is misschien vertrokken met een bekende, maar stel dat Justin hem later heeft ontvoerd.' Angela stelde voor dat ze mensen zouden ondervragen in Luke's favoriete restaurants.

'Misschien hebben we wel te maken met meer dan één dader,' zei Callen. 'Misschien heeft Moore een partner.'

'In ieder geval twee,' zei Angela. 'Justin heeft een baas in Florida – een van de gebroeders Penghetti, gok ik.' Ze vertelde Callen en de commissaris het verhaal dat ze van Rachel had gehoord over Bobby en Bernard Penghetti die haar tweelingbroers hadden ondervraagd.

'Ongelooflijk.' De commissaris hief in wanhoop zijn handen omhoog. 'Is de hele familie zo bemoeiziek?'

Angela zette al haar stekels overeind. 'Ik probeer mee te werken, commissaris. Ik probeer u op de hoogte te brengen van wat er gebeurd is. Ik kan het ook niet helpen dat Justin me heeft ontvoerd. Ik kan het niet helpen dat de maffia mijn broers heeft ondervraagd. Luke is in moeilijkheden en ik probeer te achterhalen wie erachter zit.'

Callen glimlachte. 'Het heeft geen zin om tegen Angela te zeggen dat ze zich er niet mee moet bemoeien, commissaris. Ik zal me wel over haar ontfermen, dan bent u van haar af.'

'Hé!' Angela was woedend. 'Wat bedoel je daarmee?'

Callen knipoogde naar haar. Angela wist niet wat Callen met die laatste opmerking bedoelde, maar zijn knipoog bracht haar tot zwijgen. Ze ging er vanuit dat hij tussenbeide had willen komen, en dat was misschien maar goed ook.

'Aangezien deze zaak in Oregon is begonnen,' zei Callen, 'kunt u mij misschien de bevoegdheid geven om de leiding te nemen over het onderzoek hier. Ik zou een of twee van uw mannen nodig hebben om me te helpen met arrestaties en huiszoekingen. Ook heb ik dan een toestemmingsbrief van u nodig.'

Commissaris Warren keek van Callen naar Angela. 'Goed dan, maar probeer uit de problemen te blijven, mevrouw Delaney. U hebt geluk gehad met meneer Moore.'

'Zo zou ik het niet willen noemen, commissaris,' zei Callen. 'Angela heeft jarenlang voor de politie gewerkt. Ze is goed in wat ze doet. Als iemand hier geluk heeft gehad, dan bent u het wel. Het had misschien nog wel een hele tijd geduurd om die vent te pakken te krijgen als Angela niet bovenaan zijn lijstje had gestaan.'

De commissaris draaide een beetje bij. 'Zo kun je het ook bekijken, ja.'

Angela maakte van de situatie gebruik om te vragen naar de foto's die in de brievenbus van Faith Carlson waren gevonden. 'Waarom zaten ze eigenlijk in de brievenbus, Callen? Weten jullie dat?'

Callen knikte. 'Volgens een vriend van haar was Faith amateurfotograaf en ontwikkelde ze veel foto's zelf. Maar belangrijke dingen besteedde ze uit – bijvoorbeeld foto's die ze in de krant wilde laten zetten. Die stuurde ze naar een bedrijf in Portland, waarna ze ze ontwikkeld en wel weer teruggestuurd kreeg. Deze foto's zaten in haar brievenbus, dus we hebben ze als bewijsmateriaal meegenomen.'

Er kwam een agente in uniform binnen, die voorgesteld werd als agent Colbert. Ze legde de foto's een voor een op elkaar op tafel. 'Laat me weten als je iets of iemand opvalt.'

Mama zou deze graag willen hebben, dacht Angela, terwijl de herinneringen aan die verdrietige dag weer bovenkwamen. Het was vreemd om zichzelf en de rest van de familie te bekijken door de ogen van een ander. Ze knipperde de tranen weg en dwong zichzelf niet te huilen.

'Stop!' Ze pakte een van de foto's op en bekeek hem van dichtbij. 'Dat is hem.' Angela wees naar de tuinman. 'Dat is Justin.'

De commissaris keek naar de foto. 'Ik kan nu begrijpen waarom hij onherkenbaar was. Behalve zijn magere gezicht lijkt hij nu totaal iemand anders. Ik zal deze foto in het lab laten vergelijken met de foto's die je ons gegeven hebt van die kale man.'

'Ik ben blij dat hij een steekje liet vallen, anders was hij me in het hotel misschien helemaal niet opgevallen.' Ze huiverde. 'Die man is dom, maar gevaarlijk.'

Colbert maakte een aantekening, legde de foto opzij en ging verder met de volgende.

Angela wees Luke aan, die in zijn eentje onder een grote boom stond. Op een andere foto stond een zwaargebouwde man in pak met een donkere zonnebril, die Angela niet herkende. Ze had hem op de begrafenis niet gezien, waarschijnlijk omdat hij dichtbij familie en vrienden stond, net achter tante Gabby en haar man. Hij was van middelbare leeftijd en fors gebouwd. Ze dacht aan het signalement dat Marty van de golfclub haar had gegeven. 'Deze man.' Angela keek naar Callen. 'Ken jij hem?'

'Nee. Hij stond op mijn lijstje van mensen waar ik je naar wilde vragen.'

'Ik kan me niet herinneren dat ik hem eerder heb gezien. Hij past bij het signalement van de man waarmee Luke is vertrokken van de golfbaan.'

'De helft van de mannen in het hotel is zwaargebouwd en van middelbare leeftijd. Ik bijvoorbeeld ook.' De commissaris zuchtte en haalde een hand door zijn grijzende haren. 'Nog iemand anders?'

Angela keek nog eens naar de foto's en wees nog een paar mannen aan die ze niet kende.

'Die zullen we laten uitvergroten. Ook zal ik een van mijn mannen naar de golfclub sturen met deze foto's, om te zien of Marty iemand herkent.'

Angela wilde dat graag zelf doen, maar ze zei niets.

'Ik wil ook graag een kopie van de foto's,' zei Callen.

Agent Colbert knikte. 'Ik zal ze meteen laten maken.' Ze pakte de foto's op en liep snel de kamer uit.

Agent Denham kwam binnen en fluisterde iets tegen de commissaris.

Warren fronste zijn wenkbrauwen. Hij greep de rugleuning van een stoel vast. 'We hebben Turlock gevonden.'

Angela wist dat het slecht nieuws was, nog voordat iemand iets had gezegd.

'U had gelijk, rechercheur Riley. Matthew zat in de kofferbak van de huurauto van Justin Moore. Hij is dood.'

Angela pakte haar mok en liet de koffie in het rond draaien. Het klotsen klonk luid in de stille ruimte.

'Denham, ik laat het aan jou over om de familie in te lichten,' zei commissaris Warren. 'En omdat jij bekend bent met de zaak, wil ik dat jij gaat samenwerken met rechercheur Riley.'

'Ja, meneer.' Denham knikte en keek even naar Angela. 'Gelukkig heb je de dader te pakken. Dat zal de familie wel fijn vinden om te horen.'

'Ik wou dat ik had geweten dat hij me volgde. Misschien had ik Matthews dood dan kunnen voorkomen. Daar ben ik voor opgeleid, om dat soort dingen te signaleren.'

Callen kwam achter haar stoel staan en legde zijn handen op haar schouders. 'Als we hier klaar zijn, commissaris, wil ik graag weg.'

'Nog één ding.' De commissaris zette zijn handen op zijn heupen. 'Ik stuur een foto van Luke naar het televisiestation, zodat we iedereen kunnen laten weten dat hij vermist wordt. Misschien hebben we geluk. Ik wou dat ik niet automatisch tot de conclusie was gekomen dat de man op de foto Thomas niet was. Als ik hem had gearresteerd, zou hij nu misschien nog... hier zijn.'

Angela raakte even zijn hand aan. 'Luke is een vriend van u. U kon niet weten hoe zijn verleden eruitzag. Hoe slecht het er ook voor hem uitziet, ik wil blijven geloven dat Luke nog leeft.'

'We kunnen het verleden niet veranderen,' zei Callen. 'Als we ergens heen willen met dit onderzoek, moeten we zien te achterhalen wat er in Florida is gebeurd. Ik wil weten waar de gebroeders Penghetti mee bezig zijn.'

'Ik heb foto's van de Penghetti's op mijn hotelkamer,' zei Angela. 'Misschien helpt het als iedereen weet hoe ze eruitzien. Ik zou ze ook graag aan Justin willen laten zien, kijken of hij een van hen misschien herkent als zijn baas.'

De commissaris knikte. 'Goed idee. Er komt iemand van de FBI helpen met de zoektocht naar Luke. Hopelijk kan hij ons meer vertellen over de Penghetti's.'

'We moeten contact opnemen met het vliegveld van Spokane,' zei Angela. 'Voor het geval een van de Penghetti's besluit om hierheen te vliegen en Justins werk af te maken.'

'En het telefoonnummer dat Justin gebruikte om zijn baas te bellen, moet nagetrokken worden,' zei Callen.

Agent Colbert kwam terug met de foto's, die ze in enveloppen had gedaan.

'Succes met het telefoonnummer.' Angela stond op. 'Ik betwijfel of hij zijn contact zal verlinken. Hij is niet zo slim, maar niet dom genoeg om zijn vaste telefoon thuis te gebruiken, vermoed ik. En als hij een mobiel gebruikte, zal het wel niet van hemzelf geweest zijn.'

'We kunnen het allicht proberen,' zei Callen.

Onderweg naar de auto kreeg Angela het te kwaad. Ze keek Callen aan met tranen in haar ogen.

Hij trok haar tegen zich aan. 'Je laat je toch niet kisten door zo'n vent?'

'Nee… maar ik voel me zo verloren, zo nutteloos.'

Callen veegde met de rug van zijn hand langs haar wang.

'En dit van een vrouw die eigenhandig een moordenaar heeft gevangen genomen?'

'Dat had iedereen gekund.' Ze glimlachte flauwtjes naar hem en nam zijn hand in de hare.

'We vinden Luke wel.'

Ze hield zijn hand vast tot ze bij haar auto waren. 'Kom je met mij mee?'

'Als je dat goed vindt. Ik heb een taxi hierheen genomen vanaf het vliegveld.'

'Wil jij rijden?' Ze hield haar sleutelbos voor zijn neus omhoog.

Hij pakte hem aan. 'Graag. Waar gaan we heen?'

'Naar het huis van Thomas Sinclair. Dan kun je de rest van mijn familie ontmoeten.'

Binnen vijf minuten waren ze bij het huis. Angela schrok.

'Het lijkt erop dat ze bezoek hebben,' zei Callen.

'Ik vertrouw het niet.' Er stond een zwarte limousine met geblindeerde ramen voor het huis van Luke en Kinsey. 'Nog niet de oprit op gaan.'

'Denk je dat ze in moeilijkheden zijn?' Callen reed langzaam voorbij.

'Het ziet eruit als een auto waar de maffia in rijdt, vind je niet?'

'Dat meen je niet serieus.'

'Als je alles bij elkaar optelt... Mijn broers zijn met een limousine naar het huis van Bobby Penghetti gebracht. En ik denk dat een van de Penghetti's Justins baas is.'

'Ja, maar dat betekent nog niet –'

'Justin heeft hem waarschijnlijk verteld dat Luke in Coeur d'Alene woont. Wie weet wat hij hem nog meer heeft verteld. Justin wist ook dat ik contact had met Kinsey.'

'Bel haar op,' stelde Callen voor, terwijl hij de auto een

stukje verderop langs de stoep parkeerde. 'Dan kun je horen of er iets mis is.'

Angela toetste het nummer in en na een paar keer overgaan nam Kinsey op. Ze huilde.

'Wie is er bij je?' vroeg Angela.

'Het spijt me, mam, maar ik heb nu geen tijd. Eh... een oude bekende van Thomas. Hij wacht tot Thomas thuiskomt.'

'Callen en ik staan een paar huizen verderop. Gaat het wel?'

'Nee, natuurlijk niet.'

Angela's hart kromp ineen. *God, bescherm hen alstublieft.*

'Blijf rustig. Hebben ze jou en Marie gegijzeld?'

'Ja. Ik bel morgen wel, mam. Dag.' De verbinding werd verbroken.

Angela sloot haar ogen. 'Ik had gelijk. Zij en Marie zijn in moeilijkheden.' Ze haalde diep adem. 'Ik moet naar binnen.'

'Geen sprake van. We laten een arrestatieteam komen.'

'Nee. Er moet iemand naar binnen om te onderhandelen. Misschien kan ik zorgen dat ze Kinsey en Marie laten gaan in ruil voor mij. Ik kan zeggen dat ik weet waar Luke is.'

'En dan?' Callen stak zijn handen omhoog. 'Als ze zich realiseren dat je het niet weet, vermoorden ze je.'

Beter mij dan Kinsey en Marie. Dat zei Angela niet hardop, maar Callen keek haar aan alsof ze dat wel had gedaan. Ze had gelijk, dat wist hij. Ze was getraind in onderhandelen en ze moesten Kinsey en Marie zo snel mogelijk uit het huis zien te krijgen.

'Ik kan het niet toestaan, Angela. Je bent niet in actieve dienst.'

'Sinds wanneer laat ik me daardoor tegenhouden?' Ze zuchtte geïrriteerd. 'Goed. Dan ben ik nu weer aan het werk. Ik bel Joe wel even, dan kan hij me in mijn functie herstellen.' Ze toetste het nummer in van het politiebureau van Sunset Cove en vroeg naar Joe.

'Je hebt hier geen bevoegdheid,' zei Callen. 'Ik kan het niet toestaan.'

Angela slikte moeilijk. 'Ik weet dat je van me houdt en me wilt beschermen, maar jij weet ook dat ik gelijk heb.' Ze keek Callen recht in de ogen. 'Hallo, Joe. Ik heb over je aanbod nagedacht en ik doe het. Ik wil even van jou horen dat ik weer in functie ben.'

'Geweldig, Angela. Natuurlijk ben je weer in functie. Wanneer kun je beginnen?'

'Nu meteen.'

'Maar... Angela, waar zit je?'

'In Coeur d'Alene, Idaho. Er worden hier twee mensen gegijzeld en Callen zit te zeuren over formaliteiten. Het heeft te maken met de man die Nick heeft neergeschoten. Ik ben de meest aangewezen persoon om naar binnen te gaan om te onderhandelen.'

'Ik begrijp het. Het klinkt nogal risicovol, maar ik kan het van hieruit niet beoordelen. Dat laat ik aan jou en Callen over. Wees voorzichtig.'

'Bedankt, baas.' Angela klapte haar mobiel dicht en gooide hem in haar tas.

'Ik ga, Callen.'

'Daar moet ik over beslissen.' Hij stapte uit en staarde haar over het dak van de auto aan.

'Ik moet dit doen. Je weet best dat ik het kan. Als het de Penghetti's zijn, willen ze met me praten. Dan kan ik Kinsey en Marie waarschijnlijk wel naar buiten krijgen. Een arrestatieteam maakt alles alleen maar ingewikkelder. Callen, je weet dat ik gelijk heb.'

Callen haalde een hand door zijn dikke haardos. 'Ik kan het je niet uit je hoofd praten, hè?'

'Nee. Blijf hier en sein de anderen in. Ik rijd de oprit op, net alsof ik niets in de gaten heb.'

'Blijf je zo bazig doen als we getrouwd zijn?' bromde Callen.

Angela liep naar hem toe en sloeg haar armen om zijn middel. 'Waarschijnlijk wel.' Ze gaf hem een stevige omhelzing als bedankje.

'Zorg dat ik hier geen spijt van krijg.' Hij zoende haar en liet haar gaan. Ze stapte in de auto en hij duwde het portier dicht.

Ze draaide de auto om en reed terug naar het huis. Ze rilde van opwinding en angst.

Dit is misschien de laatste keer dat je hem hebt gezien. Ze probeerde diep en langzaam adem te halen. Ze zou doen alsof ze geen idee had wat er aan de hand was. 'Alstublieft, God, help me. Bescherm Marie en Kinsey alstublieft.'

38

Cade had niet gepland dat Luke zo snel door zou hebben wie hij was, maar in een moment van vergeetachtigheid had hij zijn ring om gehouden. Toen ze uit de stad wegreden, ving Luke er een glimp van op. Cade wist dat het een kwestie van tijd was voordat hij zou beseffen dat het dezelfde ring was als van de man die zijn getuige en de bodyguard had doodgeschoten. Maar misschien ook niet. Hoeveel mensen herinnerden zich een dergelijk detail nog na vele jaren? Het was nu toch te laat om er nog iets aan te doen. Cade reed de oprit op van een afgelegen vakantiehuisje aan een van de vele meren in dat gebied. Aan de onthutste uitdrukking op Luke's gezicht zag hij dat Luke zich hem wel herinnerde, of tenminste bijna. Hij bleef maar ongelovig kijken van de ring naar Cade's gezicht. De ring was hetzelfde, maar het gezicht niet. Cade liet de kofferbak openspringen. 'Wat denk je ervan?'

'Het is een prachtig punt.' Luke keek onzeker om zich heen. 'Stil. Geen buren.'

'Kilometers in de omtrek geen mens te bekennen. Heerlijk.'

'Het huis moet wel een fortuin gekost hebben.'

'Niet zoveel als je zou denken. Ik had een plek nodig om me te ontspannen, wat te schrijven en te vissen.'

'Schrijven,' herhaalde Luke.

'Ik ben blij dat je mee bent gegaan,' zei Cade.

'Ik had weinig keus.' Luke keek nog eens om zich heen.

'Ik moet echt mijn gezin even bellen. Anders maken ze zich ongerust.'

'Sorry, beste vriend. Er is hier geen ontvangst. Daarom heb ik het huis ook gekocht. Ontspan je een beetje. Twee oude vrienden die genieten van de natuur. Er is een steiger in het meer en een oude boot. Je kunt hier vast prima vissen.'

'Daar heb ik op het moment geen zin in. Waarom heb je me hierheen gebracht?'

Cade gaf geen antwoord. 'Help even met de bagage.'

Luke pakte een koffer uit de witte Lexus. Hij zag aan de nummerplaten dat de auto in Oregon gehuurd was. Waar was hij in verzeild geraakt? Tot nu toe was de man vriendelijk geweest, behalve op het moment dat hij Luke zijn pistool had laten zien en hem de keus had gegeven rustig met hem mee te gaan of zijn kleine meid te verliezen.

Onderweg naar het meer had Luke zijn hersenen gepijnigd. Hij herinnerde zich die ring, of een die erop leek, van zes jaar geleden, maar het gezicht was anders.

'Ben je van plan me hier achter te laten?' vroeg Luke.

'Alleen? Nee. Maar daar hebben we het later nog wel over. Kom, dan gaan we binnen een hapje eten.'

Luke huiverde. Dit moest dezelfde man zijn die Stanton en de bodyguard had doodgeschoten. Het haar en het gezicht waren anders, maar de bouw was hetzelfde en die ring – die zou hij nooit vergeten.

Omdat Luke zo dom was geweest om zijn gedwongen ballingschap te verbreken, had de huurmoordenaar hem opgezocht om hem om te brengen. 'Hoe heb je me gevonden?' vroeg Luke.

Hij glimlachte. 'Daar heb ik zo mijn manieren voor. Maar

235

nu genoeg gepraat, Luke. Naar binnen.'

Binnen in het huisje zag het er comfortabel uit en onder andere omstandigheden had Luke er wel van kunnen genieten. De man was hier blijkbaar eerder al geweest en had een voorraad aangelegd, of iemand anders dat laten doen. Er had recent nog een vuur in de haard gebrand.

'Goed zo. Zet die koffer maar bij de deur. Die pakken we later wel uit.'

Nadat hij Luke met handboeien in een stoel had vastgezet, maakte de man wat te eten klaar – een salade en forel, die ongetwijfeld in het meer gevangen was.

'Ik hoop dat je het niet erg vindt om eenvoudig te eten, Luke. Op mijn leeftijd moet je een beetje opletten wat je eet.'

De stem klonk anders, dacht Luke, niet hees meer, maar dat kon ook gespeeld geweest zijn.

De man dekte de tafel en toen hij Luke had losgemaakt, gingen ze eten. Luke verwachtte niet dat hij hier nog levend weg zou komen, maar hij zou er wel zijn uiterste best voor doen. Hij besloot te vluchten zodra zich een mogelijkheid voordeed. Misschien kon hij de boot gebruiken als de man was gaan slapen.

Luke bad voor zijn maaltijd, zoals hij van jongs af aan gewend was en ook aan Marie had geleerd. De man zei amen. Luke keek hem even aan over de tafel. *Een huurmoordenaar met een bloedrode ring, gegraveerd met kruisen, en hij bidt.* De man in de hotelkamer zes jaar geleden had een ultimatum gesteld – hij mocht nooit zijn gezicht laten zien, of anders. Luke had dat ultimatum twee keer geschonden.

Hoe kon de moordenaar hebben geweten dat hij hier zat? Was hij hem uit Sunset Cove gevolgd? En zijn familie? Zou deze man ook achter hen aan gaan, zoals hij bij Nick had gedaan? Werkte hij nog voor de gebroeders Penghetti? Luke's hoofd gonsde van alle onbeantwoorde vragen. *Is dit eigenlijk wel dezelfde man?*

'Het spijt me dat ik je dit moet aandoen, Luke,' zei Cade, 'maar ik heb wat slaap nodig. Als ik zeker wist dat je hier zou blijven, zou ik die handboeien graag achterwege laten. Helaas kan ik je niet vertrouwen.'

Luke protesteerde niet. Voordat hij Luke ophaalde, had Cade voedsel ingeslagen, ondergoed, een pyjama, sokken, een spijkerbroek en twee overhemden voor Luke, en voor hen allebei een lichtgewicht jas.

Dat had Luke verbaasd. Hij had zwijgend zijn pyjama aangedaan en was in bed gaan liggen, waarna Cade hem de handboeien omdeed en hem vastmaakte aan een van de spijlen van het bed. Hij kende Luke goed genoeg om te weten dat hij een plan zou verzinnen om te ontsnappen.

Cade was niet van plan Luke de overhand te laten krijgen. Hij had een missie die hoe dan ook vervuld moest worden. Luke hoorde bij die missie, of hij dat nou wilde of niet. Hij had besloten Luke de details morgen pas te vertellen. Door de autorit en alle voorbereidingen was hij uitgeput.

Er stond een tweede bed tegen de andere muur van het kleine kamertje. Daar zou Cade slapen. Hij poetste zijn tanden en trok zijn eigen pyjama aan. Toen hij een pijnstiller had genomen, een pil voor zijn bloeddruk en een voor zijn cholesterol, ging hij in bed liggen.

Morgen was het vroeg genoeg om Luke Delaney onder handen te nemen.

39

Angela reed de oprit op van het huis van Luke en Kinsey. Ze pakte haar mobiel, zette hem aan en belde Callen. 'Ik ga nu naar binnen,' zei ze toen hij opnam. 'Ik laat de telefoon aan staan. Hopelijk kun je dan horen wat er gebeurt.' Even ging een gordijn op een kier open. Angela legde de telefoon voorzichtig terug in haar tas, deed het portier open en stapte uit. Ze rechtte haar schouders en dwong haar benen om mee te werken. *Je bent politieagente. Een vrouw en een kind van drie hebben je nodig om hen uit het huis te krijgen.* Angela drukte op de bel en duwde meteen de deur open. 'Kinsey? Ik ben het, Angela. Ik ben weer terug.' Haar stem klonk veel vaster dan ze had verwacht. Ze bleef staan toen ze een man op de bank zag zitten. Er stond een tweede naast hem met zijn armen over elkaar. 'O.' Angela glimlachte naar Kinsey, die met Marie in een leunstoel zat. Met haar ogen probeerde ze Angela te waarschuwen, maar dat leek geen effect te hebben. 'Ik wist niet dat je bezoek had.'

'Kom binnen, Angela.' De man op de bank stond op. 'Zo, nu ontmoeten we elkaar eindelijk eens.'

'Ken ik u?' Ze schudde hem de hand.

'Op een bepaalde manier wel, ja.' Hij bleef haar hand vasthouden. 'Ik ken je familie goed.'

Ze kende zijn familie ook, maar dat zei ze niet. Angela herkende de man van de familiefoto van de Penghetti's, maar ze kon zich niet herinneren welke van de broers dit was. Hoewel hij donker haar en donkere ogen had, was deze man veel te jong om een van de beruchte broers te zijn. Waarschijnlijk een van de zoons. Ze schatte zijn leeftijd op veertig. 'Dan bent u in het voordeel. U bent...?'

Hij glimlachte. 'Bernard Penghetti. Bernie voor vrienden. Je hebt ongetwijfeld wel eens van mijn vader gehoord, Robert.'

'Ja, inderdaad. Maar wat doet u hier?'

'Ik zoek je broer.' Hij staarde haar aan. 'Zijn vrouw zegt dat hij vermist is. Dat kan ik niet geloven, maar misschien kun jij ons verder helpen.'

'Waarom? Zodat jullie hem kunnen verm-' Angela zweeg abrupt, omdat ze niet wilde dat Marie het hoorde.

'Hoe kom je erbij dat we zoiets zouden doen?' Bernie keek beledigd.

'Waarom zijn jullie anders hier?' Angela deed een stap opzij toen de man naast de bank achter haar langs liep en de deur dicht duwde. Bernie kon ze waarschijnlijk wel aan, maar de bodyguard was nogal breedgeschouderd, en ze kon zijn spierballen onder zijn jasje zien opbollen.

'Daar heb ik zo mijn redenen voor. Ik wil graag even met Luke praten. Je kent waarschijnlijk het verhaal van zijn verdwijning zes jaar geleden.' De glimlach verscheen weer op zijn gezicht en hij gebaarde dat Angela moest gaan zitten.

Ze ging tegenover Kinsey en Marie zitten en knikte naar hen.

Marie begon zich los te wurmen uit Kinsey's armen. 'Laat me los, mammie. Ik wil naar tante Angela.' Kinsey hield haar tegen.

'Alstublieft,' smeekte Kinsey. 'Laat me haar naar boven brengen.'

'Dat heb ik liever niet.' Bernie glimlachte. 'Ga alstublieft weer zitten, mevrouw Delaney-Sinclair.'

'Ik wil niet zitten,' zei ze. Marie verzette zich tegen haar moeders houdgreep. 'Alstublieft.' Kinsey's smeekbede eindigde in een snik. 'Ik heb al gezegd dat ik niet weet waar mijn man is. Laat ons alstublieft gaan.'

Bernie ging weer op de bank zitten. 'Ik wil niet dat er iemand gewond raakt, maar ik moet mijn werk doen. Ik kan hier niet weg zonder Luke. Dat betekent dat ik alles zal doen om dat voor elkaar te krijgen.'

'Misschien kunt u dan beter even contact opnemen met de mensen waar u mee samenwerkt, meneer Penghetti,' zei Angela. 'Luke is ontvoerd.'

Bernie klemde zijn smalle lippen op elkaar.

'Het lijkt erop dat u voor niets helemaal hierheen gekomen bent,' zei Angela.

'Daarin heb je het mis.' Hij liet één arm over de rugleuning van de bank hangen en sloeg zijn benen over elkaar. 'Angela, hoe moet ik je ertoe overhalen om samen met ons je broer te gaan zoeken?'

'Ik begrijp u niet.'

'Je realiseert je misschien dat zijn leven in gevaar is. Niet door mijn toedoen, natuurlijk, maar door degene die hem ontvoerd heeft, zoals je zegt. Zie je, ik weet waarschijnlijk wel wie die persoon is.'

'Kom nou, meneer Penghetti,' zei Angela. 'Hoe kunt u nu zeggen dat u Luke geen kwaad wilt doen, terwijl u Justin Moore hebt ingehuurd om...' Ze keek even naar Marie. 'Om hem en Nick uit de weg te ruimen?'

'Nick?' Hij maakte een handgebaar alsof hij een vlieg wegjoeg. 'Wie is dat?'

'De politieagent die in Sunset Cove bij Luke was. Uw mannetje heeft hem neergeschoten. Ik weet er alles van. U hebt nogal een loser uitgezocht om uw zaakjes op te knappen. Ik heb hem net aan de politie overgeleverd.'

'Ik heb geen idee waar je het over hebt.' Bernie leek zich geen zorgen te maken en leek ook niet te liegen. Angela geloofde hem bijna. Hadden haar broers ook niet met de Penghetti's gepraat, zonder dat er iets met hen gebeurd was? 'Hoe wist u waar Luke te vinden was?' vroeg Angela. Bernie glimlachte. 'Dat was niet zo moeilijk, Angela.' Geweldig. Waren zij haar ook gevolgd? Of misschien hadden zij dat microfoontje geplaatst. 'Er is maar één reden waarom de gebroeders Penghetti Luke te pakken willen krijgen, en dat is om af te maken wat zes jaar geleden niet is gelukt.'

'Ik begrijp het.' Bernie fronste zijn wenkbrauwen. 'Het spijt me dat je zo negatief over ons denkt.'

Intussen had Marie een driftbui gekregen.

'Hoor eens, mannen. Laat Kinscy en Marie gaan. Jullie hebben hen niet nodig. Ik weet meer over deze situatie dan Kinsey.' Angela keek even in Kinscy's richting. 'Om eerlijk te zijn heb ik wel een vermoeden waar Luke is.' Dat was natuurlijk niet waar, maar ze wist niet hoe ze er anders voor moest zorgen dat ze Kinsey en Marie vrijlieten.

'Zou je met ons willen samenwerken?'

'Misschien. Maar jullie moeten hen laten gaan. En beloven dat jullie Luke niets aandoen.'

'Natuurlijk. Ik ben niet van plan om de man pijn te doen, ik wil alleen met hem praten.'

'Geeft u me dan de identiteit van de huurmoordenaar die in Florida de getuige en de bodyguard heeft vermoord?'

'Dat kan ik niet beloven, maar ik zal het proberen.' De man leek meer op een zakenman dan een moordenaar. Bernie knikte naar Kinscy. 'Om uw eigen veiligheid te waarborgen, mag u niets zeggen over ons bezoek of waarom we hier zijn.'

Kinsey hield Marie stevig vast, die nu jammerend om haar moeders nek hing. 'Natuurlijk niet,' zei ze, verbazend kalm. 'U kwam navraag doen naar een schilderij, is het niet?' Hij glimlachte. 'Inderdaad. En naar de gezondheid van uw man. Ik hoop dat hij veilig weer thuiskomt. Het zou vreselijk zijn als een aardig gezinnetje zoals het uwe uit elkaar zou raken.' Tegen Angela zei hij: 'Misschien wilt je ons vergezellen? Tijdens de rit kun je ons vertellen over je vermoeden.'

Angela liep het huis uit, ingeklemd tussen Bernie en zijn bodyguard. Bernie liet haar op de achterbank plaatsnemen, zei iets tegen de bodyguard en ging naast haar zitten. De bodyguard deed blijkbaar ook dienst als chauffeur.

'Heeft hij ook een naam?' vroeg Angela.

'Dan.'

Dan hield een telefoon aan zijn oor, maar omdat het raam tussen de voor- en achterbank gesloten was, kon ze niet horen wat hij zei. Ze reden achteruit de oprit af en gingen in de richting van waar zij was komen aanrijden. Callen was nergens te zien en Angela vroeg zich af of hij misschien naar de achterkant van het huis was gegaan. Die gedachte maakte haar ongerust. Als hij haar niet had zien vertrekken, kon hij haar ook niet volgen. Hoe kon hij haar trouwens volgen als zij haar autosleutel in haar tas had? Ze had de sleutel automatisch uit het slot gehaald toen ze uitstapte. De telefoon. Hij had het gesprek misschien gevolgd via haar mobiel. Angela voelde in haar tas die op de zitting naast haar stond. Bernie pakte haar tas af en begon erin te rommelen.

'Hé!' Ze wilde hem weer terug pakken, maar dat lukte niet.

'Sorry, Angela. Even kijken of je geen wapen hebt.'

'Dat had je best gewoon kunnen vragen.'

Hij grinnikte. 'Niet iedereen is te vertrouwen. Helaas heeft mijn familie een paar vijanden gemaakt.' Hij haalde haar mobiel tevoorschijn en onderzocht hem.

De moed zonk Angela in de schoenen. De telefoon was dichtgeklapt en uit. Wanneer zou dat gebeurd zijn? Had Callen wel iets opgevangen van hun gesprek?

Ze reden nu de stad uit in de richting van de bergen.

'Waar gaan we heen?' vroeg Angela.

'We hebben een huisje bij het meer. Heel aardig.'

'Hebben jullie een huisje?'

'Onze familie heeft over de hele wereld huizen. Hier ben ik zelf nog nooit geweest.'

'Dus jullie kunnen overal terecht?'

'Inderdaad. Voor geld kun je alles krijgen, Angela.'

'Dat zal wel.'

'Laten we het eens even hebben over je ideetje.'

'Vertel eerst maar eens hoe je wist dat Luke hier was – of misschien kan ik beter vragen hoe je wist dat hij nog leefde.'

'Een vermoeden. Zes jaar geleden kregen we het bericht dat Luke vermoord was en zijn lichaam was gedumpt in een moeras, samen met het wapen waarmee de getuige en zijn bodyguard waren vermoord. Mijn vader heeft het verhaal nooit geloofd. De officier van justitie heeft mijn familie destijds samen met je broer een heleboel schade berokkend, door alle beschuldigingen aan ons adres. Ze hadden alleen die getuige. Maar Stanton wilde alleen maar wraak nemen omdat we hem hadden ontslagen.'

'Bedoel je dat dat hele verhaal over de maffia…'

'Allemaal nep. Al die Al Capone-onzin heeft niets met ons te maken.'

'Waarom is die getuige vermoord?'

Hij haalde zijn schouders op en stak zijn handen omhoog. 'Hoe moet ik dat weten? Misschien heeft degene die hem had ingehuurd om te liegen ook een huurmoordenaar ingeschakeld.'

Angela betwijfelde of hij de waarheid vertelde, maar het was mogelijk. Zou het kunnen dat de officier van justitie destijds de gebroeders Penghetti zo graag achter de tralies had willen hebben dat hij bereid was geweest iemand in te huren om tegen hen te getuigen? Dat kon Angela zich best voorstellen. Hoe vaak wist de politie niet zeker dat iemand schuldig was, maar werd diegene vrijgesproken omdat er niet genoeg bewijs was om hem te veroordelen? Van Rachel had Angela begrepen dat de officier van justitie de gebroeders Penghetti voorgoed achter slot en grendel wilde zetten.

Maar om daar een valse getuige voor in te huren?

Ze moest met Luke praten. Hij zou wel beter weten hoe ver zijn baas zou zijn gegaan. Hoe heette hij ook alweer? Angela dacht weer aan haar gesprek met Rachel. Alton Delong.

Bernie had het op één punt mis. De maffia was springlevend, alleen het ging allemaal wat subtieler. Vuile zaakjes werden afgehandeld onder de dekmantel van legale bedrijven.

'Ik heb mijn vader beloofd dat ik de waarheid zou achterhalen over die officier van justitie en over Luke,' zei Bernie. 'Daarom wil ik met je broer praten en met de man die de getuige heeft vermoord. Misschien kan die huurmoordenaar ons vertellen wie hem heeft ingehuurd. Het is maar een vermoeden dat je broer ook in het complot zat. Hoe heeft hij anders kunnen ontsnappen en waarom vond hij het nodig een andere identiteit aan te nemen? Zoals je ziet, heb ik een heleboel vragen.'

Angela wreef over haar voorhoofd. Ze kreeg hoofdpijn.

'Gaat het?' Bernie leunde wat voorover en keek haar aan.

'Ik begrijp het allemaal niet meer en ik heb hoofdpijn.'

'Het spijt me.' Hij deed een klepje in het portier open en haalde er een potje aspirine uit. Hij draaide het deksel eraf. 'Dit helpt.' Angela stak haar hand uit en hij schudde twee witte tabletjes uit het potje.

Toen haalde hij een glas en een fles mineraalwater te voorschijn. Angela slikte de aspirine in en gaf hem het bijna lege glas terug. 'Bedankt.' Ze liet haar hoofd tegen de rugleuning zakken en sloot haar ogen. Ze wilde niet meer met Bernie praten. Het was allemaal te gek voor woorden. Was hij onschuldig, zoals hij beweerde? Kon de officier van justitie ermee te maken hebben? En erger nog, had Luke ervan geweten?

Nee. Onmogelijk. Angela wist niet hoe lang ze bleef proberen om de informatie in haar hoofd te rangschikken. Er waren te veel mensen bij betrokken, te veel onduidelijkheden, en ze was te moe om nog langer te piekeren.

'We zijn er, Angela.'

Ze ging rechtop zitten, geschrokken door de vreemde stem. 'Waar...'

'Rustig maar,' zei Bernie op zijn gewone toon. 'Je was in slaap gevallen.'

Dat was niet zo, maar ze liet hem in de waan. 'Waar zijn we?'

'Bij het huisje.'

Dan deed het portier open en stak haar een hand toe. Ze stonden op een parkeerplaats waar misschien vijftig auto's konden staan. Angela volgde Bernie naar het huis. Via de garage en de bijkeuken kwamen ze in een gezellige keuken met een bar, en van daaruit liepen ze naar een comfortabele woonkamer met open haard. De kamer zag uit over een meer.

'Leuk plekje.'

'Het voldoet.' Hij deed zijn colbertje uit en hing het in de kast. 'Kan ik je jas aannemen?'

'Ik houd hem nog even aan.' Het was koud in de kamer. De zon was achter dikke, donkere wolken verdwenen.

'Het ziet ernaar uit dat we storm krijgen.' Bernie drukte op een knopje, waardoor de gashaard tot leven kwam. 'Straks krijg je het vanzelf warm.'

'Kan ik iets te drinken voor u halen?' vroeg Dan.

'Thee.' Ze had geen hoofdpijn meer, maar ze begreep nog steeds niet wat er hier aan de hand was. Bernie behandelde haar als zijn gast.

Dan zette een mandje op het aanrecht. 'Welke smaak?'

Ze pakte een zakje Earl Grey.

Dan knikte. 'Komt voor elkaar.'

Angela ging op een barkruk zitten en keek hoe de man een mok met water vulde en hem in de magnetron zette. Ze zou ongerust moeten zijn, bang voor deze twee mannen, maar dat was ze niet. Ze ging zich zelfs serieus afvragen of zij of Kinsey en Marie wel echt in gevaar waren geweest.

Bernie ging zitten achter een bureau bij de schuifdeuren naar buiten en haalde en laptop uit zijn koffertje. Hij zette hem op het bureau, naast een kleine printer, en sloot de computer aan. Hij draaide zich naar haar om. 'Ik wil je graag laten zien wat ik heb gevonden in mijn onderzoek naar de officier van justitie.'

'Luke's baas.'

'Ja. Wat weet je over hem?'

Ze haalde haar schouders op en probeerde zich te herinneren wat Rachel haar had verteld. 'Hij heet Alton Delong. Een tijdje terug heeft hij ontslag genomen en is een eigen bedrijf gestart.'

'Ja. Maar er is meer.' Bernie tikte iets in op zijn laptop. 'Kom maar naast me zitten als je thee klaar is. Ik wil je iets laten zien.'

De magnetron piepte en Dan haalde de mok heet water eruit en liet het theebuiltje erin zakken. Hij gaf de mok aan haar met een schaaltje erbij waar ze het theezakje op kon zetten. Angela hield niet van sterke thee en haalde het zakje er meteen uit. 'Bedankt.' Ze keek naar Dan, die iets uit de koelkast haalde.

'Graag gedaan.' Hij hield het pakketje omhoog. 'Houdt u van biefstuk?'

Ze knikte.

'Mooi.'

'Kun je nog koken ook? Wat een veelzijdig mens.'

'Het hoort allemaal bij mijn werk.'

'Als bodyguard?'

Hij trok één blonde wenkbrauw op. 'Als butler van een heer.'

Het zal wel. Angela liep met haar mok naar het bureau, waar Bernie naar het computerscherm zat te staren.

'Kijk maar eens naar deze man, Angela. Heb je hem ooit eerder gezien?'

'Nee.' Angela keek naar de man op het scherm. Dit was Luke's baas geweest, de man die Bernie ervan verdacht de getuige te hebben omgekocht om over de gebroeders Penghetti te liegen. Ze had niet veel aandacht besteed aan Bernie's beschuldigingen, maar stel dat hij gelijk had. Stel dat de officier van justitie inderdaad een valse getuige had ingehuurd? Kon hij de opdrachtgever van Justin geweest zijn?

Had Justin haar niet verteld dat zijn baas in Florida zat? Ze moest de foto van deze man aan Justin laten zien, samen met de foto's van de gebroeders Penghetti. Maar hoe kon ze dat voor elkaar krijgen? Ze betwijfelde of Bernie en Dan haar terug zouden willen brengen naar de stad, en al helemaal niet naar de gevangenis.

40

Luke werd midden in de nacht wakker met kramp in zijn armen. Hij was zo nu en dan ingedommeld, maar omdat zijn handen vastgeklonken waren aan het bed was slapen praktisch onmogelijk. Aan de andere kant van de kamer lag zijn ontvoerder te snurken. In een poging de pijn te verlichten, schoof Luke een beetje naar boven tot zijn hoofd tegen het hoofdeinde botste.

Urenlang had hij half slapend liggen piekeren over de nachtmerrie van zes jaar geleden. *Als deze man dezelfde was als die in het appartement, als hij de moordenaar was, waarom heeft hij me dan niet gewoon doodgeschoten? Daar heeft hij voldoende gelegenheid toe gehad. Tijdens de rit hierheen had hij een kogel door mijn hoofd kunnen jagen en me ergens in het bos uit de auto kunnen duwen.*

God, ik wil niet sterven. Ik ben dankbaar dat ik nog leef, en voor de geweldige tijd met Kinsey en Marie, maar waarom heeft hij me hierheen gebracht? Waarom heeft hij hier een huisje? Wist hij al die tijd al waar ik zat? Is hij van tijd tot tijd hierheen gekomen om me in de gaten te houden?

Luke twijfelde er niet aan dat de gebroeders Penghetti een huurmoordenaar hadden ingeschakeld om de getuige en de bodyguard om te brengen. *De huurmoordenaar had mij ook moeten vermoorden, maar wat had hij ook alweer gezegd? Hij had zichzelf mijn redder genoemd. Hij had ook voorspeld dat ik verdacht zou worden van die dubbele moord. Dat was ook* gebeurd. Luke was die dag met de bus naar New Orleans gereisd. Zelfs daar stond het nieuws in de krant. De politie was op zoek naar Luke Delaney, verdachte in een moordzaak. Hij was bang geweest om herkend te worden en had zijn haar geverfd, een bril gekocht en zijn baard laten staan. Blijkbaar had die vermomming gewerkt, want niemand had hem herkend.

Maar was de huurmoordenaar hem gevolgd? Dat was haast onmogelijk. Dan moest hij het nieuws gehoord hebben van de hartaanval en dood van Frank Delaney. Dat was de enige manier waarop hij erachter had kunnen komen. Maar waarom had deze man hem ontvoerd? Waarom had hij hem niet meteen vermoord?

Ik vorm een bedreiging voor hem. Of niet? Als ik als getuige moest zweren dat deze man Stanton en de bodyguard heeft vermoord, zou ik dat dan kunnen?

Ondanks de chaos in zijn hoofd moest Luke in slaap zijn gevallen. Plotseling was het licht en hij rook de geur van gebakken bacon uit de keuken. De handboeien waren losgemaakt. Luke ging rechtop zitten en overwoog om zich geruisloos aan te kleden en door het raam te ontsnappen. Het stond op een kier en Luke kon de frisse berglucht ruiken en de contouren van het meer en het bos door het raam zien.

Maar de kleren en schoenen die hij aan het voeteneinde van zijn bed had gelegd, waren weg. Luke zuchtte. De man dacht overal aan.

'Ik dacht al dat ik je hoorde.' De man stond glimlachend bij zijn bed en gedroeg zich alsof ze oude vrienden waren die samen gingen vissen. 'Het ontbijt is klaar. Bacon en eieren.' Hij gooide Luke's kleren en schoenen op het bed. 'Die heb je nodig, denk ik.'

Luke tastte op het nachtkastje naar zijn bril, maar toen hij hem op had, was de man weer teruggegaan naar de keuken.

Luke waste zijn gezicht, kleedde zich aan en ging terug naar zijn kamer om zijn schoenen aan te doen. Misschien was er genoeg tijd. Als hij het raam nog wat verder opendeed, kon hij misschien naar het meer rennen en dan die boot gebruiken die hij had zien liggen.

Hij moest het proberen. Het raam ging moeilijk open, maar eindelijk kon hij er doorheen. Nu kon hij de vrijheid bijna proeven. Hij zette het op een rennen. Nog maar een meter of twintig naar de steiger. Hij was er bijna.

Hij hoorde een pistoolschot en voelde tegelijkertijd een withete pijn in zijn been. Hij dook naar de grond. Bloed doorweekte zijn pyjama.

Hij lag op zijn buik en luisterde naar de naderende voetstappen, wachtend op het tweede schot, dat Kinsey van een man en Marie van een vader zou beroven.

41

Angela keek van Bernard Penghetti naar de butler, Dan. Hoe vreemd het ook klonk, ze moest het vragen. 'Ik wil Justin Moore deze foto van de officier van justitie laten zien. Als wat jullie zeggen waar is, en je vader en oom geen huurmoordenaar in de arm hebben genomen, heeft deze man het misschien gedaan. Misschien heeft hij Justin ook wel aangestuurd.'

'Wie is die Justin?'

Angela vertelde hem over de man die ze in de kraag had gevat. 'Justin zei dat hij zijn baas gezien heeft en met hem heeft gepraat.' Ze aarzelde even. 'Alton Delong heeft grijs haar. Misschien is hij degene die Luke heeft ontvoerd.'

Bernie schudde zijn hoofd. 'Ik hoop het niet. Als het wel zo is, maakt je broer geen schijn van kans.'

Op dat soort opmerkingen zat Angela niet te wachten. Ze kon het bijna niet bevatten dat Bernie misschien gelijk had. 'De politie heeft deze foto ook nodig, zodat ze naar hem op zoek kunnen.'

Of Bernie haar opmerking gehoord had, wist ze niet. Hij klikte op het printericoontje en drukte de foto af. Bernie's gezicht stond gespannen. Hij schoof zijn stoel achteruit en liep naar de keuken om een glas te halen.

'Je hebt nog geen antwoord gegeven op mijn vraag. 'Zullen we deze foto aan Justin en aan de politie laten zien?'

'Dat is een goed idee, Angela. We zullen hen de informatie en de foto toemailen.' Hij vulde het glas met ijsblokjes, deed de koelkast open en haalde er een fles cola uit. 'Wil je ook een beetje?'

'Nee, dank je. Ik heb nog thee.'

'Wil je hen de informatie nu sturen? Jij bent een insider, jij weet ongetwijfeld hoe je de autoriteiten moet benaderen met dit soort dingen.'

'Prima.' Mocht ze op hun laptop werken?

'Als je het niet erg vindt, ga ik even een paar telefoontjes plegen.' Bernie ging naar boven en even later hoorde Angela een deur dichtgaan.

Dan had waarschijnlijk de verbaasde uitdrukking op haar gezicht gezien. 'Hij maakt zich ongerust over zijn gezin. Het gaat niet zo goed met zijn jongste zoon.'

'Wat mankeert hij?'

'Hij heeft een harttransplantatie nodig.'

'Waarom is Bernie dan hier?'

'Ze wachten al weken op een donor. Als ze er een vinden, vertrekt hij onmiddellijk.' Dan deed de aardappels die hij geschild had in een pan met water en wat zout. De biefstukken wreef hij in met wat kruiden.

'Wat is dat?'

'Een mengsel van koffie, cacao en kaneel.'

Ze trok haar neus op. 'Koffie?'

Hij glimlachte. 'Het is heerlijk.' Hij gebaarde naar de computer. 'U kunt nu maar beter dat bericht even sturen.'

'Goed.'

Angela vond op het internet een e-mailadres voor het politiebureau van Coeur d'Alene. Binnen een paar minuten had ze een berichtje getikt en de foto erbij gedaan. Op het klokje op het scherm zag ze dat het vijf voor zeven was. Was er 's avonds wel iemand aanwezig? Niet dat dat er toe deed. Morgen was het vroeg genoeg.

Nee, het moet vandaag.

Ze stuurde Rachel snel een mail dat ze het goed maakte en de vraag of ze Callen wilde bellen.

Zeg maar dat ik een foto naar de politie in Coeur d'Alene heb gemaild. Ze moeten hem zo snel mogelijk aan Justin laten zien en vragen of het zijn opdrachtgever is. Mogelijk zijn de gebroeders Penghetti erin geluisd. Als Justin de man herkent, zal ik alles uitleggen. Er is hier geen ontvangst en ik weet niet of ze me de vaste telefoon willen laten gebruiken. Ik heb geen idee waar ik ben. Ergens aan het meer. Bernie en Dan zorgen goed voor me en ik denk niet dat ze iets achterbaks van plan zijn. Vraag eens aan Callen of hij wel eens biefstuk heeft gekruid met koffie, cacao en kaneel. Zeg maar dat hij zich geen zorgen hoeft te maken.

Angela

'Hoe gaat het met je zoon?' vroeg Angela toen Bernie weer naar beneden kwam.

Hij fronste zijn wenkbrauwen naar Dan, die bezig was de tafel te dekken.

'Sorry, baas. Ik dacht niet dat u het erg zou vinden als ze het wist.'

'Ik hoop dat je voor hem wilt bidden. Zijn doopnaam is Gino, maar hij noemt zichzelf Jimmy.' Bernie haalde zijn portemonnee uit zijn achterzak en vouwde hem open, zodat ze de foto's kon zien.

Het ventje was niet ouder dan tien jaar. Hij leek erg op zijn vader – donker haar en donkere ogen. 'Dit is mijn vrouw, Alexandria,' zei hij trots. 'Ze is model geweest en nu zorgt ze voor mijn gezin.' Op het volgende fotootje stond een aantrekkelijke jonge vrouw. 'Mijn dochter, Tracy. Ze studeert geneeskunde. En mijn zoon, Steven. Hij doet dit jaar eindexamen.'

'Je hebt een leuk gezin, Bernie.'

'Je vraagt je zeker af hoe ik mijn zoon achter kan laten om hier naar jouw broer te komen zoeken?'

'Ja.'

'Dat is een ingewikkeld verhaal. Mijn vader en oom kunnen om gezondheidsredenen de reis niet maken. Ik ben uitgekozen. Onze familie is heel hecht. Mijn vrouw en kinderen begrijpen het wel.' Hij zuchtte. 'Ik had gehoopt dat het allemaal niet zo lang zou duren.'

'Ik heb tegen je gelogen,' zei Angela. 'Ik was bang dat je Kinsey en Marie iets aan zou doen. Ik zei dat ik dacht te weten waar Luke was, zodat je hen zou laten gaan en mij in hun plaats kon gijzelen.'

'Gijzelen was nooit mijn bedoeling. Vaak werkt intimidatie goed genoeg, maar ik ben bang dat we haar nogal aan het schrikken gemaakt hebben.'

Vreemd genoeg geloofde Angela hem. 'Ik wou dat ik Luke kon vinden. Ik zou haast willen dat ik je kon vertellen waar hij is, maar ik heb er geen idee van.'

Hij haalde een hand door zijn haren. 'Toch zou ik graag willen dat je met ons samenwerkte. Ik heb informatie die je misschien kan helpen.'

Angela kauwde op haar onderlip. Ze durfde Bernie en zijn handlanger nog niet volledig te vertrouwen. Hoewel Bernie een liefhebbende echtgenoot en vader leek te zijn, betekende dat nog niet dat de familie Penghetti volkomen onschuldig was.

'Welke informatie?' vroeg Angela.

'Laten we eerst eten.' Bernie legde een arm om haar rug

en leidde haar naar de tafel. Als een echte gentleman schoof hij haar stoel aan, voordat hij zelf ging zitten.

Dan zette een dampende schaal met gebakken aardappelen, een schaal met vlees en een salade op tafel. Hij schonk wijn in voor Bernie en zichzelf. Angela besloot geen wijn te drinken. Ze wilde haar hoofd helder houden voor de nieuwe informatie die ze te horen zou krijgen.

Terwijl ze aten, vertelde Bernard haar wat meer over zichzelf. Hij was eigenaar en manager van de uitgeverij van de familie, waar een aantal kleinere uitgeverijen onder viel. Angela kende geen van de namen die hij noemde, maar ze keek eigenlijk nooit wie een boek had uitgegeven. Hij was diaken in de kerk en hield van hardlopen. Hij had gehoord dat er een pad langs het meer liep en stelde voor om daar de volgende ochtend samen te gaan joggen.

'Ik heb een vraag voor je.' Angela legde haar vork neer. 'Tot nu toe heb je doen voorkomen dat er niets mis is met jullie organisatie, maar ik heb uit betrouwbare bron vernomen dat onder de dekmantel van al die legitieme bedrijven op grote schaal drugs verhandeld wordt. En dan hebben we het nog niet over fraude, corruptie en zelfs moord.'

'Ik denk dat er mensen zijn die graag het ergste willen geloven. Het feit dat je geld en macht hebt, betekent niet altijd dat je je bezighoudt met corruptie. Neem nou je broers – zij zitten goed bij kas. Ze hebben veel invloed, maar ze zijn ook eerlijk, toch?'

'Natuurlijk, maar waarom beschuldigt de staat jullie van al die dingen, als er geen kern van waarheid zit in wat mijn bronnen me verteld hebben?'

'Je stelt goede vragen, Angela.' Hij nam een slokje van zijn Merlot. 'Jaren geleden is onze reputatie geschaad toen een van mijn neven een stuk land kocht in Colombia en er een grote drugshandel opzette. Maar Leonardo werd gearresteerd en ter dood veroordeeld.'

'Wanneer was dat?'

'Twintig jaar geleden. Mijn vader en oom kunnen niet elk familielid in de gaten houden. Als ze horen dat er een probleem is, lossen ze het meteen op. Stanton vormde een probleem.'

'Dus jullie hebben hem laten vermoorden en gezorgd dat Luke ervan werd verdacht.'

'Nee.' Bernie zuchtte. 'We hebben hem ontslagen en onze volledige medewerking verleend toen de politie hem wilde arresteren.'

'Ik zou wel eens willen weten wat Stanton over jullie te zeggen had.'

'Leugens. Ik heb het verslag van de rechtszaak gelezen tot het moment waarop de aanklacht werd ingetrokken.'

'Dat zou ik ook graag willen lezen.'

'Hoe gaat het met je moeder, Angela?' vroeg Bernie abrupt. 'Het moet erg moeilijk voor haar zijn, nu haar man dood is en haar zoon wordt vermist.'

Waarom vroeg hij naar haar moeder? Was zijn vraag een verholen dreigement? Maar Anna zat veilig bij tante Gabby, toch? Niemand buiten de familie en Rachel wist waar ze was. Hoewel – dat was niet helemaal waar. Hadden de Penghetti's dat microfoontje in haar tas gedaan? 'Het gaat wel.'

Angela realiseerde zich plotseling dat Anna misschien nog een verlies te verwerken zou krijgen. Haar dochter. Ze vroeg zich af of Callen Anna had verteld dat Angela in de auto van een maffiabaas was gestapt. Ze hoopte van niet. Aan de andere kant moest haar moeder weten wat er gaande was. Angela wilde dat ze haar moeder eerder in vertrouwen had genomen. Nu was het misschien te laat.

Ze richtte haar aandacht weer op haar gastheer. Probeerden Bernie en Dan het haar expres zoveel mogelijk naar de zin te maken? Als ze met hen meewerkte om Luke te vinden, wat zou er dan met haar gebeuren? Hoe vriendelijk ze ook waren, ze kon hen niet vertrouwen. Belangrijker nog, ze moest zorgen dat ze haar nodig bleven hebben.

Het was een vreemde situatie, hier in een afgelegen huisje met Bernard Penghetti en Dan. Ze zou het niet vreemd vinden als ze het allemaal bleek te hebben gedroomd.

Na het eten ging ze weer met Bernie achter de computer zitten. Hij had een paar documenten voor haar over de rechtszaak en de officier van justitie. Hij printte ze uit, zodat Angela ze later nog eens over kon lezen. Toen kondigde hij aan dat hij moe was en naar bed ging.

'Ik heb geen pyjama en geen toiletartikelen,' zei Angela. 'En waar moet ik slapen?'

'Er is boven nog een slaapkamer.' Bernie bleef boven aan de trap staan. 'Toen wij achter de computer zaten, heeft Dan wat inkopen voor je gedaan. Ik vertrouw erop dat je er mee vooruit kunt.'

Alleen in een huisje met twee mannen. Het besef dat dit een bijzonder gevaarlijke situatie kon zijn, deed haar maag ineenkrimpen.

'Maak je geen zorgen, meid,' zei Dan. 'Bij ons ben je veilig.'

Angela vond het niet prettig dat Dan spullen voor haar gekocht had en ze kon het al helemaal niet waarderen dat hij haar gedachten had geraden. 'Ik maak me geen zorgen.' Ze keek weer naar het computerscherm en klikte op het mailprogramma. Er was een berichtje van Bernie's vrouw, dat ze hem miste en dat Jimmy een goede dag had gehad. Ze opende haar eigen mail via het internet.

Het eerste mailtje was van Rachel. Blijkbaar had Callen haar verteld dat Angela Kinsey en Marie wilde gaan redden. *Je bent gek, Angela. Alsjeblieft, vertrouw deze mensen niet! Ze zijn gevaarlijk!*

Er was een berichtje van Callen, waarin hij schreef dat hij naar het politiebureau was gegaan en moest wachten tot de bewaker Justin bij hem zou brengen. Hij legde uit dat het contact met haar mobiel verbroken was en dat hij naar de achterkant van het huis was gelopen om dichterbij te komen. Toen hij daar was, hoorde hij de auto starten en wegrijden. Zonder haar autosleutels moest hij wachten tot de politie er was en toen was het te laat. Hij waarschuwde haar ook voor de Penghetti's.

Ze begon zich te ergeren. Ze dachten toch zeker niet dat ze dom was? Ze had gezegd dat er goed voor haar gezorgd werd – deels omdat ze niet wilde dat ze zich zorgen om haar maakten, maar vooral omdat ze niets wilde schrijven wat Bernie of Dan niet mocht zien. Ze verwijderde de berichten en keek over haar schouder. Dan stond nog in de keuken en Angela zag de autosleutels op het aanrecht liggen. Ze keek vlug weer weg, voordat Dan zag dat ze ernaar keek.

'Nou, ik ga die documenten maar eens lezen.' Ze rekte zich uit en geeuwde.

Dan knikte en ging verder met het inruimen van de vaatwasser. 'Welterusten.'

'Welterusten.' Angela nam het pak papier mee naar de slaapkamer boven en legde het op het nachtkastje. Ze deed haar schoenen uit en liep over het dikke tapijt naar haar privébadkamer. Toen ze haar tanden stond te poetsen met een nieuwe borstel, dacht ze na over de beste ontsnappingsmethode. Het leek heel eenvoudig: gewoon wachten tot beide mannen sliepen, naar beneden sluipen, de autosleutels pakken en wegwezen. Ze had geen alarmsysteem gezien, dus haar plan zou moeten werken – als ze langs Dan kon komen. Als hij wakker werd tijdens haar ontsnappingspoging, zou ze zeggen dat ze dorst had en een glaasje water wilde halen.

Angela herhaalde het plan keer op keer in haar hoofd, terwijl ze zich afvroeg hoe lang het zou duren voordat Dan in slaap gevallen was. Ze keek naar de pyjama's op het bed, maar besloot voorlopig haar gewone kleren nog aan te houden. Om middernacht zou ze naar beneden gaan. Tot die tijd zou ze lezen.

Ze keek het document over de zaak waar Luke bij betrokken was geweest vluchtig door. Rachel had haar er al het een en ander over verteld, maar deze documenten leken alle informatie over de zaak te bevatten. Er waren artikelen bij, verslagen en getuigenissen. De gebroeders Penghetti werden onder meer beschuldigd van fraude, corruptie, drugshandel, en zelfs moord. De getuige moest verklaren dat hij aanwezig was toen een van hun dealers, een jonge Latino, door Bobby en Rick Penghetti werd vermoord. De officier van justitie zat kennelijk al een hele tijd achter de gebroeders aan, maar om verschillende redenen, waaronder gebrek aan bewijsmateriaal, waren ze nooit formeel aangeklaagd. De officier van justitie werd geciteerd: 'Dit keer krijgen we hen te pakken.' Angela vroeg zich af waarom het allemaal van één getuige afhing.

Ze las de details door. Misschien had Bernie wel gelijk dat de officier van justitie op de een of andere manier verantwoordelijk was. Stel dat de getuige van gedachten was veranderd en de rechtbank wilde gaan vertellen dat de officier van justitie hem had omgekocht. Dat was een prima motief voor een moord. De officier van justitie wil een veroordeling, hij huurt een getuige in. Getuige verandert van gedachten, officier van justitie schakelt een huurmoordenaar in.

Het was vergezocht, maar bijna net zo geloofwaardig als de mogelijkheid dat de gebroeders Penghetti een huurmoordenaar in de arm hadden genomen. De media vonden dat de Penghetti's het gedaan hadden en daar kon niemand tegenop. Zonder die getuige zouden de broers vrijuit gaan. Maar volgens een werknemer op het kantoor van de officier van justitie wisten alleen de officier van justitie zelf en Luke waar de getuige en de bodyguard logeerden. Hoe had de moordenaar hen kunnen vinden? Informatie kon natuurlijk gekocht worden. Misschien hadden de broers een spion in het hotel die hen de informatie had doorgespeeld. Of misschien kenden ze iemand op het kantoor van de officier van justitie.

Op een los papiertje vond Angela de naam en het adres van de officier van justitie, en de mededeling dat hij kort na de moord ontslag had genomen. Dat klopte met wat Rachel haar had verteld. Hij had een prima baan, zag ze, als advocaat met een eigen praktijk.

Angela legde de stapel papieren op haar nachtkastje en wreef in haar ogen. Ze wilde naar huis, op de veranda naar de sterren kijken. Ontmoediging overspoelde haar. Zou ze Luke ooit vinden? Levend en wel? De gebroeders Penghetti waren op zoek naar Luke en degene waar Justin voor werkte ook. Of was dat één en dezelfde persoon? Justin was te jong om de huurmoordenaar in Florida te kunnen zijn, dus zat diegene ook achter Luke aan? Had Luke misschien informatie die voor hen allemaal belastend was? Wie had Luke het eerst te pakken gekregen? Wie had Justin ingehuurd? Veel te veel vragen. Ze moest met Callen praten. Hij zou de foto inmiddels wel aan Justin hebben laten zien. Had hij al teruggemaild? Kon ze even gaan kijken?

Toen Angela naar beneden liep, was het bijna twaalf uur. Dan lag op de bank en leek vast in slaap. De computer was dichtgeklapt en Angela overwoog even om hem aan te zetten. Maar Dan zou ongetwijfeld wakker worden als de computer tot leven kwam.

In het schemerdonker kon ze de autosleutels nog op het aanrecht zien liggen. Ze liep terug naar de slaapkamer om haar tas te pakken, maar kon hem niet vinden. Toen realiseerde ze zich dat ze hem in de woonkamer bij de computer had laten liggen. Ze trok haar schoenen, sloop de trap af en liep naar de computer. Haar tas lag er niet. Had Dan hem opgeruimd?

Je hebt nu geen tijd om hem te zoeken. Om zeker te weten dat Dan sliep, liep ze de keuken in, en pakte de sleutelbos van het aanrecht. Ze pakte een glas, liet er wat water in lopen, nam er een paar slokken van en zette het glas op het aanrecht. Dan verroerde zich niet en snurkte zacht.

Ze haalde een paar keer diep adem om haar zenuwen de baas te worden. Toen glipte ze naar buiten, de betonnen trap af, en de garage in. Ze liep naar de limousine en deed het portier van het slot. De auto piepte doordringend en Angela hield van schrik haar adem in. Ze ging in de auto zitten en stak de sleutel in het contactslot, terwijl ze haar ogen op de trap gericht hield. Blijkbaar had niemand het gehoord. Even later reed ze op de hoofdweg terug naar Coeur d'Alene.

Aan de rand van de stad passeerde ze een patrouillewagen en even later zag ze dat de auto haar met het zwaailicht aan volgde. Dat verbaasde haar niet. Callen had de autoriteiten waarschijnlijk gevraagd hun ogen open te houden voor een dergelijke auto. Ze stopte aan de kant van de weg.

'Mag ik uw rijbewijs en kentekenbewijs even zien?' zei de hulpsheriff toen hij was uitgestapt.

'Ik heb mijn rijbewijs niet bij me. Ik ben ontvoerd en daarna ontsnapt, maar ik kon mijn tas niet vinden.' Ze leunde opzij, deed het handschoenkastje open en haalde de huurovereenkomst eruit. 'Het is een huurauto.'

'Rijdt u zonder rijbewijs?'

'Ja, maar ik heb net uitgelegd hoe dat komt.' Ze gaf hem de papieren. 'Hij is verhuurd aan Bernard Penghetti of Dan nog wat.' Ze wreef over haar voorhoofd, terwijl hij de papieren bestudeerde. Hij geloofde haar niet, dat zag ze wel.

'Hoor eens, ik heet Angela Delaney. Ik ben politieagent. Als u me niet gelooft, bel dan maar even naar rechercheur Callen Riley.' Ze gaf hem Callens mobiele nummer. 'Of het politiebureau in Coeur d'Alene. Zij kennen me wel.'

'Stap maar uit, alstublieft.' Zijn stem klonk nors.

'Alstublieft, we verspillen onze tijd.'

'Langzaam de auto uit.'

Angela deed wat hij zei. 'Alstublieft, bel even naar het politiebureau.'

Hij liet haar tegen de auto leunen en fouilleerde haar.

'Ik ben niet gewapend. Ik probeer alleen maar de stad in te komen.'

Hij deed haar handboeien om en zette haar op de achterbank van zijn patrouillewagen.

'Word ik naar het bureau gebracht?' Ze vond het niet zo'n prettig idee om gearresteerd te worden, maar op het bureau zou er tenminste wel iemand zijn die haar verhaal kon bevestigen. 'En de auto dan?'

'Daar zorg ik wel voor.'

De agent geloofde geen woord van wat ze zei, en dat kon ze hem niet kwalijk nemen. Als zij iemand had aangehouden die zonder rijbewijs in een auto reed die aan iemand anders verhuurd was, zou ze hem ook niet geloven. De agent moest haar identiteit verifiëren. Dat was niet erg. Als ze in de stad was, kon ze Callen bellen om haar te komen halen. Ze leunde achterover en zuchtte opgelucht.

De agent haalde de sleutels uit de limousine en deed hem op slot. Hij stapte in zijn eigen auto en regelde een takelwagen. Bernie en Dan zouden niet zo blij zijn als ze ontdekten dat ze geen auto meer hadden.

De agent reed een stukje over de hoofdweg naar de stad, maar draaide om zodra dat mogelijk was en reed weer terug.

'Waar gaan we heen?' Ze zag de limousine aan de kant van de weg staan. Ongelooflijk. Hij bracht haar weer terug naar Penghetti.

42

De agent keek haar in het achteruitkijkspiegeltje aan. 'Een beetje dimmen, juffrouw Penghetti. Je mag wel blij zijn dat ik je terugbreng naar je oom, en je niet in de cel gooi. Hij zei dat hij geen aanklacht in wilde dienen.'

'Mijn oom? Heb je met hem gepraat?' Angela leunde achterover. *Super. Geweldig. De man gelooft me niet en ik heb geen identiteitsbewijs bij me.* 'Hij heeft zeker gezegd dat ik zou beweren dat ik ontvoerd was en een valse naam op zou geven?'

'En dat heb je ook gedaan.'

'Ik ben Angela Delaney. Bel alsjeblieft naar het politiebureau van Coeur d'Alene.'

Hij glimlachte. 'Dat heb ik al gedaan. Ze hebben nog nooit van je gehoord.'

'Dat is onmogelijk. Breng me alsjeblieft niet terug. Ze zullen me vermoorden.'

Hij grinnikte. 'Je klinkt net als mijn dochter. Ik denk niet dat je ergens bang voor hoeft te zijn. Misschien krijg je huisarrest. Meneer Penghetti klinkt als een aardige vent.'

'Huisarrest? Heeft hij gezegd hoe oud ik ben?'

'Ja. Zeventien. En dat lijkt wel te kloppen.'

Ze zag er waarschijnlijk inderdaad uit als een tiener. Door haar tengere postuur en wilde krullenbos twijfelden veel mensen aan haar leeftijd. 'Hoeveel heeft hij je geboden om me terug te brengen?'

'Ik accepteer geen geld.' Hij fronste zijn wenkbrauwen.

'Ik doe gewoon mijn werk.'

'Arresteer me dan. Ik heb die auto gestolen.'

Hij schudde zijn hoofd. 'Ga nou maar rustig zitten.'

Rustig zitten. Juist. Alsof dat mogelijk was. Angela vroeg zich af wie hij had gesproken op het politiebureau. Hoe kon het dat diegene nooit van haar had gehoord? *Waarschijnlijk iemand van de nachtdienst die nog niet was ingelicht over de zaak.*

Even later waren ze bij het huis. De agent begeleidde haar naar de voordeur en drukte op de bel.

Dan deed de deur open, glimlachte even naar Angela en deed een stap opzij. 'Meneer Penghetti, Angela is terug.'

'Gelukkig.' Bernie duwde Dan opzij en nam Angela in zijn armen. Toen hij zag dat ze handboeien om had, zei hij tegen de agent: 'Was dat nou echt noodzakelijk?'

'Sorry. Ik was bang dat ze weg zou rennen.'

'Dat had gekund.' Bernie wendde zich tot Angela. 'Angela, waar zat je met je hoofd? Je kunt toch niet zomaar weggaan, midden in de nacht?'

Angela staarde hem aan, terwijl ze probeerde te bedenken wat ze moest doen. Ze zou moeten eisen dat de agent haar naar de stad bracht, maar dat deed ze niet. Ze had geen zin meer om te protesteren. Ze was moe en stond op het punt in tranen uit te barsten. Ze hadden het waarschijnlijk zien aankomen dat ze zoiets zou proberen. Ze hadden haar tas verstopt en waarschijnlijk de autoriteiten gebeld zodra ze was vertrokken.

De agent deed de handboeien los. Hij zei dat de limousine binnen een uur teruggesleept zou worden en vertrok.

'Bedankt.' Bernie sloot de deur en zuchtte.

Angela slofte naar een stoel en liet zich erin vallen. 'Waarom heb je me laten gaan? Waarom liet je me al die moeite doen, als je wist dat de politie me weer terug zou brengen?'

'We beseften niet dat je weg was tot Dan de auto hoorde piepen toen je hem van het slot deed. Hij zag dat de sleutels weg waren en ging even kijken. Jij was weg en de auto ook.' Bernie schudde zijn hoofd. 'Ik ben erg teleurgesteld, Angela. We hadden toch iets afgesproken?'

Bernie zag er ook moe uit en Angela voelde zich bijna schuldig. 'Wat gaan jullie nu doen? Me neerschieten?'

'O, Angela.' Bernie ging in de stoel tegenover haar zitten. 'Het doet me verdriet dat je zo over ons denkt. Heb je dan niets begrepen van wat ik heb gezegd? We zijn geen moordenaars. Wat moet ik doen om te bewijzen dat ik aan jouw kant sta?'

'Me vrijlaten zou wel helpen. Hoe kun je verwachten dat ik geloof dat je aan mijn kant staat als je me hier gevangen houdt? Je wilt Luke vinden en blijkbaar heb je daar alles voor over.'

'Ik wil graag met hem praten, ja.' Bernie wreef met zijn handen over zijn gezicht. 'Heb je die documenten gelezen die ik voor je geprint heb?'

'Voor het grootste deel.'

'En?'

Ze haalde haar schouders op. 'Ik begrijp waarom je de officier van justitie verdenkt, maar ik heb net zoveel redenen om jou te verdenken.'

'Hmm. De media hebben ons behoorlijk negatief afgeschilderd. We hopen dat Luke ons kan helpen om het een en ander recht te zetten.'

Angela keek van hem naar Dan. Geen van beiden leken ze van plan te zijn om haar te vermoorden omdat ze ontsnapt was. Toch vertrouwde ze hen niet. 'Waarom houd je me hier vast tegen mijn wil?'

'Daar lijkt het misschien wel op, ja.'

'Inderdaad,' zei Angela sarcastisch. 'Ik moet contact opnemen met rechercheur Riley. Hij zou Justin de foto van de officier van justitie laten zien. Als hij degene is die Justin heeft ingehuurd, geloof ik je misschien.'

Dan gebaarde naar de computer. 'Hij zou u toch een mail sturen?'

'Dat was wel het plan, ja.'

'Waarom kijk je dan niet even?' zei Bernie.

Angela liep naar de laptop en startte hem op. 'Ik had de limousine heus wel teruggestuurd, hoor.'

'Daar twijfel ik niet aan, Angela, maar we zouden graag willen dat je hier bleef.'

'Met andere woorden: "Vergeet het maar, je blijft hier."'

'Je hebt zelf aangegeven dat je ons wilde helpen.'

'Ja, onder dwang.'

Angela opende de inbox. Geen bericht van Callen. 'Ik begrijp het niet. Hij zei dat hij terug zou mailen.'

'Misschien is er iets tussengekomen. Je kunt morgenochtend nog eens kijken. Ik stel voor dat we nu allemaal terug naar bed gaan en proberen wat te slapen.'

Dan zei geeuwend dat hij op zou blijven tot de limousine gebracht werd.

Angela liep naar haar kamer. Ze was niet van plan nog een keer een ontsnappingspoging te wagen. Ze deed de flanellen pyjama aan met Winnie de Poeh erop, poetste haar tanden en liet zich op het bed vallen.

Ze werd wakker omdat er iemand aan de deur belde. Angela keek uit het raam, maar zag niemand staan. Ze kleedde zich snel aan, poetste haar tanden en borstelde haar haren. Toen liep ze de trap af. Callen stond in de deuropening.

'Rechercheur.' Bernie begroette hem alsof hij een oude

vriend was. 'We hadden het juist over u. Gaat u zitten. Ik zal even kijken of Angela al wakker is. Het is gisteravond nogal laat geworden.'

'Dat heb ik gehoord.'

'Ik neem aan dat de agent die haar betrapt heeft toen ze mijn auto wilde stelen u alles heeft verteld?'

'Precies. Ik hoorde een vreemd gerucht en heb hem gebeld. Hij was zo vriendelijk om me te vertellen hoe ik hier moest komen.'

Angela rende de trap af. 'Ik hoop dat hij onder uit de zak krijgt. Ik heb geprobeerd hem uit te leggen wie ik was.'

'En nu wil je vast weten hoe ze op het bureau niet wisten wie je was?' Callen tuitte zijn lippen. 'Het was een misverstand. Het was gisteravond nogal een chaos in de gevangenis.'

Er was iets in zijn gezichtsuitdrukking dat bij Angela een alarmbelletje deed rinkelen. 'Wat is er gebeurd? Heeft Justin de officier van justitie geïdentificeerd?'

'Ik heb niet de kans gekregen om hem de foto te laten zien. Justin Moore is dood.'

43

'Is Justin dood?' Angela kon de woorden bijna niet uit haar mond krijgen. 'Maar hoe kan dat? Is hij ontsnapt? Heeft een van de andere gevangenen…?'

'Iemand heeft hem de keel doorgesneden, maar we hebben geen idee wie. Niemand wil iets zeggen,' zei Callen. 'Ze zijn bezig iedereen in de gevangenis te ondervragen. Hopelijk komt er iets uit.'

'Heeft iemand hem te grazen genomen voordat hij naar de foto kon kijken?' Angela kon het bijna niet bevatten.

'Dat is slecht nieuws.' Bernie's stem drong nauwelijks tot haar door. 'Ik had gehoopt dat hij ons zou kunnen helpen.'

'Heb je al iets van Luke gehoord?' vroeg Angela. Justins dood maakte dat haar broer nog meer in gevaar was.

'Nee, niets. Het spijt me.' Tegen Bernie zei Callen: 'Jij en je vriend hebben het een en ander uit te leggen. Misschien kun je me vertellen waarom je mijn vriendin hier gijzelt?'

'Gijzelen?' Weer verscheen die vriendelijke glimlach op Bernie's gezicht. 'Zoals Angela zal beamen, is ze uit vrije wil met ons meegekomen.'

Angela veegde een lok haar uit haar gezicht. 'Omdat ik dacht dat ik geen keus had. Ik dacht dat ik Kinsey en Marie kon redden door mezelf aan jullie over te geven. Je gaf zelf toe dat jullie nogal intimiderend overkwamen.'

Callen keek haar aan. 'Moeten we hen arresteren of niet?'

'Nee. Hij heeft gelijk. Ik heb beloofd met hen mee te gaan om hen te helpen Luke te vinden. Ze hebben mij wel wat verder geholpen – denk ik. Zij hebben me attent gemaakt op de officier van justitie. Rachel en ik hadden die mogelijkheid al kort besproken, maar Bernie lijkt te denken dat hij degene is die we moeten hebben en dat Luke ons kan helpen dat te bewijzen.'

Angela stelde de mannen nog even aan elkaar voor en ze gingen aan tafel zitten voor koffie en ontbijt. Dan maakte het een en ander klaar in de keuken, terwijl Bernie de situatie uitlegde en Angela Callen de documenten gaf die Bernie de vorige dag had uitgeprint.

Terwijl Callen het papierwerk doorlas, dacht Angela aan Justin. De moordenaar moest er op de een of andere manier achter zijn gekomen dat hij was gearresteerd. Ze dacht aan de vorige avond, toen Bernie naar zijn slaapkamer was gegaan om een paar telefoontjes te plegen. Had hij toen iemand opdracht gegeven om Justin te vermoorden? Er liep een koude rilling langs haar rug en ze huiverde. Vlak daarvoor had ze Bernie verteld dat Justin in de gevangenis zat. Ze had ook gezegd dat ze Justin naar de foto van de officier van justitie wilde laten kijken. Wat ze niet had gezegd, was dat ze hem ook een foto van de gebroeders Penghetti had willen laten zien. Had Bernie dat vermoed? Had hij de familiefoto in haar tas zien zitten?

Bernie leek het niet erg te vinden dat Angela en Callen vertrokken. Hij vroeg haar om hem op de hoogte te houden en verzekerde haar er nogmaals van dat hij alleen maar met Luke wilde praten. Iedereen leek met Luke te willen praten en Angela weigerde te geloven dat hij al dood was.

Callen keek haar aan, terwijl hij stond te wachten om de hoofdweg op te draaien. 'Gaat het echt wel met je?'

'Prima.' Ze liet haar hoofd achteroverleunen en zuchtte

diep. 'Hoe vreemd het ook klinkt, ik mag die twee mannen wel.'

'Maar?'

'Ik vertrouw hen niet. Ik betwijfel of ze iets te maken hadden met Luke's verdwijning. Waarom zouden ze anders nu naar hem op zoek zijn? Ik weet niet of ze echt alleen maar met hem willen praten, zoals Bernie beweert. Hij heeft gisteravond op zijn kamer een paar telefoontjes gepleegd, zogenaamd naar zijn familie. Ik ben bang dat hij opdracht gegeven heeft om Justin te vermoorden.'

'Waarom zou hij dat doen? Hij wilde toch ook dat Justin de foto van de officier van justitie zou zien?'

'Ik weet het niet. Ik kan er geen wijs meer uit worden.' Ze sloeg haar armen over elkaar. 'Hoe gaat het met Kinsey en Marie?'

'Aardig. Ik heb Kinsey vanmorgen gesproken en gezegd dat ik jou ging redden.'

'Wat een redding. Ik weet niet of ik eigenlijk wel enig risico gelopen heb – en je had niet eens versterking bij je.'

'Om eerlijk te zijn had ik dat wel. De agent die jou gisteravond opgepikt had.'

'Hmm. Wat moeten we nu beginnen?' Angela draaide zich half om op haar stoel.

'Jij gaat naar het vakantiecentrum. Ik ga alle autoverhuurbedrijven langs om te zien wie er een witte Lexus heeft verhuurd.'

'De auto waar Marty Luke in heeft zien stappen?'

Callen knikte. 'Ik weet niet of het iets oplevert. Ik probeer gewoon wat aanknopingspunten te vinden.'

'Dat kan ik ook wel voor je doen,' zei Angela. 'Ik moet iets om handen hebben.'

'Dat zou inderdaad kunnen,' zei hij. 'Gisteren heb je Joe

gevraagd of je je baan terug mocht. Meende je dat serieus?'

'Dat weet ik niet zeker.' Ze had nog geen tijd gehad om na te denken over haar beslissing, maar op dat moment had het de juiste geleken. 'Ik denk dat ik er klaar voor ben. In de afgelopen weken is het verlangen steeds sterker geworden om er ook weer bij te horen. Ik kan het niet uitstaan om buitenstaander te zijn en ik ben niet geschikt voor het burgerschap.'

Hij grinnikte. 'Je meent het. Rachel zal wel teleurgesteld zijn dat ze haar privédetective kwijt is.'

Angela beet op haar onderlip. 'Ja, maar ze zal het wel kunnen begrijpen. Bovendien heb ik meer werk nodig dan wat zij voor me heeft als ik financieel wil kunnen overleven.'

Papa kan tevreden zijn. Die gedachte schoot opeens door haar hoofd en ze kreeg een brok in haar keel.

Callen legde zijn hand op de hare. 'Je hoeft niet meer te gaan werken.'

'Dat is het niet. Ik wil weer gaan werken. Ik moest even aan mijn vader denken.'

'Hij zou er wel blij mee zijn.'

'Ja. Ik vind het erg jammer dat hij is gestorven met het idee dat ik het opgegeven had.'

'Ik denk niet dat hij dat ooit heeft gedacht.'

'Hij was teleurgesteld in me.'

'In zichzelf, niet in jou.'

Angela had geen zin om oud zeer op te halen. Ze had na haar vaders dood haar verdriet aan de kant geschoven, vastbesloten om door te gaan met haar leven. Frank Delaney had van haar gehouden. Dat wist ze. Zijn woede en teleurstelling waren waarschijnlijk op zichzelf gericht geweest.

'Waarom is het eigenlijk zo belangrijk voor me?' Angela vond een doos tissues achter de voorstoel en pakte er een paar om haar neus te snuiten. 'Waarom wil ik nog steeds zijn goedkeuring krijgen?'

Callen ging langzamer rijden toen ze de stad naderden. 'We zijn allemaal geneigd om onze ouders een plezier te doen. We voelen ons waardevol als we weten dat onze ouders goedkeuren wat we doen. Als dat niet zo is, of als we denken dat het niet zo is, voelen we een gemis, alsof we tekortschieten.'

'Ik was nooit goed genoeg voor hem. Zo voelde ik me tenminste.'

Callen kneep zacht in haar hand. 'Hij praatte over je alsof je perfect was.'

Ze glimlachte. 'Heb jij met hem over mij gepraat?'

'Ja, twee keer.'

'Dat heeft hij me nooit verteld.'

'Ik vertel het je nu.'

'Ik houd van je.'

'Ik ook van jou.' Hij tilde haar hand naar zijn mond en gaf haar een zoen op haar knokkels.

Te veel emoties. Te veel verwarring. Hoe kreeg ze alles ooit op een rijtje? Uiteindelijk zou het haar lukken, maar nu moest ze de gevoelens over haar vader en zijn dood opzij zetten. Nu had ze al haar energie nodig om Luke te vinden.

44

Ze vond tien auto's bij de autoverhuurbedrijven die voldeden aan de omschrijving van de witte Lexus die Angela hen gegeven had. Geen van de namen kwam haar bekend voor. Maar dat had ze ook niet verwacht. Drie auto's waren alweer teruggebracht. Ze vouwde het lijstje met nummerborden, namen en type auto op en deed het in haar tas. Ze zou het aan Callen geven als hij haar op kwam halen voor het avondeten.

De telefoon ging en Angela nam op.

'Goedemiddag, Angela. Hoe zou je het vinden om je broer te zien?'

Angela schrok. 'Met wie spreek ik?'

'Dat doet er op dit moment niet toe. Wil je hem zien of niet?'

'Natuurlijk. Hoeveel vraag je?'

De man grinnikte. 'Het gaat niet om geld. Het gaat om jou. Luke's leven is in jouw handen.'

'Ik begrijp het niet.'

'Dat komt nog wel.' Die stem. Had ze die al eerder gehoord? Angela kon het zich niet herinneren.

'Wat moet ik doen?' Angela dwong zichzelf rustig adem te blijven halen.

'Ik zal je naar je broer brengen, maar je mag geen contact opnemen met de politie.'

'Zodat je mij ook kunt ontvoeren? Ik dacht het niet.'

'Ik zal van voren af aan beginnen. Wil je je broer terugzien?'

Angela wist niet wat ze moest zeggen. Het zou erg dom zijn om met deze man mee te gaan. Ze zou Callen in moeten lichten, maar waarschijnlijk werd ze in de gaten gehouden. Als ze een zendertje mee kon krijgen, zou Callen haar kunnen volgen.'

'Goed dan.' Angela was niet van plan te doen wat hij zei zonder eerst met Callen te overleggen, maar ze kon deze kans om Luke te zien niet voorbij laten gaan.

'Ten zuidwesten van het vakantiecentrum is een park. Volg het pad langs de rivier, dan zie je het aan je rechterhand. Loop door het park naar de weg aan de westkant. Daar zie je een rood busje. De sleutel ligt onder de voorstoel. Stap daarin en rijd weg.'

'Waarheen?'

'Er liggen instructies in de auto.'

'Wanneer?' vroeg ze.

'Nu. Geen politie, geen zender.'

'Hoe weet ik zeker dat je me naar Luke brengt?'

'Je moet me maar vertrouwen. Doe wat ik zeg, dan overkomt je niets.'

'Hoe weet ik of hij nog wel leeft?'

'Hij leeft nog.'

'Denk je nou echt dat ik je vertrouw?'

'Zoals ik al zei, hangt Luke's leven af van jouw medewerking.'

'Goed. Ik vertrek nu.'

'Tien minuten.'

'Zit jij in het busje?' vroeg Angela, maar de man had al opgehangen.

Angel draaide Callens nummer en was opgelucht toen hij meteen opnam. 'Hoe snel kun je aan een zendertje komen?'

'Hoezo?'

Angela vertelde hem over het telefoontje, terwijl ze haar schoenen aandeed en haar tas pakte.

'Vergeet het maar,' zei Callen op een toon waaruit bleek dat hij geen tegenspraak duldde. 'Je gaat helemaal nergens heen. Ik zal die instructies zelf opvolgen.'

'Dat werkt niet. Hij volgt me. Ik ben bang dat hij Luke zal vermoorden als ik niet doe wat hij zegt.'

'Ik vind het vervelend om te zeggen, Angela, maar misschien is Luke allang dood.'

'Zeg het dan niet. Ik ga. Tien minuten, zei hij.'

'Ik kan je zo snel niet aan een zendertje helpen.'

Angela drukte op het knopje van de lift, maar besloot toch de trap te nemen. 'Hij zei dat ik een rood busje moest vinden. Misschien kun je me gewoon volgen. Houd genoeg afstand. Ik zal wel proberen je terug te bellen.'

'Dit is te gek voor woorden.'

'Ik weet het. Ik begrijp ook niet wat hij met me wil, maar daar komen we snel genoeg achter.'

'Wees voorzichtig, Angela.'

'Dat ben ik toch altijd?' Ze liep naar buiten. Het was koel en ze was blij dat ze een jas had aangedaan. Ze werd steeds ongeruster, hoe verder ze liep. Ze kon het busje al zien staan. Terwijl ze haastig door het park liep, vroeg Angela zich af wie de beller was. Zijn stem leek niet op die van Bernie of Dan, maar ze wist nog steeds niet wat ze van hen moest denken. Misschien had Bernie wel iemand ingehuurd. Justin kwam niet meer in aanmerking. Misschien was het de officier van justitie geweest of de huurmoordenaar uit Florida die Luke had laten gaan.

Angela ging langzamer lopen toen ze vlakbij het busje was. Er leek niemand in te zitten. Misschien had ze geluk en zat Luke achterin. Misschien zat er iemand in verscholen die haar wilde vermoorden. Ze deed de schuifdeur open en keek naar binnen. Niemand. Ze keek om zich heen, maar Callens auto was nergens te zien en ook geen politieauto. Ze stapte in aan de passagierskant. Er lag een briefje op de stoel:

Rijd naar het Silver Lake winkelcentrum bij Hanley, parkeer bij een ingang en loop naar binnen. Ga naar de Bon Marché, naar de cosmetica-afdeling.

Angela deed wat op het briefje stond. De man speelde blijkbaar een spelletje met haar. Ze belde Callen en vertelde wat er op het briefje stond. Hij verzekerde haar ervan dat hij haar in de gaten hield en haar zou volgen.

Toen ze in het winkelcentrum was, liep ze naar de cosmetica-afdeling van de Bon Marché. Een jonge vrouw vroeg of ze haar kon helpen.

'Eh… ik wacht op iemand.'

'Bent u Angela?'

'Ja.' Angela fronste haar wenkbrauwen. 'Wie ben jij?'

'Amy. Ik werk hier.' Ze glimlachte. 'Een man heeft dit voor je achtergelaten.'

Angela nam de envelop van haar aan en keek om zich heen. Callen stond bij een andere afdeling horloges te bekijken. Verder leek er niemand geïnteresseerd in wat ze aan het doen was. Agent Denham, die met Callen mee was gereden, was nergens te bekennen. Ze vouwde het briefje open.

Zorg dat je de politie kwijtraakt en ga naar de uitgang achterin de winkel. Buiten staat een rode auto langs de stoep geparkeerd. Dit keer geen trucjes.

Ze keek even naar Callen, liep om de cosmetica-afdeling

heen en dook tussen de kledingrekken tot ze bij de uitgang was. Callen was nergens te zien en Denham ook niet. Angela ging naar buiten. Zoals gezegd stond er een rode auto geparkeerd. Angela stapte vlug in. Callen zou waarschijnlijk woedend zijn, maar ze had niet veel keus. Niet als ze Luke levend terug wilde zien.

'Dat werd tijd,' mompelde de man achter het stuur.

Angela keek naar hem terwijl ze het portier dichttrok. 'Jij…' sputterde ze.

'Wie had je dan verwacht? Tom Cruise?'

Angela staarde de man sprakeloos aan. Ze geloofde haar ogen niet.

Luke's docent, Ethan Hathaway, reed naar de voorkant van de supermarkt en dook toen een zijstraatje in. Via allerlei achterafstraatjes reden ze naar de snelweg, die ze opreden in de richting van Spokane. Hij nam de eerste afslag en reed meteen de snelweg weer op in de tegenovergestelde richting.

'Waar gaan we heen?' vroeg Angela.

'Daar kom je snel genoeg achter.'

'Hoe bent u hierbij betrokken?'

'Dat komt allemaal wel.'

'Luke vertrouwde u en…'

'Het is allemaal niet wat het lijkt, Angela. Wacht maar af.'

Angela hoopte dat Callen of agent Denham haar had zien vertrekken en hen volgde, maar ze vermoedde van niet. Ze waren waarschijnlijk niet eens op tijd bij de uitgang van de winkel geweest om de auto te zien. Dr. Hathaway moest drie verschillende auto's hebben gehuurd om dit voor elkaar te krijgen.

'Doe je gordel maar vast om. Anders worden we nog aangehouden.'

Angela trok de gordel naar beneden en klikte hem vast.

'Je hebt me teleurgesteld, Angela. Je hebt mijn taak flink bemoeilijkt en kostbare tijd verspild.'

'Ik begrijp het niet. Welke reden heeft u om Luke te ontvoeren?'

'Dat is een lang verhaal. Ik moet me verontschuldigen voor al dit geheimzinnige gedoe, maar ik kon het niet riskeren om rechercheur Riley achter ons aan te hebben. Heeft hij je een zendertje gegeven?'

'Helaas niet.'

'Mooi.'

'Hoe bent u hierbij betrokken? Ik heb via het internet gecontroleerd dat u inderdaad dr. Hathaway bent.'

Hij glimlachte. 'Dat klopt, en Luke heeft les van me gehad. Maar dat doet er op dit moment allemaal niet toe.'

Ze reden voorbij de afslag naar Coeur d'Alene en even later hadden ze ook het meer achter zich gelaten.

'Waarom hebt u Luke ontvoerd?'

'Dat heb ik niet gedaan.'

'Werkt u dan met iemand samen? De officier van justitie – Alton Delong? Hebt u hem soms ook in de klas gehad?'

'Alton?' Hij grinnikte. 'Ik mag dan oud zijn, maar zo oud nog niet. We hebben samen rechten gestudeerd. Alton en ik kennen elkaar al jaren, maar we hebben nooit samengewerkt. We konden het niet zo met elkaar vinden. Waarom vraag je dat?'

Angela drukte haar handen tegen haar ogen en overwoog Hathaway te vertellen over Bernie's vermoeden dat de officier van justitie corrupt was. Ze besloot het niet te doen. 'Waren jullie vijanden?'

'Niet echt.'

Angela keek hem misprijzend aan. 'Er zat een microfoontje in mijn tas. Dat hebt u er zeker in gedaan?'

Hathaway zuchtte. 'Nee, maar ik weet wie het wel gedaan heeft.'

'U hebt misbruik gemaakt van mijn moeders gastvrijheid en een microfoontje geplaatst zodat u mijn gesprekken af kon luisteren.'

'We moesten Luke vinden en dachten dat jij de beste gids zou zijn.'

'We? Met wie werkt u samen?'

'Alles op z'n tijd, Angela. Wacht maar af.'

Angela keek of ze borden langs de weg zag staan. Als ze kon ontsnappen, wilde ze de autoriteiten hier wel heen kunnen sturen. Even dacht ze dat ze naar het huisje reden waar Bernie en Dan zaten, maar Hathaway reed verder langs de bochtige weg.

Ze voelde zich niet erg door hem bedreigd, maar dat zei niets. 'Weet u van de gebroeders Penghetti en de rechtszaak waar Luke bij betrokken was?'

'Natuurlijk.'

'Zij zijn ook op zoek naar Luke.'

'Dan heeft hij geluk dat ik hem eerst heb gevonden.'

'En die huurmoordenaar die de getuige en de bodyguard heeft omgebracht en Luke liet lopen? Weet u wie dat is?'

Hij aarzelde. 'Ja.'

'Hoe kan dat? Hebt u hem ingehuurd?'

Hij schudde zijn hoofd. 'Natuurlijk niet. Ik ben docent. Ik heb altijd een voorbeeldig leven geleid.'

'Noemt u dit voorbeeldig?'

'Nood breekt wet.'

'Hoe kent u dan die huurmoordenaar?'

Hathaway reed over een onverharde weg tot bij een oprit naar een blokhut. 'Je broer is daarbinnen, Angela.' Achter het huisje lag een meer. Er was een steiger met een roeiboot met buitenboordmotor ernaast.

'Mooi, hè? Het is al jaren in de familie.'

Angela knikte.

Het gezicht van de man stond somber. 'Laten we naar binnen gaan. Dan kun je de man ontmoeten die John Stanton en zijn bodyguard heeft vermoord en je broer heeft laten lopen.'

45

Angela rechtte haar rug, vastbesloten om alles onder controle te houden. Ze duwde de deur open en liep het huisje in. Luke lag op de bank. Zijn baard was afgeschoren en hij zag er weer uit als de broer die ze kende en waar ze van hield. Hij was wat zwaarder geworden, en nog knapper dan ze zich hem herinnerde.

'Luke!' Haar enige gedachte op dat moment was hem in haar armen te sluiten. Maar ze bleef staan toen ze het bloederige verband om zijn bovenbeen zag.

'Nee!' Hij liet zijn hoofd achterover zakken. 'Waarom heb je haar erbij gehaald?' Zijn ogen schoten van haar naar Hathaway. 'Meneer Hathaway! Waarom... wat doet u hier?' Luke sloeg zijn handen voor zijn ogen.

'Wat is er gebeurd?' vroeg Hathaway, voordat Angela er de kans toe had. Zijn woede was gericht tegen de man met het pistool.

'Hij probeerde te ontsnappen.'

Angela draaide zich om naar de man die die woorden zo ongeïnteresseerd had uitgesproken. Hij zat aan de houten tafel met een pistool binnen handbereik. Het was een grote man en hij zag er gevaarlijk uit. Hij had doordringende donkerbruine ogen en een vierkante kaak. Er ging een dreiging van hem uit. Haar hart sloeg een slag over toen ze zich herinnerde wat Hathaway had gezegd. Deze man was een hardvochtige moordenaar.

Dr. Hathaway leek niet van de man onder de indruk,

maar praatte eerder op een gebiedende toon tegen hem. Hij leek zich ergens aan te irriteren. 'We hadden afgesproken dat er geen gewonden zouden vallen.'

'Ik moest hem toch tegenhouden?'

Dr. Hathaway wreef over zijn voorhoofd. 'Luke, het spijt me.'

Luke keek net zo verward als Angela zich voelde. 'Mij ook.' Hij liet zijn hoofd weer in het kussen zakken.

Angela draaide zich weer om naar haar broer en viel op haar knieën neer naast de bank. Ze omhelsde hem en liet haar gezicht op zijn borst rusten. Hij legde zijn hand op haar hoofd. Ze had elke dag gebeden voor zijn leven en dat ze hem weer terug mocht vinden, maar niet op deze manier. Ze maakte zich los en keek in zijn bruine ogen. 'Wat is er hier aan de hand? Je moet naar het ziekenhuis.'

'Mijn gezondheid is wel het laatste waar ik me zorgen om maak,' zei Luke. 'Het spijt me dat je in deze ellende betrokken bent geraakt. Ik had nooit naar papa's begrafenis moeten komen.'

'Daar is het nu te laat voor,' zei Hathaway. 'Bovendien ben ik het ermee eens dat je gegaan bent. Als je dat niet had gedaan, had ik jou en je gezin nooit kunnen vinden.'

Luke probeerde rechtop te gaan zitten. 'Weet u van Kinsey en Marie? Zijn ze ongedeerd?'

'Voor zover ik weet wel.'

De huurmoordenaar stond op en liep met het pistool in zijn hand naar hen toe. 'Als jullie genoeg hebben gekeuveld, stel ik voor dat we er een beetje vaart achter zetten.'

Dr. Hathaway gebaarde dat Angela vlakbij Luke in een leunstoel moest gaan zitten.

'Luke, vertel me toch wat er aan de hand is,' vroeg Angela weer.

'Ik weet het niet,' zei Luke. 'Ik weet alleen dat ik deze man op de golfbaan heb ontmoet. Voor ik het wist zat ik hier in dit huisje.'

'Als dr. Hathaway de waarheid vertelt, is hij de huurmoordenaar die de getuige en zijn bodyguard heeft gedood en jou de schuld in de schoenen geschoven heeft.'

'Die conclusie had ik ook al getrokken,' zei Luke.

'Ik heb Luke laten gaan,' zei de grote man. 'En gezegd dat hij een andere identiteit aan moest nemen.'

'Je hebt er ook voor gezorgd dat hij verdacht werd van die moorden,' zei Angela, terwijl ze hem woedend aankeek.

'Waarom zijn we hier? Ga je ons allebei vermoorden? Alleen maar omdat Luke naar zijn vaders begrafenis is geweest?' Ze leunde voorover met haar ellebogen op haar knieën.

De huurmoordenaar keek even naar dr. Hathaway. 'Ik ben niet van plan een van jullie om te brengen. Luke's beslissing heeft me geholpen om hem te vinden. Helaas hebben anderen dat ook gedaan.'

Hathaway schraapte zijn keel. 'Angela, ik wil je voorstellen aan mijn broer, Cade.'

'Uw... uw broer?' Nu hij het zei, zag Angela de gelijkenis. Beide mannen waren zwaargebouwd. Dezelfde brede schouders en dezelfde vorm ogen. Beiden hadden ze grijzend haar, maar dat van dr. Hathaway had een zilverachtige glans.

'Wat willen jullie van ons?'

Hathaway ging zitten in de lege stoel naast zijn broer. Nu zaten ze allemaal in een halve cirkel om de haard heen. 'Ik weet dat jullie benieuwd zijn waarom ik jullie hierheen gebracht heb, dus dat zal ik jullie vertellen. Cade en ik willen jullie om een gunst vragen.' Hij zuchtte en keek even naar Cade. 'Of eigenlijk wil mijn broer jullie om een gunst vragen. Cade zal een verklaring afleggen, die jullie moeten aanhoren en ondertekenen. Dan moet jij, Angela, die naar de politie brengen.'

'Een verklaring?' Ze keek naar Cade. 'Ga je bekennen dat je die twee hebt vermoord en ons vertellen wie je daarvoor heeft ingehuurd?'

Cade knikte. 'Ik zal jullie alle informatie geven die ik heb. Dan moeten jij en je vriend de rechercheur de rest van de puzzelstukjes maar in elkaar passen.' Hij zuchtte diep. 'Ik ben een professionele huurmoordenaar. En ik ben goed in wat ik doe. Tenminste, vroeger wel.'

'Goed in het vermoorden van mensen?' Angela probeerde de minachting die ze voelde enigszins te verbergen. 'Hoe kan daar nu iets goeds aan zijn?'

'Ik vermoord niet zomaar iedereen.'

'O, dus je houdt er normen en waarden op na?'

'Ja, zeker.' De man leek gelaten en berouwvol. 'Dat is een van de redenen dat je broer nog leeft.' Hij wendde zich tot Luke. 'Iemand die John Stanton voor de rechtszaak dood wilde, heeft contact met me opgenomen. Jij en de bodyguard stonden ook op zijn lijstje.'

'Wie is diegene dan?' vroeg Angela.

'Dat weet hij niet.' Dr. Hathaway liep de keuken in om nog eens koffie in te schenken voor zichzelf en Cade. 'Wil je ook een kopje?'

'Nee, dank u.'

'Hoe is dat mogelijk?' vroeg Angela toen de professor weer was gaan zitten.

'Ik gebruikte codenamen,' zei Cade. 'Niemand wist mijn echte naam en ik ken hen ook niet. Een cliënt moet met een aantal mensen contact leggen voordat hij bij mij uitkomt. Ik geef de voorkeur aan anonimiteit van beide kanten. Dat werkte altijd het beste.'

'Tot nu.' Dr. Hathaway zuchtte. Hij leek zich te hebben neergelegd bij wat zijn broer voor werk deed.

'Heb je geen idee wie je heeft ingehuurd?' vroeg Luke.

Cade nam een slok van zijn koffie. 'Eerst dacht ik dat het de gebroeders Penghetti waren, maar later was ik daar niet zo zeker meer van. Ik kon me niet voorstellen dat één getuige zoveel invloed kon hebben in die zaak. De officier van justitie had weinig bewijsmateriaal tegen de Penghetti's. Ik probeerde te achterhalen wie mijn opdrachtgever was, maar dat lukte niet. Ik heb zelfs navraag gedaan naar de familie van de getuige. Ik ontdekte dat Stanton met een dochter van de Penghetti's getrouwd was. Voordat hij naar de officier van justitie stapte, was hij ontslagen omdat hij drugs dealde. De Penghetti's waren daar niet blij mee, maar ik kon er niet achter komen wie van hen mij had ingehuurd.'

'Ik begrijp het nog steeds niet,' zei Angela. 'Hoe kun je nu niet weten wie je opdrachtgever is?'

'Mijn contactpersoon gebruikte een aangenomen naam en daarna hoorde ik niets meer van hem. Ik ging mijn eerste contactpersoon opzoeken, maar hij bleek dood te zijn. De tweede en derde contactpersoon ook. Dat kan geen toeval zijn. Degene die me heeft ingehuurd, probeert me te pakken te krijgen. Misschien weet hij al wie ik ben, misschien ook niet. Hij moet er op de een of andere manier achter zijn gekomen dat ik Luke niet vermoord had. Dat betekent waarschijnlijk dat hij achter ons allebei aan zit.'

'Waarom vertel je ons dit nu?' vroeg Angela. 'Je zegt dat je identiteit niemand bekend is, dus...'

'Toen ik las dat Luke's vader was gestorven, was ik ongerust dat Luke contact met zijn familie zou zoeken en dat de

287

man die me had ingehuurd, zou ontdekken dat hij niet dood was. Er was nooit een lichaam gevonden, dus ik kon niet bewijzen dat Luke dood was. Ik dacht dat mijn contactpersoon me geloofde toen ik zei dat ik Luke als zondebok had gebruikt en zijn lichaam en het pistool in een moeras had gedumpt. Blijkbaar had ik het mis.'

'Dus alles ging aan het rollen toen mijn vader stierf?' vroeg Luke.

'Daarvoor al,' zei dr. Hathaway. 'Angela's schietincident kwam in het hele land op televisie. Cade dacht dat jij, Luke, misschien contact op zou nemen met je familie. Toen is hij naar Sunset Cove gegaan om hen in de gaten te houden. We weten niet waarom Luke ook op dat lijstje stond, naast Stanton en de bodyguard, maar ik vermoed dat Luke belastend bewijs heeft tegen Cade's opdrachtgever.'

Luke kreunde van de pijn toen hij ging verzitten. 'Ik zou niet weten wat dat moet zijn. Ik had alleen contact met die getuige via de officier van justitie. Stanton had tegen hem een verklaring tegen de Penghetti's afgelegd.'

'Bernard Penghetti beweert dat zij geen huurmoordenaar hebben ingeschakeld,' zei Angela. 'Hij wil de familienaam zuiveren en zegt dat hij vermoedt dat de officier van justitie zelf de moordenaar heeft ingehuurd.'

Dr. Hathaway keek van de een naar de ander. 'Daar heb ik zelf ook over gedacht, maar ik kan het niet geloven. Alton Delong deugde niet. Ik kan me best voorstellen dat hij een getuige omkocht om de gebroeders Penghetti voorgoed achter slot en grendel te krijgen, maar een huurmoordenaar inschakelen?'

'En als die getuige nu eens meer geld eiste of besloot de waarheid te vertellen?' vroeg Angela.

'Dat zou Alton nooit doen,' zei Luke. 'En waarom zou hij

mij erbij halen? Met mijn dood zou hij niets opschieten – met Stantons dood ook niet, trouwens. Het klinkt allemaal niet logisch.'

'Ik wil alleen bekennen wat ik weet,' zei Cade.

'Waarom?' vroeg Angela.

'Ik ben oud en moe en ik blijk kanker te hebben. Ik wil met een schone lei sterven.'

'Een schone lei.' Angela schudde haar hoofd. 'Hoeveel mensen heb je vermoord?'

'Dat doet er niet toe. Ik heb de laatste tijd veel over religie nagedacht. Mijn vader was priester en ik weet nog dat ik hem hoorde vertellen over de twee mannen die naast Christus aan het kruis hingen. Jezus vergaf de moordenaar. Daar wil ik op vertrouwen.'

'Dus als ik het goed begrijp, geef je je over aan de politie? En je wilt Luke niet vermoorden? Waarom ga je dan niet gewoon naar het politiebureau? Waarom heb je Luke en mij hierheen gehaald?'

'Geloof het of niet, maar ik maak me ongerust dat mijn opdrachtgever Luke wil vermoorden. Ethan en ik dachten dat we hem beter in veiligheid konden brengen. We kennen de man die je vriend Nick probeerde te vermoorden. Als je degene vindt die hem heeft ingehuurd, ben je klaar.'

'Justin Moore werd vermoord voordat hij iemand kon identificeren.' Angela leunde achterover. Ze was opgelucht, maar bleef op haar hoede. Kon ze haar vertrouwen stellen op een man die voor zijn werk mensen vermoordde?

'Wat nu?' vroeg Luke. 'Kun je ons niet gewoon laten gaan? Mijn been is gebroken. Ik moet naar het ziekenhuis.'

Dr. Hathaway knikte. 'Gezien wat er met Luke is gebeurd, stel ik voor dat we het plan een beetje wijzigen. Ik rijd met Luke naar het ziekenhuis en daarna haal ik rechercheur Riley op. De politie zal Luke vast wel dag en nacht willen bewaken, dus hij is daar veilig.'

'Moet ik dan hier bij je broer blijven?' Angela huiverde bij die gedachte. 'Kunnen we niet allemaal gaan?'

Cade sloeg zijn armen over elkaar. 'Dan hebben we geen zekerheid dat je vriend Callen mee zal werken.'

Angela begreep nog steeds niet waarom hij een verklaring af wilde leggen. 'Je hebt Luke hierheen gebracht om hem te beschermen, maar ik begrijp nog steeds niet wat ik ermee te maken heb. Als je Callen nodig hebt, waarom vraag je hem dan niet gewoon om hierheen te komen?'

'Met Luke hier wisten we zeker dat jij zou komen. Callen heeft niets met je broer, maar wel met jou. Daarom heb ik zo'n vermoeden dat hij precies zal doen wat we van hem vragen.'

Angela betwijfelde of dat zo was, maar dat zei ze niet. Callen zou wel met Ethan mee komen, maar niet alleen. Hoewel Cade oprecht leek in zijn bedoelingen, vertrouwde ze hem niet. Toch hielp ze dr. Hathaway en Cade om Luke in de auto te zetten, zodat hij naar het ziekenhuis gebracht kon worden. Hoe sneller Luke in het ziekenhuis was, hoe sneller Callen hier zou zijn. Dan zou ze zich heel wat beter voelen.

Toen ze de auto niet meer konden zien, liep Cade terug naar het huisje. Voordat hij naar binnen ging, bleef hij staan en keek achterom naar Angela. 'Ze zullen wel een tijdje wegblijven. Zullen we wat gaan vissen?'

46

In haar wildste dromen had Angela nooit kunnen vermoeden dat ze samen met een moordenaar in een bootje zou zitten vissen, midden op een uitgestrekt meer in Idaho. Maar ze voelde zich vreemd rustig. Er kwamen twee herten aan de oever drinken. Het water kabbelde zachtjes tegen de boot terwijl Angela nog een worm aan het haakje deed en de dobber in het water zwiepte. 'Mijn vader zou hiervan genoten hebben.'

'De mijne ook.'

Angela aarzelde, maar stelde toch haar vraag. 'Waarom zijn Ethan en jij zulke uiteenlopende wegen ingeslagen in het leven?'

'Je bedoelt waarom we allebei aan een andere kant van de wet terecht zijn gekomen? Mijn vader werd vermoord toen ik tien was en Ethan twaalf. Onze moeder stierf niet lang daarna en wij werden bij verschillende families ondergebracht. Ethan ging anders met de situatie om dan ik. Hij accepteerde het verlies en raakte gehecht aan zijn adoptiefouders. Ik rebelleerde. Ethan ging rechten studeren en haalde zijn bul cum laude. Ik ging economie studeren en werd effectenmakelaar. Daarnaast handelde ik in... andere dingen.'

'Je vermoordde mensen.' Hoe vreemd het ook was, Cade was gemakkelijk om mee te praten, en dat verwarde Angela. 'Zo nu en dan wel.' Hij verschoof zijn hengel een stukje. 'Meestal deed ik het voorkomen alsof het ongelukken waren. Een psychiater zou waarschijnlijk gezegd hebben dat ik het deed om mijn vaders dood te wreken. De meeste slachtoffers, als je hen zo wilt noemen, waren slechteriken die onder het systeem uit hadden weten te komen. Ik weet zeker dat sommige van mijn opdrachtgevers politieagenten waren die wilden dat er recht gedaan zou worden.'

'Wisten ze wie je was?'

'Nee. Ik bleef altijd anoniem. Ik werd expert in vermommingen en werkte onder een aantal aangenomen namen.'

'Wist Ethan dat je dat deed?'

Hij schudde zijn hoofd. 'We verloren elkaar een tijdje uit het oog en toen ik hem weer terugvond, leidde ik al een hele tijd een dubbelleven.'

'Heb je een gezin?' Angela nam een slokje uit het blikje cola dat ze had meegenomen.

'Ik ben nooit getrouwd. Relaties maken je kwetsbaar en ik moest van het ene op het andere moment verder kunnen trekken.'

'Waarom heb je besloten ermee te stoppen?'

'Leeftijd. Mijn geweten. Ik voelde me gerechtvaardigd in wat ik deed, maar nu... laten we zeggen dat mijn wereldbeeld nogal veranderd is – deels vanwege je broer.'

'Luke?'

'Tim. Ik ben jou een keer gevolgd toen je naar de kerk ging. Hij preekte over onze redding.'

'Weet je echt niet wie je heeft ingehuurd om Luke te vermoorden?'

'Mijn opdrachtgever had zich goed ingedekt. Ik kon niet achterhalen wie hij was.'

Het geluid van autobanden op het grind verbrak de stilte en Angela keek achterom naar de blokhut. Cade had het ook gehoord. 'We hebben gezelschap,' zei hij.

'Ethan kan het nog niet zijn.'

Angela zag de zwarte limousine door de bomen de oprit op komen. Twee mannen stapten uit. Dan en Bernie. 'Dat is Bernie Penghetti en zijn bodyguard.'

Cade legde zijn hengel in de boot en pakte de roeispanen. 'We moeten dekking zoeken. Ik weet niet hoe ze ons hebben weten te vinden, maar ik denk niet dat ze zomaar even een rondje aan het toeren zijn.'

Angela borg ook haar hengel op. De mannen waren niet meer te zien. Waarschijnlijk liepen ze om de blokhut heen. Als ze zich realiseerden dat er niemand binnen was, zouden ze dan over het water kijken?

Cade roeide met krachtige bewegingen naar de kant van het meer, zodat Bernie en Dan hen niet meer konden zien.

'Wat moeten we doen?' Er schoten allerlei gedachten door Angela's hoofd. 'Straks komen Ethan en Callen.'

'Hoe hebben ze ons gevonden?' Cade fronste zijn wenkbrauwen en legde de roeispanen in de boot toen ze de kant raakten.

'Bernie heeft zeker een zendertje in mijn tas of portemonnee gedaan,' zei Angela. 'Daar heb ik geen moment aan gedacht.' Ze kreunde. 'Wat ontzettend dom.' Haar tas lag in het huisje en het pistool van Cade ook. Zouden Bernie en Dan wachten tot er iemand kwam of zouden ze vertrekken zodra ze zagen dat er niemand was?

'Misschien kunnen we naar de weg lopen en Ethan waarschuwen.' Cade tuurde door de bomen heen.

'Goed idee.' Ze waren naar de westkant van de blokhut geroeid. Het zou niet gemakkelijk zijn om in het bos de weg te vinden. 'Hoe ver is de weg hier vandaan?'

'Waarschijnlijk een kilometer ongeveer, niet veel meer. Als we rechtdoor lopen, moeten we erop uitkomen.'

293

'Goed, laten we gaan.' Angela begon te rennen en Cade kwam achter haar aan, maar na een paar meter bleef hij staan. 'Ik kan niet rennen,' hijgde hij. 'Pijn op de borst. Ga jij maar vooruit. Ik wacht wel op je bij de boot.' Angela aarzelde. 'Weet je het zeker? Ik...' 'Ga nou maar. Als ik even uitrust, gaat het wel weer.' Hij trok het kettinkje om zijn nek naar boven. Er hing een klein kokertje aan, waarschijnlijk met tabletjes voor zijn hart. Angela draaide zich om en rende verder. Ze hoopte dat ze niet lang op Callen en Ethan zou hoeven wachten en bad dat Cade niets ernstigs mankeerde. Het leek ongepast om te bidden voor het leven van een moordenaar, maar ze vond de man aardig. Cade had ervoor gekozen om Luke vrij te laten in die hotelkamer in Florida. Dat moest toch iets betekenen.

Het duurde zes minuten voor ze bij de weg was, maar ze was te laat. De auto van Ethan en een politieauto reden net voorbij toen ze het bos uitkwam.

Angela rende met haar armen zwaaiend achter de auto's aan, maar door de stofwolk die de banden opwierpen, zagen ze haar niet. Eerder dan ze had verwacht, kwam ze bij de oprit naar de blokhut. Toen ze bij het huisje kwam, zag ze dat Callen en agent Denham hun wapens getrokken hadden. Bernie en Dan stonden een beetje verward voor het huis. Ethan en een andere man stapten uit de auto.

Angela ging naast Callen staan. 'Ik probeerde je nog te waarschuwen dat zij hier waren.'

'Ik zag de limousine toen ik de oprit op draaide.' Tegen Denham zei hij: 'Doe ze handboeien om.'

'Waar is Cade?' vroeg Ethan.

'In het bos. Ik kan je wel naar hem toe brengen. Maar eerst moeten we iets met Penghetti en zijn bodyguard.'

'Ik wist het wel.' De man die bij Ethan in de auto had

gezeten, stond met zijn handen op zijn heupen te kijken. Angela wist meteen wie hij was. Ze herkende Alton Delong van de foto's op het internet. Ze keek naar Callen. 'Wat doet hij hier?'

'Meneer Delong is gisteren uit Florida hierheen gekomen.' Callen stelde hen aan elkaar voor. 'Alton Delong, dit is Angela Delaney.'

'Leuk om je te ontmoeten, Angela. Ik ben blij dat je broer veilig is.'

'Hebt u hem gezien?'

'Ja. Ik stond toevallig met rechercheur Riley te praten toen Ethan hem kwam brengen. Ik vond het wel gepast om mee te komen voor de arrestatie van de man die Stanton en de bodyguard heeft vermoord.'

Callen had waarschijnlijk de vragende blik in haar ogen gezien. 'Meneer Delong had hier niets mee te maken, Angela. Bernie heeft je om de tuin geleid. Het telefoonnummer dat Justin met zijn mobiel had gebeld, was van Richard Penghetti. Rick moet Justin ingehuurd hebben en hem de mobiel hebben gegeven, want het toestel staat op zijn naam. Ik denk dat hij zijn neef hierheen heeft gestuurd om de klus af te maken.'

Angela keek weer naar Alton, wiens gezicht glom van genoegen. 'Dus het onderzoek is voorbij. Zomaar ineens.' Ze keek naar Bernie en Dan, die inmiddels in de boeien geslagen waren. 'Ik had niet gedacht dat Bernie en Dan zich zonder tegenstribbelen zouden laten inrekenen.'

'Dit is een misverstand, Angela,' riep Bernie naar haar. 'Luister alsjeblieft naar me.'

'Ja, ja. Wat doen jullie hier eigenlijk? Hoe wisten jullie dat jullie hier moesten zijn?'

'Toen je sliep heb ik Dan een zendertje in je tas laten

naaien. Daarvoor mijn verontschuldiging, maar ik wilde weten of en wanneer je Luke zou vinden.'

'Zodat je hem kon vermoorden?'

'Natuurlijk niet.'

'Jullie babbelen later maar verder,' zei Callen. 'Denham, wijs hen op hun rechten.'

'We hebben niets misdaan,' hield Bernie vol.

Callen zette beide mannen achterin Denhams patrouillewagen en vroeg om versterking.

'Waar zei je dat Cade was?' vroeg hij.

Angela vertelde dat ze hem in het bos had moeten achterlaten. Toen er versterking kwam om Bernie en Dan naar de stad te brengen, nam Angela Callen en Denham mee naar de plek waar ze Cade had achtergelaten. Ze liepen langs de oever van het meer, maar konden de boot niet vinden. Na meer dan een uur zoeken, kwam Angela tot de conclusie dat hij haar te slim af was geweest. 'Hij is weg. Die vind je waarschijnlijk nooit terug.'

'Daar ben ik nog niet zo zeker van.' Callen deed een oproep voor een grootscheepse zoektocht op en om het meer.

Angela stelde voor om terug te gaan naar de stad met Ethan en de officier van justitie, zodat ze Luke weer kon zien. Ze hoopte ergens dat Cade zou ontsnappen, maar een ander deel van haar hoopte dat hij achter de tralies zou belanden. Ze piekerde nog steeds over de uitkomst van het onderzoek. Ergens klopte er iets niet. Ze zat achterin de auto en luisterde naar Delong en Hathaway, die verhalen over vroeger ophaalden.

'Eindelijk,' zei Alton. 'Eindelijk gaat Richard Penghetti de cel in. Daar heb ik lang op moeten wachten.'

'Ik ben blij voor je, Alton,' zei Ethan. 'Maar ik vind het

toch vreemd dat Rick Penghetti op zijn eigen naam een mobiele telefoon heeft gekocht en die aan de man heeft gegeven die Luke voor hem moest vermoorden. Ik had gedacht dat hij slimmer was.'

Angela ging rechtop zitten en keek Hathaway in het achteruitkijkspiegeltje in de ogen. 'Dat vroeg ik me ook al af,' zei ze.

'Ik begrijp wel wat jullie bedoelen, maar je moet je realiseren dat Rick een dagje ouder wordt,' zei Delong. 'Misschien begon hij te geloven dat hij nooit gesnapt zou worden. Ik vermoed dat hij Justin uit de weg had willen ruimen. Hij dacht waarschijnlijk niet dat die mobiel ooit bij de politie terecht zou komen.'

'Denkt u dat Rick Penghetti Justin heeft laten vermoorden?' vroeg Angela.

'Ongetwijfeld. Zo werken die mannen. Het is lastig om dat soort dingen te bewijzen, maar nu zijn ze erbij.'

Ethan zuchtte. 'Nou, ik ben blij dat het voorbij is. Maar ik moet toegeven dat ik even geloofde dat jij die huurmoordenaar misschien in de arm had genomen.'

'Ik? Waarom zou ik dat doen?'

'Je had genoeg redenen om Rick Penghetti te haten.'

Angela leunde achterover. Ze vroeg zich af waar Ethan heen wilde. Zij en Rachel hadden gesproken over Delongs toewijding en dat hij misschien wat al te ijverig was geweest. Callen moest dit eigenlijk horen, maar het was misschien niet zo handig om hem nu te bellen.

Ethan schraapte zijn keel. 'Ik herinner me een ongeluk, vele jaren geleden. Je bent je dochter toch kwijtgeraakt, hè?'

'Wat heeft dat er mee te maken?'

Angela hield haar adem in.

'Voor zover ik weet, was er een jonge man die Righaud

Penghetti heette en een paar borrels te veel op had. Hij reed door het rode licht op dezelfde avond waarop jouw dochtertje stierf. Hij werd veroordeeld wegens doodslag, maar hoefde niet naar de gevangenis. Dat moet erg moeilijk voor je geweest zijn.'

Dus Alton Delong had een motief. Angela ergerde zich aan Altons arrogante houding. Ethan had gelijk. Als zij Richard Penghetti was, zou ze zich nooit kwetsbaar opstellen door op haar eigen naam een telefoon te kopen en die vervolgens aan een huurmoordenaar te geven. En als Richard zo crimineel was als Alton wilde doen geloven, zou hij nooit een druiloor als Justin inhuren om zijn vuile zaakjes op te knappen. Hij had familie genoeg.

'Natuurlijk was dat moeilijk,' zei Alton, 'maar je ziet het verkeerd. Ik wilde wraak nemen op Rick, ja, maar niet buiten de wet om. Die familie is door en door slecht. Ik wilde dat er recht gedaan zou worden.'

'Maar je mag het recht niet in eigen hand nemen, Alton.'

'Die preek kun je beter aan je broer geven.'

Ethan knikte. 'Daar heb ik niet de kans toe gehad, ben ik bang.'

'Wat gebeurt er nu?' vroeg Angela.

'De politie zal Penghetti en zijn vriend ondervragen, maar zonder resultaat,' antwoordde Alton. 'Ze halen hun advocaat erbij en zijn vanmiddag weer op vrije voeten. Maar door die mobiele telefoon kunnen we Richard aanklagen voor de moord op Nick Caldwell, Faith Carlson en Justin Moore.'

'Het is allemaal indirect bewijs,' zei Ethan.

'Misschien wel, maar de jury zal hem toch veroordelen.'

Angela vertrouwde het niet. De moord op Nick? En hoe wist hij dat Justin vermoord was? Hoeveel had Callen hem verteld? 'Hoe wist u dat, van Justin en Nick?'

'Rechercheur Riley heeft me het een en ander verteld onderweg naar de blokhut.'

Ethan keek hem verbaasd aan en bevestigde daarmee Angela's vermoeden. Alton Delong had zojuist zijn eigen graf gegraven, en dat wist hij.

'Stoppen.' Delong haalde een pistool te voorschijn en zette de loop op het hoofd van Ethan.

Hathaway keek naar Angela in het achteruitkijkspiegeltje alsof hij wilde zeggen: 'Wat nu?'

'Doe wat hij zegt.' Angela had geen idee wat Delong van plan was of waar hij toe in staat was.

Ethan parkeerde de auto en Alton zei dat hij uit moest stappen. Hij schreeuwde naar Angela dat ze achter het stuur moest gaan zitten. 'Jij zorgt dat ik hier weg kom.'

'En als ik dat weiger?'

'Dan schiet ik hem voor zijn kop.'

Angela ging achter het stuur zitten en Delong schoof naast haar. Voordat hij het portier dichttrok, schoot hij Ethan in zijn borst.

'Nee!' Angela ramde haar vuist in Altons gezicht. Een felle pijn schoot door haar arm.

Hij schreeuwde en bracht zijn hand naar zijn gezicht. Ze greep met beide handen zijn pistool vast, maar hij dook de auto uit en trok Angela met zich mee. Ze lag bovenop hem en hield het wapen stevig vast.

Bloed stroomde uit zijn neus en hij moest hoesten, waardoor ze allebei onder het bloed kwamen te zitten. Hij verslapte zijn grip en Angela wrikte het pistool los uit zijn hand. Toen richtte ze de loop op zijn borstkas. 'Blijven liggen.' Met de mouw van haar jas veegde ze het bloed van haar gezicht.

Ze duwde zichzelf overeind en schreeuwde: 'Omdraaien op je buik. Armen boven je hoofd, zodat ik ze kan zien. Nu!'

Delong jammerde: 'Ik had ze. Eindelijk had ik Penghetti waar hij hoort. Idioot. Weet je wel wat je hebt aangericht?'

'Het lijkt erop dat ik jou heb waar je thuishoort.' Met het wapen op hem gericht haalde ze haar mobiel uit haar zak en draaide het alarmnummer. Ze vroeg de telefoniste om Callen en commissaris Warren in te lichten en een ambulance te sturen. Callen was nog in de blokhut, en dat was maar een paar kilometer rijden. Terwijl ze praatte, liep ze achteruit naar Ethan toe. Zijn gebruinde gezicht was bleek. Aan het bloed dat uit zijn borstkas gutste, zag ze dat hij het niet zou halen. Toch drukte ze met haar vrije hand op zijn borst in een poging het bloeden te stelpen. 'Hou vol, Ethan.'

'Het spijt me.' Hij legde zijn hand op de hare. Ze kon niets meer voor hem doen. Ze stond op en veegde haar hand af aan haar jas.

Angela hoefde niet lang op hulp te wachten. Callen en Brad Denham arriveerden eerst. Callen keek naar Angela's met bloed bevlekte shirt en werd bleek. 'Ben je...?'

'Ik ben niet gewond. Niet echt.' Ze wreef over haar zere arm. 'Delong heeft Ethan doodgeschoten en ik heb hem een knal verkocht. Zijn neus is gebroken, denk ik.' Ze gaf het pistool aan Denham, die Delong in de boeien sloeg en hem op zijn rechten wees.

Ze vertelde hen wat er gebeurd was en wachtte in de auto tot alles geregeld was. Zodra hij weg kon, bracht Callen Angela terug naar de stad.

'Eerst naar het ziekenhuis,' zei ze. 'Ik wil het aan Luke vertellen en ik denk dat we mijn moeder maar eens moeten bellen.'

'Weet je dat zeker?' Callen keek naar haar met bloed bevlekte handen.

Ze glimlachte. 'Goed dan, eerst naar het hotel, dan naar

het ziekenhuis, en dan zal ik een verklaring afleggen.'

Callen knikte. Hij leek uit het veld geslagen. 'Ik kan mezelf wel voor m'n kop slaan dat ik je bij die vent in de auto heb laten stappen.'

'Je kon het niet weten. Ik wist ook niet dat hij een motief had, tot Ethan vertelde dat Richard Penghetti Altons dochtertje jaren geleden heeft doodgereden. Ethan zei dat hij en Alton samen op de universiteit hadden gezeten. En toen Alton zei dat hij Bernie de moord op Nick en Justin in de schoenen wilde schuiven, wist ik het. Hij zei dat jij hem onderweg in de auto had ingelicht, maar uit Ethans reactie bleek dat dat niet zo was. Bovendien is Nick niet dood en de enige die dat zou denken, is degene die Justin had ingehuurd.' Ze liet haar hoofd tegen de rugleuning zakken en sloot haar ogen. 'Ik ben blij dat het voorbij is.'

Callen zette haar af bij het hotel. 'Ik ga even langs bij de commissaris. Ik zie je wel in het ziekenhuis.'

Voordat ze ging douchen, belde Angela haar moeder. 'Mam,' zei ze, toen Anna de telefoon opnam, 'ik heb Luke gevonden.'

'Wat? Is alles goed met hem? Waar is hij?'

Angela beantwoordde al haar moeders vragen. Een half-uur later was ze onderweg naar het ziekenhuis om haar verloren gewaande broer te bezoeken.

Anna Delaney stond de volgende dag aan het bed van haar zoon. Het deed Angela goed om haar moeder zo blij en vrolijk te zien. Als Anna al boos was omdat Luke en Angela haar niet in vertrouwen hadden genomen, liet ze dat niet merken. Ze dankte God keer op keer dat Hij haar zoon had teruggebracht. Kinsey en Marie werden met open armen welkom geheten in de familie.

Een week later stond Angela met haar moeder, Callen en Luke op een begraafplaats in Californië, waar Ethans lichaam aan de aarde werd toevertrouwd. Zijn vrouw, dochter, zoon en kleinkinderen bogen hun hoofd terwijl de dominee bad.

Angela keek om zich heen over de begraafplaats of ze Cade ook zag. Hij zou waarschijnlijk ergens tussen de vrienden, studenten en collega's staan. Dat wist ze zeker. Ze wist ook dat zij, Callen en de andere agenten hem niet zouden kunnen herkennen.

Hoewel ze Cade dankbaar was dat hij Luke had laten gaan, had hij degene moeten zijn die hier te ruste werd gelegd, niet Ethan. Maar het leven was onrechtvaardig. Gelukkig zat de man die Justin en Cade had ingehuurd achter de tralies. Ze hadden al meer bewijs en motieven gevonden dan Angela's verklaring in de zaak tegen Alton Delong. De handtekening op het aankoopbewijs van de mobiele telefoon was vervalst en Altons vingerafdrukken waren op het document gevonden.

Toen de dienst voorbij was, reden ze naar het vliegveld. Luke zou weer naar zijn werk gaan in Coeur d'Alene, maar nu als Luke Delaney, niet meer als Thomas Sinclair. Callen moest het bizarre en ingewikkelde onderzoek afronden. Angela en Anna zouden nog een paar dagen bij Gabby logeren en daarna weer naar Sunset Cove terug gaan.

Als ze weer thuis was, zou Angela weer aan het werk gaan op het politiebureau van Sunset Cove, maar ze zou solliciteren naar de functie van rechercheur. Callen had niets meer gezegd over een huwelijk. Zelfs niet toen ze samen een romantisch boottochtje hadden gemaakt op het meer in Coeur d'Alene. Misschien was hij van gedachten veranderd. Misschien vond hij haar te koppig. Misschien wilde hij niet met een politieagente trouwen.

Ze zou het hem eens vragen als ze weer thuis was. En misschien, heel misschien, zou ze dit keer ja zeggen als hij haar vroeg.